Trader Joe's
6277 Roswell Rd Ne
Atlanta 30328
    4 - 236 2414

LA PROMESA DE LA ETERNA JUVENTUD

Dr. Nicholas Perricone

LA PROMESA DE LA ETERNA JUVENTUD

MENTE JOVEN EN CUERPO JOVEN

Traducción de Carme Geronès y Carles Urritz

alternativas
ROBIN BOOK

Licencia editorial para Bookspan por cortesía
de Ediciones Robinbook, s.l., Barcelona

Bookspan
501 Franlin Avenue
Garden City, NY 11530

Título original: *The Perricone Promise*
© 2004, Nicholas Perricone
This edition published by arrangement with Warner Books, Inc., New York, USA.
© 2006, Ediciones Robinbook, s. l., Barcelona

Diseño cubierta: Regina Richling
Fotografías de cubierta: King Vincent Storm, Inc. (fotografía del autor).
                              Corbis
Diseño interior: Cifra (www.cifra.cc)
ISBN: 978-0-7394-7924-7

Impreso en U.S.A.

DR. NICHOLAS PERRICONE

LA PROMESA DE LA ETERNA JUVENTUD

MENTE JOVEN EN CUERPO JOVEN

Traducción de Carme Geronès y Carles Urritz

alternativas
ROBIN BOOK

Licencia editorial para Bookspan por cortesía
de Ediciones Robinbook, s.l., Barcelona

Bookspan
501 Franlin Avenue
Garden City, NY 11530

Título original: *The Perricone Promise*
© 2004, Nicholas Perricone
This edition published by arrangement with Warner Books, Inc., New York, USA.
© 2006, Ediciones Robinbook, s. l., Barcelona

Diseño cubierta: Regina Richling
Fotografías de cubierta: King Vincent Storm, Inc. (fotografía del autor).
                                    Corbis
Diseño interior: Cifra (www.cifra.cc)
ISBN: 978-0-7394-7924-7

Impreso en U.S.A.

A mis hijos,
Jeffrey, Nicholas y Caitie.

ÍNDICE

AGRADECIMIENTOS   11

INTRODUCCIÓN   13

PRIMERA PARTE. EXPLICACIÓN DE LA PROMESA   17
1. La promesa Perricone   19
2. La ciencia sobre la que se basa la promesa   32

SEGUNDA PARTE. LAS TRES ETAPAS   49
PRIMERA ETAPA. LOS ALIMENTOS   51
3. El arco iris de los alimentos. La escalera de color
   que nos lleva al triunfo   53
4. Los diez superalimentos   79
5. Las especias de la vida   117

SEGUNDA ETAPA. LOS SUPLEMENTOS   145
6. Aumentemos la producción de nuestra fábrica de energía.
   El gran poder de los polisacáridos   147
7. Más salud si cabe. Suplementos para luchar contra el
   envejecimiento y la inflamación y metabolizar las grasas   160

TERCERA ETAPA. LOS PRODUCTOS TÓPICOS 183
8. Los neuropéptidos y la piel. La «superautopista de la
    información» que nos llevará al rejuvenecimiento 185

TERCERA PARTE. EL PROGRAMA DE 28 DÍAS
DEL DOCTOR PERRICONE 199
9. El programa de 28 días del doctor Perricone 201

APÉNDICE A. LAS RECETAS DEL PROGRAMA
PERRICONE DE 28 DÍAS 247
APÉNDICE B. GUÍA DE RECURSOS 273
BIBLIOGRAFÍA 279
ÍNDICE ALFABÉTICO 295

AGRADECIMIENTOS

Anne Sellaro merece encabezar nuevamente la lista de agradecimientos. Su infatigable entusiasmo, su arduo trabajo, su creatividad e imaginación como amiga, agente, productora y colaboradora me han permitido seguir compartiendo mi mensaje y mi misión con millones de personas de todo el mundo.

He de dar las gracias también a Diana Baroni, la extraordinaria editora de Warner Books, así como a todo el equipo editorial, sin olvidar a Jennifer Romanello, publicista, ni a los responsables de ventas y al personal de marketing.

Mi agradecimiento también a todos mis amigos y colegas:

Eddie Magnotti.

Tony Tiano, Lennlee Keep, Eli Brown y el equipo de Santa Fe Productions.

The Public Broadcasting Service (PBS-TV).

Desiree Gruber y el equipo de Full Picture.

Richard Post.

Nuestros socios en el campo comercial Neiman Marcus, Nordstrom, Sephora, Saks, Henri Bendel y Clyde's en Madison.

Tucker y Josh Greco, Dr. Dale Webb, Kevin Gors.

Craig Weatherby.

Steve Mirabella, padre.

El personal de N. V. Perricone, M. D., Ltd.

Mis padres.

Mi hermano Jimmy y mis hermanas Laura, Jine y Barbara.

Mis hijos, Jeffrey, Nicholas y Caitie.

Beth y Ken Lazer y sus hijos, Kyle, Jack, Dave y Eric.

Sharyn Kolberg.

INTRODUCCIÓN

Ha sido para mí un placer escribir *La promesa de la eterna juventud*, puesto que me ha permitido presentar al lector los últimos descubrimientos en la lucha contra el envejecimiento y las enfermedades relacionadas con éste, a saber: los péptidos y los neuropéptidos.

Independientemente de que el objetivo del lector sea prevenir ciertas enfermedades graves, como el cáncer o las dolencias coronarias, o conseguir una piel sin arrugas o imperfecciones, las tres sencillas etapas que se presentan en el libro le proporcionarán una ayuda inmediata y duradera en la lucha contra el envejecimiento.

De entrada, el programa podría parecer excesivamente ambicioso, pero una vez hayamos comprendido su funcionamiento veremos que tiene su lógica. No me he puesto como meta la venta de un producto milagroso, sino facilitar el control del propio cuerpo y el ritmo que sigue su envejecimiento, e incluso echar una mano para frenarlo.

En *La promesa de la eterna juventud* descubriremos unas substancias con gran poder (los péptidos y los neuropéptidos) y con importantes propiedades antiinflamatorias en el ámbito celular. Dado que la inflamación se produce a escala celular, los medios que hay que utilizar para combatirla tendrán que actuar también en esta escala. Se trata de unas substancias extraordinarias que ejercen su función como:

- Alimentos funcionales.
- Suplementos nutricionales.
- Terapias tópicas contra el envejecimiento.

Pero estos productos no son los únicos medios que tenemos a nuestro alcance. Los alimentos que ingerimos constituyen también la ayuda indispensable en la lucha contra la inflamación. Por desgracia, las arrugas, las enfermedades degenerativas y la aceleración del envejecimiento son a menudo consecuencia directa de nuestra elección en materia alimentaria. En este libro presentamos determinados alimentos importantes que tal vez no incluimos actualmente en nuestra dieta, así como diez superalimentos sorprendentes que, al igual que las plantas y las especias, desearemos incorporar cuanto antes a nuestras comidas por sus virtudes en nuestra lucha contra el envejecimiento y por la mejora de la salud. Son alimentos que, además de poseer un sabor extraordinario, tienen un alto contenido en nutrientes y antioxidantes. Ellos nos ayudarán no sólo a conseguir la longevidad, sino también a conservar un aspecto más joven.

Los neuropéptidos, los péptidos, los alimentos y los suplementos que se presentan en estas páginas proporcionan a las células la energía necesaria para su óptimo funcionamiento y también para la conservación de la salud una vez cumplidos los cincuenta.

La promesa de la eterna juventud es la demostración de cómo estos medios nos han de llevar en tan sólo 28 días a rejuvenecer el rostro y el cuerpo. ¿Cómo puedo afirmarlo? Muy fácil. Porque todos estos alimentos, suplementos, péptidos y neuropéptidos, incluyendo también las preparaciones tópicas, actúan fisiológicamente, es decir, permiten que el cuerpo aproveche sus virtudes. ¿Cómo? Trabajando con el cuerpo, y no contra él, para conseguir sus objetivos.

Cuando introducimos una substancia extraña (como un agente farmacológico) en nuestro organismo, sus beneficios terminan cuando dejamos de utilizar el producto o substancia. Por otro lado, muchos de éstos pueden provocar un gran número de efectos secundarios. Sin embargo, cuando proporcionamos al cuerpo substancias naturales, sus efectos benéficos van en aumento y ello tiene como resultado un fortalecimiento y un rejuvenecimiento de todos los órganos.

Las recomendaciones de *La promesa de la eterna juventud* actúan en sinergia, tanto en el interior como en el exterior, para devolver a la piel su resplandor juvenil y al cuerpo, su vigor y vitalidad. ¿Efectos secundarios? Los beneficios van en aumento conforme pasa el tiempo. Puesto que el método funciona en el ámbito fisiológico, nuestros cuerpos no presentan resistencia o inmunidad frente a los suplementos antiinflamatorios, y, lo más importante, ante los tratamientos tópicos. Empezaremos a ver los resultados en tan sólo tres días, con significativos cambios en el rostro y el cuerpo, que alcanzarán su punto álgido una vez concluido el programa de 28 días. Cuanto más tiempo sigamos el programa, mejores serán los resultados obtenidos en el ámbito mental y físico.

Deseo al lector que le resulte placentero el viaje hacia la consecución de una mayor salud, belleza y felicidad.

NICHOLAS PERRICONE,
doctor en Medicina,
Madison, Connecticut,
junio de 2004

Primera parte

EXPLICACIÓN DE LA PROMESA

¿Qué planes tenemos para los próximos 28 días? Podríamos rejuvenecer diez años y vivir diez años más si seguimos el programa que se presenta en las páginas siguientes.

En esta primera parte, conoceremos los descubrimientos que han constituido la base del libro. Para mí, dichos descubrimientos representan la culminación de muchos años de investigación, un trabajo que me ha llevado a descubrir la prueba irrefutable de la relación existente entre la inflamación, el envejecimiento y la enfermedad, y a establecer las pautas para ponerle remedio.

Aquí conoceremos mejor uno de los grandes descubrimientos médicos de los últimos años en el campo de la lucha contra el envejecimiento: unas substancias parecidas a las proteínas, presentes en nuestro organismo, denominadas *péptidos* y *neuropéptidos*. Descubriremos también cómo trabajan a favor y en contra de nosotros, y cómo explotar sus virtudes para reducir una perniciosa inflamación e invertir de esta forma el proceso del envejecimiento.

No es algo difícil. Hay que seguir las tres etapas que se presentan en la segunda parte (los alimentos, los suplementos, los productos tópicos) y llevar a cabo el Programa Perricone de la tercera parte. Prometo al lector que en 28 días (o menos) tendrá un aspecto más joven y se sentirá mucho más sano.

1. La promesa Perricone

El mundo va tan deprisa que hay días en
que la persona que dice que algo es imposible
es interrumpida por quien lo está llevando a cabo.

ANÓNIMO

El universo está lleno de cosas mágicas que esperan
con paciencia que agucemos nuestro ingenio.

EDEN PHILPOTTS

¿Y si yo dijera que nos encontramos en el umbral de una revolución que nos permitirá invertir las señales del envejecimiento? ¿Y que con el libro en la mano, siguiendo tan sólo tres sencillas etapas, podemos cosechar sus beneficios desde hoy?

Cuando escribí *The Wrinkle Cure* y *Cómo prolongar la juventud*, presenté por primera vez la relación entre inflamación y envejecimiento, demostrando que la inflamación a escala celular era la principal causa desencadenante de las señales del envejecimiento. Por no citar los vínculos entre la inflamación y determinadas enfermedades crónicas, como la artritis, la diabetes, el Alzheimer, el cáncer y la apoplejía.

Las intensas investigaciones, los resultados y las posibles soluciones que presenté en los citados libros siguen vigentes hoy, y miles de personas se han puesto en contacto conmigo para notificarme hasta qué punto ha cambiado su aspecto y su sensación de bienestar tras seguir mi programa.

Podía haber puesto punto final a mi investigación, pero sabía que me quedaban muchas cosas por aprender. Era consciente de que si la inflamación estaba en la raíz del envejecimiento, hacía falta algo más fundamental para atajarla. Este «algo más fundamental» resultó ser el mayor descubrimiento médico en años en la lucha contra el envejecimiento: unas substancias parecidas a las proteínas, presentes en nuestro organismo, denominadas *péptidos* y *neuropéptidos*.

Los péptidos son compuestos formados como mínimo por dos aminoácidos (los componentes básicos de las proteínas) unidos entre sí, por lo que reciben el nombre de enlaces peptídicos.

Los neuropéptidos son péptidos liberados por las neuronas (células del cerebro) como mensajeros intercelulares. Ciertos neuropéptidos funcionan como neutransmisores y otros, como hormonas.

Los péptidos y los neuropéptidos, como muchas otras substancias de nuestro organismo (el colesterol, por ejemplo), pueden trabajar tanto a favor como en contra de nuestro cuerpo. Lo positivo es que si seguimos el programa de La promesa de la eterna juventud aumentaremos espectacularmente los efectos beneficiosos de los péptidos y neuropéptidos antiinflamatorios al tiempo que disminuimos sus influencias negativas.

Así pues, constataremos importantes cambios, no sólo en nuestro aspecto, sino en nuestra sensación de bienestar. En tan sólo veintiocho días podremos borrar diez años de nuestro rostro y del cuerpo. Con *La promesa de la eterna juventud* aprenderemos a alterar el proceso del envejecimiento y a añadir unos cuantos años de juventud a nuestra vida.

CONSIGAMOS UN MEJOR ASPECTO Y SINTÁMONOS MEJOR SIGUIENDO TRES SENCILLAS ETAPAS

Como dermatólogo, mi principal preocupación ha sido siempre el aspecto de mis pacientes. ¿Tenemos la piel sin imperfecciones, saludable? ¿Nuestra piel es radiante y luminosa, o apagada y cetrina? ¿Nuestra piel está llena de arrugas o tiene un aspecto firme y flexible? Estas preocupaciones no nacen de una obsesión por conservar la salud o parecernos a una modelo de pasarela o a una estrella de cine. Las respuestas a estas preguntas son en realidad un importante indicador de nuestro estado de salud general. Nuestro rostro y cuerpo constituyen el escaparate visible y constante de nuestra forma de envejecer. El hecho de desear un aspecto agradable y una imagen corporal positiva no es cuestión de vanidad; es la vía que ha de llevarnos a una larga vida, sana y feliz. Es una de las cuestiones que me llevaron a especializarme en dermatología: encontrar nuevas formas de alcanzar estas metas sin tener en cuenta la edad real de mis pacientes.

Puedo prometer al lector que conseguirá estos objetivos —tener un aspecto más joven y vivir más tiempo— siguiendo las tres sencillas etapas que se incluyen en el libro:

- **Primera etapa. Dieta.** Un programa alimentario revolucionario que incluye los diez superalimentos que nos ayudarán a reducir la inflamación y a rejuvenecer nuestra piel y nuestro cuerpo.
- **Segunda etapa. Suplementos.** Además de una alimentación correcta, estos suplementos alimentarios con múltiples funciones y de gran eficacia estimularán la producción de péptidos y neuropéptidos antiiflamatorios, las armas naturales que posee nuestro organismo para luchar contra el envejecimiento.
- **Tercera etapa. Productos tópicos.** Estas nuevas cremas que tienen como base los neuropéptidos actúan desde el exterior hacia el interior y nos proporcionarán una apariencia más joven casi al instante.

En el resto del libro el lector encontrará las distintas formas de explotar todo el potencial de los neuropéptidos a fin de:

- Aumentar la producción de colágeno y elastina.
- Reparar cicatrices y arrugas.
- Aumentar la circulación sanguínea para conseguir una piel radiante con un resplandor extraordinario.
- Acelerar la rápida curación de las heridas.
- Vivir de nuevo con la piel hidratada y fresca que recordamos de nuestra adolescencia.

Sin embargo, el libro no trata únicamente de nuestro aspecto. Siguiendo el sencillo programa en tres etapas veremos rejuvenecer no sólo nuestra piel, sino también el cerebro, mejorar nuestro estado de ánimo y la salud en general. Estimulando los efectos positivos de los péptidos lograremos, entre otras cosas:

- Reducir la inflamación en cada órgano.
- Mejorar la eficacia del metabolismo, que se traducirá en la reparación de las células.
- Sentirnos mejor.
- Conservar un corazón fuerte y saludable que resista a las enfermedades.
- Conservar la densidad de los huesos al envejecer.
- Disminuir el riesgo de contraer determinados tipos de cáncer.
- Reparar la piel.
- Normalizar el metabolismo, de forma que perdamos peso mientras conservamos un aspecto joven.
- Rejuvenecer el sistema inmunitario.

EL VÍNCULO ENTRE EL CEREBRO Y LA BELLEZA

Cada una de las etapas de mi carrera me ha llevado a descubrir los secretos que se esconden bajo la superficie de la piel. Cuando empecé a investigar los péptidos y los neuropéptidos, mi objetivo era el de ayudar a mis pacientes a resolver sus problemas cutáneos. Pretendía encontrar la forma de prestarles ayuda para recuperar una piel más joven y sana.

Cuál no fue mi sorpresa al descubrir que mi investigación reportaba más beneficios de los que había imaginado. Quedó demostrado que los efectos positivos de los péptidos y los neuropéptidos no sólo ayudaban a conseguir un aire más joven y sano, sino también a mantener la salud de los órganos del cuerpo y a frenar el proceso del envejecimiento. Y todo esto se debe a la relación existente entre cerebro y belleza.

Antes del descubrimiento de los neuropéptidos, se creía que el control del cerebro y del sistema nervioso se efectuaba a través de una compleja red de neurotransmisores (como la serotonina y la dopamina), hormonas (como la adrelanalina y el cortisol) y enzimas.

Hoy en día sabemos que todo es infinitamente más complejo. Como afirmaba el eminente investigador en el campo del cerebro, el doctor Steve Henricksen: «Creíamos que el cerebro era como un ordenador. Ahora creemos que cada célula es como un ordenador, un ordenador independiente. Y cada célula concreta se parece al cerebro en términos generales».

Si, en efecto, el cerebro es algo parecido a un conjunto de ordenado-res conectados entre sí a alta velocidad, los neuropéptidos parecen for-mar una red de comunicación electroquímica que los mantiene en equi-librio y les hace trabajar al unísono.

Encontramos en el cerebro células que producen distintos neuropép-tidos que realizan las funciones más diversas. Su acción puede ser proin-flamatoria o antiinflamatoria. A ellas corresponden distintas funciones orgánicas: controlan nuestro estado de ánimo, los niveles de energía, la percepción del dolor y el placer, el peso corporal y nuestra capacidad para resolver los problemas; los neuropéptidos regulan también el siste-ma inmunitario y poseen su propia memoria. Estos minúsculos mensa-jeros del cerebro tienen también asignada la función celular de la piel (es interesante apuntar que el sistema inmunitario es una prolongación del cerebro, y que la piel, a su vez, es un órgano de defensa).

LA BELLEZA VA MUCHO MÁS ALLÁ DE LA PIEL

En mi época de estudiante de medicina, seguí un curso de embriología, en el que aprendí que cada órgano de nuestra piel está recubierto por tres capas de tejido. Me intrigó especialmente saber que la capa de tejido que produce las células del cerebro estaba también implicada en la produc-ción de las células cutáneas. Ésa es la razón que explica por qué la apa-riencia de nuestra piel mejora cuando ingerimos alimentos o suplemen-tos alimentarios que tienen un efecto terapéutico para el cerebro. Este descubrimiento influyó en mi investigación sobre la obtención de los péptidos y los neuropéptidos en el vínculo entre cerebro y belleza.

Pese a que la manipulación de los neuropéptidos, de los neurotrans-misores y de las hormonas del cerebro para conseguir una piel más bella, de apariencia más joven, y frenar a tiempo el proceso del enveje-cimiento podría parecer algo sacado de una novela de Michael Crichton o de Robin Cook, el lector debe creerme cuando le digo que no se trata sólo de algo posible, sino de una nueva realidad.

Los científicos saben hoy que los neuropéptidos, los neurotransmiso-res y las hormonas están conectados en un amplio sistema de comunica-ción celular. Los neuropéptidos son un poco como los teléfonos «celula-res» de la naturaleza. Todos los aspectos de nuestro organismo están controlados por un trío que utiliza a los neuropéptidos como mensajeros. El cerebro envía una señal al timo, la principal glándula del sistema inmunitario (sobre ello profundizaremos en el capítulo 2), el timo envía una señal a la piel y la piel establece de nuevo contacto con el cerebro. Cada mensajero envía su mensaje a un receptor. Estos receptores se denominan *puntos receptores*. Nos lo podemos imaginar como un sistema de «comunicación celular»: las células se comunican entre sí de la misma forma que nos comunicamos nosotros desde un teléfono (mensajero) a otro que recibe la llamada (el receptor). Aquí no existe el mensaje de voz: se trata de un mundo en el que, para bien o para mal, todas las llamadas se responden de forma instantánea.

La naturaleza del mensaje enviado al lugar receptor depende del neuropéptido, el neurotransmisor o la hormona que establece la comunicación. Si se libera, por ejemplo, en el cerebro una elevada y potencialmente peligrosa cantidad de substancia P (una especie de neuropéptido al que nos referiremos también en el capítulo 2), experimentaremos un «dolor físico»: nos sentiremos deprimidos y ansiosos. La substancia P posee lugares receptores en todo el organismo, incluso en la piel, de modo es probable que el mensaje enviado a los receptores de la piel sea algo así como: «Estamos deprimidos. ¡Vamos a desencadenar cierta inflamación en las células cutáneas!».

¿Cuál es el resultado? La aceleración del proceso de envejecimiento de la piel a través de una renovación celular anormal, de la pérdida de firmeza y de brillo.

Así pues, el cerebro envía mensajes a la piel. Pero no hay que olvidar que este «sistema telefónico» funciona en ambos sentidos. Hoy en día sabemos que somos capaces de modificar el circuito de nuestro cerebro tan sólo tocando nuestra piel. Veremos que se trata de una idea extraordinaria si nos tomamos un tiempo para reflexionar sobre ella. Normalmente estamos convencidos de que hacen falta potentes medicamentos o complicadas operaciones quirúrgicas para modificar de manera significativa nuestro cuerpo y nuestra mente. No obstante, muchos estudios han demostrado que tan sólo quince minutos de masaje diario ayudan a un bebé prematuro a ganar peso con más rapidez, lo que le permite abandonar el hospital antes que los demás. Los bebés que reciben masajes se muestran más relajados, activos y despiertos. Incluso seis meses después de salir del hospital llevan la delantera al resto.

Los estudios llevados a cabo en orfanatos y hospitales nos recuerdan que los niños faltos de contacto físico pierden peso, enferman con más facilidad y a veces esta carencia puede llevarles a la muerte. Los bebés a los que tomamos en brazos lloran menos que los demás, su sistema inmunitario se refuerza y soportan mejor las tensiones.

La necesidad de contacto sigue vigente a lo largo de nuestra vida. Los niños diabéticos que reciben masajes durante un mes experimentan un descenso en el nivel de glucosa corporal y se les puede reducir la medicación. Los niños asmáticos no sufren tantas crisis cuando se les dan masajes. Éstos han dado buenos resultados también en niños autistas, en casos de quemaduras graves, en enfermos de cáncer y de artritis. Son ejemplos que ilustran a la perfección el hecho de que es posible activar los neuropéptidos del cerebro por medio del contacto de los receptores de la piel. Además, la liberación de determinados neuropéptidos, como la endorfina, envía un mensaje positivo al cerebro, en el que se le informa del proceso de curación.

Los neuropéptidos demuestran sus virtudes

Hace poco tuve una conversación con Jim Parker, de la fundación Do It Now, en la que tocamos el tema del mundo de los neuropéptidos en la época en la que se los denominaba *endorfinas*. Estas substancias estaban destinadas a convertirse en la «solución mágica» del sector psicofarmacéutico, la clave química que permitiría poner al descubierto los secretos del placer y el dolor, de la alegría y la tristeza, de la memoria, la inteligencia y el comportamiento humano.

Parecía que iban a explicarlo todo, desde el enamoramiento al sueño, y se creía que una perfecta comprensión de sus virtudes y efectos curaría la drogodependencia, las enfermedades mentales, regularía el estado de ánimo y el apetito e incluso estimularía la creatividad y el apetito sexual.

Recibieron el nombre de *endorfinas*: las substancias parecidas a la morfina que secretaba el organismo, a las que correspondía una serie de efectos de tipo medicamentoso en el cuerpo y, después de su descubrimiento en 1975, durante un tiempo todo el mundo empezó a especular sobre su naturaleza.

Pero la euforia no duró mucho. Todo se complicó con la publicación de unos resultados de investigación, primero desconcertantes y luego contradictorios. A medida que aumentaba de mes en mes el número de endorfinas identificadas y que los científicos iban conociendo sus múltiples efectos, empezaron a recibir el nombre de *opioides endógenos,* y finalmente se bautizaron como *neuropéptidos;* las endorfinas se convirtieron así en una subcategoría de éstos.

Los investigadores siguieron centrándose en este grupo de elementos químicos de extraordinarias virtudes e hicieron esfuerzos por comprenderlos mejor.

Así, los vincularon a una amplia serie de problemas físicos y emocionales, en tanto que posibles causas o remedios, y hoy en día se considera que como mínimo alguna de estas soluciones mágicas conseguiría su objetivo. A escala humana, para los millones de personas que padecen problemas muy distintos, que van del alcoholismo a la obesidad, pasando por el dolor crónico o la esquizofrenia, el estudio de los neuropéptidos se revela como algo muy prometedor.

¿Botox? ¡Notox!

Una de las principales alegrías que proporciona la dermatología es la de ver los efectos inmediatos de la aplicación del tratamiento adecuado en un caso específico. Es algo que me ha motivado a lo largo de toda mi carrera y me sigue proporcionando inspiración en las largas horas que paso en el laboratorio buscando el ingrediente milagroso que ha de producir verdaderos resultados en la piel.

Durante mucho tiempo, el sector de la belleza y el cuidado de la piel se ha centrado en detalles superficiales —el envoltorio y el perfume de un producto— en lugar de la eficacia del remedio. Desde que introduje en el mercado preparados tópicos con ingredientes muy activos, como el ácido alfa lipoico (AAL) y el dimetilaminoetanol (DMAE), los comercios han tenido problemas para poder abastecer a una clientela que se los quitaba de las manos. Una nueva generación de hombres y mujeres controla hoy en día el mercado: una generación que no sólo pide sino que exige productos que les funcionen a la larga y les permitan mantenerse jóvenes y activos durante el máximo tiempo posible. Creo que éste es un avance importante, pues obliga a las empresas a invertir en investigación orientada hacia la solución de los problemas relacionados con el envejecimiento de la piel.

Pero al mismo tiempo constato también una alarmante tendencia hacia las importantes (y extraordinariamente costosas) operaciones de cirugía plástica a unas edades cada vez más precoces. Pongamos el televisor y veremos a unas jóvenes, aún en la adolescencia, dispuestas a lanzarse hacia esta cirugía radical que ha de transformarlas en un clon de la actriz, la modelo o cantante del momento. Estados Unidos parece haber sucumbido a la locura de las transformaciones extremas. Según un artículo de *The New York Times*, «A Lovelier You, With Off-the-Shelf Parts» («Un yo más encantador, con alguna parte prefabricada»), de Alex Kuczynski, publicado el 2 de mayo de 2004, los estadounidenses se sometieron a 8,3 millones de operaciones de cirugía plástica en 2003, un incremento del 12 % respecto al año anterior.

Además de dichas operaciones, hay que tener en cuenta que se han lanzado al mercado nuevos productos de relleno pensados para suavizar las arrugas faciales. Se ha disparado el consumo de Botox, una neurotoxina (*neuro* significa «nervio» y *toxina,* «veneno») que paraliza los músculos para suavizar las arrugas y las líneas de expresión. Según al artículo de Kuczynski, el número de intervenciones no quirúrgicas, como el recurso al Botox, aumentó un 22 % respecto al año anterior, es decir, 6,4 millones de intervenciones. Estos productos representan una solución rápida, si bien algunos investigadores han planteado la cuestión de su peligrosidad a largo plazo, incógnitas que probablemente no van a despejarse en un futuro inmediato.

Mi objetivo ha sido siempre buscar una solución «no tóxica» a los síntomas y las señales del envejecimiento que afectan al rostro y al cuerpo. Y ello me ha llevado a crear lo que podría considerarse una nueva y completa generación de productos para el cuidado de la piel y el cuerpo a base de péptidos y neuropéptidos.

INVIRTAMOS EL PROCESO DE ENVEJECIMIENTO

En *The Wrinkle Cure* y *Cómo prolongar la juventud* presenté uno de los principales temas de mis investigaciones: la relación entre inflamación, enfermedad y envejecimiento. Puesto que la inflamación contribuye en gran medida a la aceleración del proceso de envejecimiento, este fenómeno se ha convertido en uno de los puntos básicos de mi trabajo científico. Y hoy sabemos que los péptidos y los neuropéptidos ejercen una función importante como mediadores en la inflamación.

He aquí un resumen para quienes no hayan oído hablar de la relación entre inflamación y envejecimiento.

El término *inflamación* abarca un amplio espectro de fenómenos, que van desde el más visible, como el enrojecimiento por quemaduras solares, al invisible. Y es a esta inflamación invisible a la que me refiero cuando uso el término *inflamación*. Es algo que ni vemos ni podemos tocar. Dicha inflamación (llamada también *microinflamación*) se encuentra también en todas nuestras células y las lleva finalmente a la descomposición. Es asimismo la responsable del proceso de envejecimiento y, por consiguiente, de la aparición de arrugas y de distintas enfermedades relacionadas con la edad, como el Alzheimer, la diabetes, el cáncer, las enfermedades cardiovasculares, la artritis y las enfermedades autoinmunitarias.

Resumiendo, si queremos reducir el riesgo de contraer enfermedades relacionadas con la edad y frenar el proceso del envejecimiento, deberemos aprender a controlar la inflamación. Y la mejor forma de hacerlo es intervenir en dos aspectos básicos de nuestro estilo de vida: la alimentación y el estrés.

Dieta y envejecimiento: la función del azúcar

Varias causas determinan el proceso del envejecimiento y la inflamación, pero estoy convencido de que la principal es la dieta. Los alimentos que ingerimos pueden tener efectos proinflamatorios (provocar una reacción inflamatoria) o antiinflamatorios (eliminar la reacción inflamatoria). Los alimentos proinflamatorios provocan un aumento rápido del azúcar en la sangre y, como consecuencia, liberan insulina en la corriente sanguínea. Los principales culpables en el campo proinflamatorio son el azúcar y los alimentos que se transforman rápidamente en azúcar en la sangre, como las patatas, el pan, los pasteles, los zumos, todo tipo de aperitivos crujientes y las galletas de arroz.

Hay que comprender y aceptar una verdad simple, aunque pueda parecer cruel, de la vida: el azúcar puede resultar tóxico. La ingestión de azúcar provoca un aumento de éste en la sangre y ello genera una explosión de elementos químicos inflamatorios que se extienden por nuestro organismo. Peor aún, desde el punto de vista dermatológico, el azúcar puede fijarse de forma permanente en el colágeno de la piel y de otras partes del cuerpo por medio de un proceso denominado *glicación*. Dondequiera que se adhiera el azúcar, se desencadena un mecanismo inflamatorio, y el punto concreto se convierte en una fuente de inflamación propiamente dicha. Esta inflamación produce unas enzimas que descomponen el colágeno y provocan la aparición de las arrugas. El azúcar, además de crear inflamación, lleva a la formación de vínculos cruzados entre las moléculas de colágeno, que las endurecen y les quitan flexibilidad; les sucede algo similar a lo que pasa a unas botas de cuero que han estado bajo la lluvia y una vez secas han quedado duras, tiesas y quebradizas.

Pero no sólo debemos preocuparnos por la glicación de la piel. Un consumo de azúcar excesivo lleva a la formación de unos vínculos proteínicos que van acumulándose en el organismo a medida que envejecemos. El azúcar o la molécula de glucosa «se pegan» al colágeno, pero también a nuestras venas, arterias, ligamentos, huesos... ¡e incluso a nuestro cerebro! Todo ello desencadena un anquilosamiento de las articulaciones, un endurecimiento de las arterias y un mal funcionamiento de los órganos. El azúcar contribuye claramente al deterioro de todas las funciones orgánicas.

Es fácil comprender por qué hay que evitar los alimentos que llevan a un aumento de los niveles de azúcar. En este sentido, *La promesa de la eterna juventud* proporciona excelentes alternativas en cuanto a alimentos, recetas y comidas que evitarán la aceleración del envejecimiento y la inflamación.

Estrés, envejecimiento y ansiedad

Un segundo elemento importantísimo que interviene en la inflamación es el estrés. Existen dos tipos de estrés —físico y psíquico— y ambos provocan inflamación. El estrés físico puede estar causado por un traumatismo, una herida e incluso por el estiramiento de la piel a causa de la gravedad. Tenemos pruebas palpables de que el estiramiento de la piel provocado por la gravedad al levantarnos de la cama por la mañana puede provocar una reacción inflamatoria en nuestra piel (a menudo mi hijo recurre a esta excusa para no ir a la escuela).

El estrés mental o psíquico puede resultar tan perjudicial como el físico. Cuando vivimos en tensión (sea cual fuere la causa que la genere), nuestro cuerpo produce unos neuropéptidos que ejercen un efecto negativo en el cerebro, pues desencadenan la producción de cortisol, una hormona que puede tener consecuencias funestas para nuestra salud si se produce en cantidades excesivas.

El cortisol procede de las glándulas suprarrenales, situadas por encima de los riñones. El cortisol es necesario para el cuerpo cuando se encuentra en una situación de tensión y le permite sobrevivir a situaciones físicamente peligrosas gracias a lo que se denomina *reacción de lucha o huida*. La liberación de cortisol envía a los músculos el alimento necesario para pasar a la acción. El cortisol es una hormona para casos de urgencia, a la que recurre nuestro organismo en situaciones desesperadas.

Ahora bien, a largo plazo, la circulación de un alto nivel de cortisol en el cuerpo durante largos períodos de tiempo resulta tóxica para nuestros órganos. El cortisol destruye en realidad las células del cerebro, aumenta el nivel de azúcar en la sangre (lo que desemboca en diabetes), debilita el sistema inmunitario (y, por tanto, nos hace más vulnerables a las infecciones y al cáncer), provoca un aumento de la presión sanguínea, descalcifica los huesos y reduce el grosor de la piel.

Cuanto más estrés sufrimos, mayor cantidad de cortisol genera nuestro organismo. Estos neuropéptidos y hormonas relacionados con el estrés transmiten asimismo mensajes al sistema inmunitario y llegan a paralizarlo. Pero eso no es todo. Los citados neuropéptidos también transmiten señales a la piel y desencadenan una reacción inflamatoria. En realidad, cuanto más estrés soportamos en nuestra vida, mayor es el riesgo de sufrir inflamación en una parte u otra de nuestro organismo.

Afortunadamente, las dos principales causas de inflamación —dieta y estrés— son también las más fáciles de controlar. En *La promesa de la eterna juventud* el lector encontrará una serie de estrategias que le ayudarán a acabar con la liberación de neuropéptidos proinflamatorios (los «malos»), y a estimular al mismo tiempo la producción de neuropéptidos antiinflamatorios (los «buenos»).

- En la primera etapa, abordaremos la dieta y las recientes investigaciones sobre alimentos con importantes virtudes antiinflamatorias. En ella aprenderemos, por ejemplo, a utilizar un sistema de colores

para elegir los alimentos con mayor cantidad de refuerzos en péptidos naturales y elementos antiinflamatorios.

- En la segunda etapa aprenderemos a distinguir los suplementos alimentarios que poseen una importante acción antiinflamatoria y descubriremos los que contienen importantes cantidades de péptidos
polisacáridos, substancia que posee un gran poder terapéutico para
la piel, el cuerpo y el cerebro.

- En la tercera etapa abordaremos los productos tópicos que sacan el
mejor partido de los últimos descubrimientos científicos en el campo
de la lucha contra el envejecimiento y la inflamación. En los últimos
veinte años se ha descubierto la función clave de un pequeño frag-
mento de proteína denominado *péptido tímico,* con virtudes para
frenar el envejecimiento, antiinflamatorias, curativas y anticancerígenas. Nos enteraremos de qué productos tópicos contienen dichas
substancias curativas y cómo aplicarlos para obtener el máximo provecho de ellos.

A fin de comprender por qué los péptidos y los neuropéptidos ejercen una función crucial en el proceso antiinflamatorio y de antienvejecimiento, pasaremos al siguiente capítulo. Éste nos ayudará a entender por
qué y cómo los alimentos, los suplementos alimentarios y los productos
tópicos que se recomiendan aquí conseguirán una mejora en nuestro
aspecto y en nuestra salud en general. Mientras tanto, debo animar al
lector a emprender sin dilación la primera etapa, con el objeto de frenar
desde hoy el envejecimiento prematuro de su cuerpo y de su mente.

2. La ciencia sobre la que se basa la promesa

La ciencia posee una luz única, y encenderla en algún
punto es encenderla en todas partes.

ISAAC ASIMOV

¿De dónde salen los péptidos y los neuropéptidos? Este capítulo nos proporcionará una idea sobre los órganos y los sistemas que producen los péptidos y los neuropéptidos, nos presentará uno o dos péptidos de lo más prometedores en el campo terapéutico y nos pondrá sobre aviso en cuanto a otro péptido que ha demostrado ser el origen de una serie de enfermedades y dolencias degenerativas corporales y mentales.

Como comentábamos en el capítulo 1, los péptidos y los neuropéptidos circulan en nuestro organismo en una amplia red de comunicación, elaborada y eficaz, con mayor complejidad que las más sofisticadas tecnologías que encontramos hoy en día. Se trata de unos mensajeros con una importancia crucial. Nos han enseñado que los principales neurotransmisores, como la serotonina, la dopamina, y la norepinefrina, no son los únicos responsables de los cambios que afectan a nuestro estado de ánimo y a nuestro cerebro. Sabemos ahora que los neurotransmisores llevan a cabo un ajuste y que los neuropéptidos lo ejecutan de una forma aún más precisa. Sabemos asimismo que esta amplia red intracelular, constituida por el sistema endocrino y el sistema nervioso, controla el ritmo que sigue el envejecimiento de nuestro cerebro, nuestra piel y nuestros órganos.

Esto es lo que convierte *La promesa de la eterna juventud* en algo tan apasionante. En cuanto descubrimos la causa de un fenómeno, podemos planificar una intervención terapéutica. Evidentemente, el envejecimiento no tiene remedio. Pero al igual que en la mayoría de enfermedades degenerativas, podemos hacer todo lo que está en nuestra mano para frenar sus efectos destructivos. Y esto es lo que haremos al seguir el programa en tres etapas que presenta el libro: utilizar todos los medios al alcance (algunos tan antiguos como los alimentos y otros tan nuevos como los extractos tímicos) en el combate contra los enemigos de nuestro organismo.

PONGAMOS EL CUERPO EN MOVIMIENTO

Como hemos dicho anteriormente, algunos mensajeros funcionan como neurotransmisores y otros como hormonas. Los órganos que producen hormonas se denominan *glándulas endocrinas*. (Si bien el cerebro y los riñones producen también hormonas, no se consideran órganos endocrinos, pues esta actividad es secundaria en su función.) En griego, *hormone* significa «poner en marcha» otra parte del cuerpo.

El sistema endocrino trabaja en colaboración con el sistema nervioso. En realidad, el sistema endocrino y el sistema nervioso están tan estrechamente relacionados que sería más adecuado hablar de un único sistema neuroendocrino, que se ocupa de una serie de tareas fundamentales:

- Mantener el estado de estabilidad interna u homeostasis (nutricional, de metabolismo, excreción y equilibrio entre el agua y la sal).
- Reaccionar ante los estímulos externos.
- Regular el crecimiento, el desarrollo y la reproducción.
- Generar, utilizar y almacenar energía.

El sistema neuroendocrino tiene por objeto proteger el organismo contra los peligros externos e internos. Las hormonas responsables de llevar a cabo dicha tarea son las denominadas *hormonas del estrés*.

SOBREVIVIR PARA LUCHAR UN DÍA MÁS...

Nuestro cuerpo produce dos tipos de hormonas: los esteroides y los péptidos.

- Las hormonas esteroides, como la testosterona, el estrógeno y el cortisol, se generan en la corteza suprarrenal, los ovarios y los testículos. Son hormonas relacionadas con la reproducción y por ello contribuyen en la supervivencia de las especies.
- Las hormonas péptidas se generan en las estructuras celulares nerviosas del hipotálamo (la parte del cerebro encargada de regular la secreción de las hormonas) e inundan la glándula pituitaria. El timo genera también hormonas parecidas a los péptidos, encargadas de desencadenar un sinfín de reacciones bioquímicas que producen distintos efectos en el conjunto del organismo. Estas hormonas facilitan el funcionamiento de todos los órganos.

EL ASEDIO DE LAS HORMONAS DE LA «MUERTE»

El mundo actual pone a prueba con especial dureza nuestro sistema endocrino. Éste, además de constituir la base de nuestra vida emocional, tiene que enfrentarse también a las amenazas procedentes del mundo exterior. El sistema endocrino nos afecta incluso antes de nacer: el estrés de la madre durante el embarazo podría tener determinados efectos en la formación del eje pituitario hipotalámico. Las experiencias vividas en la infancia pueden afectar nuestro comportamiento posterior, y el que se resentirá de ello será nuestro sistema hormonal. Los niños que viven en familias desestructuradas pueden convertirse en «adrenalinadictos», personas que intentarán reproducir más tarde las situaciones de enorme carga emotiva vividas durante su infancia, a fin de recuperar el alto nivel de adrenalina y de cortisol en la sangre. Las personas que presentan constantemente un elevado nivel de estas hormonas corren el riesgo de contraer enfermedades autoinmunitarias, pérdida de memoria, fatiga crónica, distintos tipos de cáncer y envejecimiento prematuro.

Con la edad, en nuestro cuerpo disminuye la secreción y la eficacia de una serie de hormonas a medida que los receptores celulares que las afectan van perdiendo su respuesta. Por desgracia, esta disminución afecta a las «hormonas de la juventud» (hormonas del crecimiento, esteroides sexuales), mientras que siguen aumentando las «hormonas de la muerte» (cortisol e insulina). Además, los omnipresentes «perturbadores endocrinos» —como los productos químicos, los plaguicidas y los plásticos—, al unirse entre sí, pueden apuntar hacia ciertos receptores celulares y bloquear el acceso a las hormonas.

A medida que aumenta el nivel de estrés se incrementa también el volumen de las hormonas de la muerte, lo que provoca un deterioro en el conjunto del organismo y puede generar el caos emocional, pérdidas de memoria, aumento de peso y, evidentemente, un incremento de la inflamación en todo el cuerpo. Con un solo café pueden aumentar los niveles de cortisol en nuestro cuerpo y mantenerse los índices durante un día entero. Un exceso de cortisol puede producir deterioros biológicos importantes y acelerar el proceso del envejecimiento. Uno se pelea con la pareja al tomar café en el desayuno, vive un arrebato de ira al volante camino del trabajo, ¡y todo ello lleva a un estado de ansiedad, falta de concentración, depresión y vía libre para ganar unos cientos de gramos durante las veinticuatro horas siguientes!

¡A POR LA RESPUESTA!

Nuestro organismo tiene una forma de contrarrestar el mal causado por las hormonas del estrés y los factores que intervienen en la conducta humana (una dieta inadecuada, un exceso de cafeína, un descanso insuficiente o la falta de ejercicio): la reparación del sistema inmunitario.

Detrás del esternón y entre los dos pulmones se encuentra el timo, la glándula por excelencia, el superhéroe del sistema inmunitario. Si bien su tamaño es reducido, no podemos hablar de la salud de nuestro organismo, ya esté sometido a un intenso estrés o no, sin abordar la cuestión del timo. Esta glándula, que durante mucho tiempo no tuvieron en cuenta los científicos, empezó a atraer las miradas de los investigadores durante la década de 1980, cuando se dieron cuenta de que constituía la clave de un sistema inmunitario saludable.

El timo produce péptidos tímicos y hormonas tímicas. Los péptidos tímicos:

- Son responsables directos de la maduración de las células T (glóbulos blancos activados por el timo, que ejercen una importante función en la respuesta inmunitaria del organismo).
- Influencian directamente otras funciones inmunitarias, como la producción de anticuerpos.
- Tienen un papel fundamental en la integración e interacción adecuadas de los sistemas inmunitario, endocrino y nervioso.

LA MENOPAUSIA TÍMICA

El timo sigue desarrollándose después del nacimiento y alcanza su volumen máximo durante la pubertad. Después de esta etapa, se produce un encogimiento gradual del timo, fenómeno denominado *involución*. Hacia los treinta años, normalmente el timo ha perdido dos terceras partes de su masa y un 90 % de su contenido en células T. A los sesenta años, los tejidos que componen el timo prácticamente han desaparecido, lo que plantea una posible amenaza para la integridad del sistema inmunitario que envejece.

Este debilitamiento inevitable del sistema inmunitario se denomina *inmunosenectud* y constituye un deterioro natural. Se trata de una «menopausia tímica» que afecta a ambos sexos y aumenta nuestra vulnerabilidad ante infecciones, enfermedades autoinmunitarias y determinados tipos de cáncer cuando envejecemos.

LA PROMESA ANTIENVEJECIMIENTO DE LOS PÉPTIDOS TÍMICOS

El timo es el órgano que, a modo de termostato, regula el sistema inmunitario. Cuando aparecen invasores externos, como una infección, un tumor, una bacteria o un virus, la producción tímica aumenta. Y al contrario, ésta se reduce para evitar las enfermedades autoinmunitarias (cuando los medios de defensa del organismo la emprenden contra el propio cuerpo).

Puesto que el envejecimiento es una enfermedad progresiva y degenerativa, me planteé llevar a cabo una investigación a fondo sobre el timo, a fin de comprobar cómo podría éste invertir determinadas señales del envejecimiento:

- Los estudios muestran los efectos positivos de los extractos líquidos del timo sobre la estructura y el funcionamiento del hígado en animales que envejecen. Por otra parte, las funciones del hígado y del bazo en los animales tratados no se deterioraron con el paso del tiempo.
- Estudios similares demuestran que los péptidos tímicos reducen los niveles de ácidos grasos oxidados en los tejidos del cerebro y del bazo en animales adultos e incrementan significativamente su longevidad.
- Se ha observado asimismo que las hormonas del timo incrementan la cantidad y la calidad de las células T del cuerpo, responsables de la secreción de la hormona del crecimiento humano (HCH). Los péptidos tímicos estimulan también la liberación de HCH por parte de la glándula pituitaria. La hormona del crecimiento humano es la verdadera hormona «de la juventud». Fortalece los músculos, aumenta la vitalidad de los órganos corporales y disminuye los niveles de cortisol, la hormona del estrés. Sería positivo que el cuerpo aumentara su producción de HCH. No obstante, se plantean una serie de cuestiones sin respuesta en cuanto a la seguridad y a los efectos secundarios de una administración directa de HCH en el organismo. Lo que han demostrado los estudios es que, de momento, es preferible utilizar péptidos tímicos para estimular una mayor liberación de HCH por parte de la glándula pituitaria.

La conclusión es evidente: los péptidos tímicos, además de mejorar la inmunidad, frenan e incluso invierten el proceso del envejecimiento orgánico.

LA PROMESA TERAPÉUTICA DE LOS EXTRACTOS TÍMICOS

El descubrimiento de que los péptidos tímicos influyen directamente en el funcionamiento del sistema inmunitario ha llevado a los científicos a preguntarse cómo podrían extraerse estas substancias y utilizarse en el

tratamiento de los problemas inmunitarios. Los numerosos estudios llevados a cabo con animales, así como un limitado número de pruebas
clínicas, han arrojado unos resultados tan prometedores que han convencido a buena parte de los expertos sobre las posibilidades de los
extractos del timo en el tratamiento de una amplia gama de afecciones:

- Enfermedades autoinmunitarias (como el lupus y la artritis reuma-
  toide).
- Cánceres (de mama, pulmón, laringe, cabeza y cuello, leucemia,
  enfermedad de Hodgkin y linfoma de Hodgkin).
- Infecciones crónicas (víricas, micóticas, parasitarias).
- Deterioro de la córnea.
- Hepatitis B y otras enfermedades del hígado.
- Herpes simple y zóster.
- Enfermedades de inmunodeficiencia (como el sida).
- Enfermedades inflamatorias de la piel (como la psoriasis y el eccema).
- Infecciones posquirúrgicas.
- Infecciones respiratorias.
- Alergias respiratorias graves y crónicas.

Pueden acelerar también los procesos de cicatrización y parece que
podrían mejorar la eficacia de la radioterapia y la quimioterapia, al
tiempo que reducirían sus efectos secundarios.

Como quiera que una arruga es básicamente una herida, las extraordinarias virtudes curativas de los péptidos tímicos me llevaron a investigar sobre la forma de utilizarlos con objeto de invertir muchas de las
señales del envejecimiento. Como siempre, abordé el problema desde
una perspectiva holística, de entrada para comprobar cuáles eran sus
efectos a escala del sistema, en el caso de administrarse por vía interna,
pero también para controlar los efectos de una preparación tópica a base
de péptidos.

En general, los resultados obtenidos han sido alentadores, ya sea en
su administración oral o intravenosa, y por ello decidí desarrollar un
programa nutricional y al mismo tiempo una línea de suplementos a
base de péptidos tímicos (todo lo cual se describe más adelante en el
libro). El caso de Catherine demuestra claramente las virtudes de los
péptidos tímicos.

EL CASO DE CATHERINE

Quien desee saber hasta qué punto puede mejorar su aspecto y su sensación de bienestar con el perfeccionamiento de la función de los péptidos tímicos puede reflexionar sobre el caso de Catherine.

Conocí a Catherine durante la Semana de la Moda en Nueva York. A pesar de que estábamos a principios de otoño, las temperaturas se mantenían ligeramente por debajo de los treinta grados. El parque Bryant se había llenado de tiendas y su aspecto recordaba al de una feria medieval. Yo había preparado una especie de pequeños lotes de supervivencia especiales para dicha semana, destinados a modelos y diseñadores, con unas latitas de salmón, frutos secos, arándanos y agua mineral, y muchos de ellos acudieron a darme las gracias por el detalle a lo largo del día. De esta forma conocí a Catherine, una modelo que, pese a ser bellísima, tenía aquel día un aire agotado. Le sugerí que hiciera una pausa y le di una botella de agua.

—Gracias, doctor Perricone —me dijo, aceptando de buen grado un asiento al abrigo del sol—. ¡No sé cómo conseguiré aguantar todo el día! Creo que si pudiera dormiría una semana entera —añadió, buscando, nerviosa, un cigarrillo.

Al igual que muchas modelos, Catherine fumaba sin parar y tomaba un café tras otro. Como se dice popularmente, consumía la vela por ambos lados, asistiendo a fiestas, clubes... en fin, hacía lo que suele hacer la gente de su profesión.

—Normalmente tengo energía para todo —me confió—, pero esta semana no sé si seré capaz de soportarla. Y para colmo, no doy un paso sin pillar un resfriado, una gripe o una crisis de alergia.

Con lo que fumaba, el alto nivel de estrés que aguantaba, el café que tomaba y lo poco que dormía, en su sangre circulaba un alto nivel de cortisol. Se habría dicho que hacía todo lo posible por alterar el frágil equilibrio de su sistema nervioso y endocrino. Parecía funcionar tan sólo a base de adrenalina.

Le dije que no creía necesario recordarle los peligros a largo plazo que conlleva un determinado estilo de vida y seguí comentándole que podía empezar inmediatamente a neutralizar aquellos efectos negativos. Aunque no pudiera convencerla en aquellos momentos de que dejara el tabaco, aceptó lo de buscar la forma de disminuir el consumo, tanto de cigarrillos como de café.

De entrada, le sugerí que durmiera más horas.

—El simple hecho de descansar le proporcionará más energía, y es eso lo que necesita esta semana —dije—. Teniendo en cuenta la importancia del sueño para mantenerse joven, es básico que haga lo posible para mejorar sus pautas en este sentido. Unas copas por la noche pueden provocarle somnolencia, pero piense que el alcohol precipita con rapidez una descarga de neuropiretrina, una hormona que aumenta la excitación y el estrés. Unas horas después de haber consumido alcohol, se produce un estallido de neuropiretrina que nos devuelve inmediatamente la conciencia.

Aquello era lo que le ocurría a Catherine, ya que tomaba un par o tres de vodkas con lima, se dormía y se despertaba unas horas después tras haber dormido mal.

—El consumo de cafeína a última hora de la tarde y por la noche también interfiere en las pautas del sueño —le dije—. Antes de ir a la cama, hay que evitar también los alimentos que provocan un aumento del azúcar en la sangre, pues se altera la producción de las hormonas del crecimiento y se priva al cuerpo de las hormonas antienvejecimiento, esenciales para todo el organismo. Si desea hacer ejercicio por la noche, es importante que lleve a cabo esta práctica como mínimo cuatro horas antes de meterse en la cama.

Catherine reconoció que cuando salía de noche solía ir a bailar. No era de extrañar, pues, que tuviera un aire tan fatigado. No tenía yo intención de sugerirle que no tomara nunca una copa, que no saliera de fiesta ni a bailar, pero le dije que procurara no hacerlo todas las noches.

A fin de neutralizar los efectos negativos de aquellas costumbres, le hice prometer que todos los días tomaría una ensalada con salmón e intentaría seguir el programa de 28 días de *La promesa de la eterna juventud*, a pesar de ser consciente de que aquello no era muy realista. Le entregué también un lote con mis suplementos para el cuidado de la piel y el cuerpo, pues sabía que no olvidaría tomárselos. La había entusiasmado especialmente la idea de probar los suplementos a base de péptidos tímicos, que iban a servirle para equilibrar y regular los sistemas de su organismo que ponían de manifiesto un mal funcionamiento. Como había concebido dichos suplementos para mantener la función inmunitaria, estaba convencido de que protegerían a Catherine contra los resfriados, la gripe y las alergias.

Aproximadamente un mes más tarde coincidí con Catherine en una velada benéfica. Quedé impresionado al ver el aire tan saludable que rezumaba.

—Doctor Perricone —me dijo emocionada—, tengo que darle las gracias. Me siento de maravilla. No he tenido un solo achaque, me encuentro llena de energía y, mejor aún, me he quitado de encima el estrés y la ansiedad. —Catherine tomaba con gran disciplina las vitaminas y los suplementos a base de péptidos tímicos y notaba que era una mujer nueva. No había dejado ni el tabaco ni el café, pero sí reducido considerablemente su consumo y era mucho más consciente de lo que le convenía comer—. Sigo disfrutando de un combinado de vez en cuando —dijo riendo—, pero ya duermo muchísimo mejor.

Nuestros cuerpos precisan un delicado equilibrio y estoy convencido de que los péptidos y los neuropéptidos, en una adecuada formulación, pueden ayudarnos a mantener dicho equilibrio. Los péptidos tímicos parecen especialmente prometedores, pues estimulan el sistema inmunitario, aceleran el proceso de cicatrización, previenen un gran número de enfermedades y frenan el envejecimiento.

Y EL PUNTO EN CONTRA...

En el interior del cuerpo, los elementos químicos, ya se trate de neuropéptidos, péptidos, neurotransmisores u hormonas, pueden producir efectos duales, unos positivos, otros negativos. Pongamos por ejemplo el estrógeno. El estrógeno nos ayuda a conservar una piel tersa y sana y unos huesos fuertes. Un exceso de estrógeno, no obstante, puede agravar los síntomas del síndrome premenstrual (SPM), que van desde los dolores musculares y la retención de líquidos a las migrañas y la fatiga, pasando por los cambios de humor, la irritabilidad, las ideas suicidas y las tendencias homicidas.

Esto ocurre también con los neuropéptidos y los péptidos, pues pueden producir efectos proinflamatorios o antiinflamatorios en el organismo. Uno de estos neuropéptidos, conocido con el nombre de *substancia P,* está presente en distintos órganos del cuerpo y ejerce un papel fundamental en el desarrollo de distintas funciones físicas y mentales. La substancia P ayuda, por otra parte, a dilatar los vasos sanguíneos y a contraer los intestinos y otros músculos lisos, y tiene también un papel importante en la producción de saliva y de orina. Sin embargo, cabe tener en cuenta que se trata de una substancia peligrosa en la medida en que desencadena la inflamación cutánea que provoca las arrugas y el acné. Peor aún, la substancia P está vinculada directamente a determinadas cuestiones que al parecer no tienen relación entre sí, como el envejecimiento, la depresión, la obesidad, el alcoholismo y el dolor crónico.

La substancia P se descubrió en los años treinta, pero los científicos tardaron en conocer su función. Poco a poco fueron aprendiendo que está implicada en la transmisión de los impulsos asociados al dolor. De hecho, se descubrió que la substancia P creaba una especie de sistema de transmisión del dolor crónico entre la médula espinal y el cerebro. La substancia P es liberada también por determinadas terminaciones nerviosas de la piel, y ello explica el dolor que provoca un traumatismo cutáneo.

Puesto que la substancia P se libera en la piel, además de transmitir señales de dolor, desencadena también un estallido inflamatorio en todo el organismo. En el capítulo 7 descubriremos cómo afectan a nuestra piel los efectos negativos de la substancia P. De momento, vamos a examinar cómo desbarata las células cerebrales la secuencia cerebro-dolor que crea la substancia P.

La substancia P y el vínculo entre cerebro y belleza

Distintos órganos, entre los cuales se encuentra el cerebro, sintetizan y liberan la substancia P. La liberación de la substancia P en el cerebro no puede provocar dolor físico alguno, por una razón muy sencilla, porque el cerebro no posee receptores del dolor. En efecto, es posible incluso llevar a cabo una intervención quirúrgica en el cerebro sin anestesia.

No obstante, la liberación de la substancia P provoca dolor físico. Se trata de un dolor físico o mental que se manifiesta en forma de ansiedad y de depresión. En unos estudios científicos se administró substancia P a una serie de voluntarios a fin de que los niveles de dicha substancia en el cerebro de estas personas se situaran por encima de los normales. Aquellos a quienes se administró dicho neuropéptido hablaron de sensaciones de ansiedad y depresión poco después de la administración de la substancia P.

La citada substancia está implicada en la percepción del placer y el dolor. Diversas pruebas han demostrado que, cuando se reduce la substancia P, disminuye el estrés asociado al dolor. Si reducimos el estrés, reducimos la inflamación. Y si reducimos la inflamación, frenamos el proceso del envejecimiento. Pero eso no es todo.

Unos estudios llevados a cabo por Stephen P. Hunt del University College de Londres demuestran que la substancia P se encuentra en determinadas partes del cerebro vinculadas a las propiedades en cuanto a motivación, de «recompensas» reconfortantes, como la comida o la medicación puntual. Si se reduce la substancia P, se disminuye también el deseo imperioso en cuanto a ciertos tipos de «recompensa» que minan la salud de la persona, crean alteraciones emocionales, hacen que se sienta mucho mayor de lo que es y le dan un aspecto más avejentado.

El increíble cerebro menguante

La liberación de la substancia P va acompañada de una mayor producción de aminoácidos, como el glutamato y el aspartato, lo que a su vez desencadena un proceso llamado *excitotoxicidad*. El glutamato es un neurotransmisor esencial para el aprendizaje y la memoria a corto y largo plazo. El glutamato suele estar presente en una cantidad muy reducida en el fluido extracelular. Cuando su concentración aumenta, las neuronas (las células del cerebro) empiezan a consumirse de forma anormal. Cuando la concentración es muy elevada, las células sufren un proceso de muerte conocido con el nombre de excitotoxicidad, es decir, su excitación les lleva a la muerte. La muerte de estas células puede provocar una serie de alteraciones neurodegenerativas, entre las cuales cabe citar la ELA (esclerosis lateral amiotrófica, o enfermedad de Lou Gherig) y el Alzheimer.

LOS ADITIVOS ALIMENTARIOS, LOS EDULCORANTES Y LA EXCITOTOXICIDAD

Existe un grupo de compuestos químicos llamados *excitotoxinas* que ejercen una función básica en el desarrollo de una serie de alteraciones neurológicas, como las migrañas, las convulsiones, infecciones, desarrollo anormal de las neuronas, ciertos trastornos endocrinos, problemas neuropsiquiátricos, dificultad de aprendizaje en la infancia, demencia causada por el sida, episodios de violencia, borreliosis, encefalopatía hepática, tipos específicos de obesidad y más en concreto, enfermedades neurodegenerativas, como la esclerosis lateral amiotrófica (ELA), la enfermedad de Parkinson, la enfermedad de Alzheimer, la enfermedad de Huntington y la atrofia olivopontocerebelar. Un gran número de ensayos clínicos y experimentales de los últimos diez años corrobora estos descubrimientos. Sin embargo, el peligro inmediato y a largo plazo que implica la utilización generalizada de estas excitotoxinas como aditivos de los alimentos —por ejemplo, el glutamato monosódico, las proteínas vegetales hidrolizadas y el aspartamo— en general pasa desapercibido.

Desde su introducción, ha aumentado de forma espectacular el volumen de neurotoxinas que se añade a nuestros alimentos. Se trata de unas substancias, en general aminoácidos acídicos, que reaccionan con los receptores especializados del cerebro de tal forma que provocan la destrucción de ciertos tipos de neuronas. El glutamato, el neurotransmisor que más utiliza nuestro cerebro, es también una de las excitotoxinas más corrientes. El glutamato monosódico es la sal sódica del glutamato. Así pues, habría que evitar tanto el glutamato monosódico como el aspartamo y también los aditivos alimenticios, como el extracto de levadura, las proteínas texturadas, los extractos de proteína de soja, etcétera, pues deben considerarse excitotoxinas. ¿Cuál es la mejor forma de conseguirlo? Adquiriendo nuestros propios alimentos en su forma más natural y preparándolos nosotros mismos añadiéndoles hierbas aromáticas frescas o secas y especias.

Actualmente sabemos que cuando se libera substancia P, posible causante de depresión, junto con el glutamato, la excitotoxicidad resultante genera efectos negativos adicionales en las células del cerebro. La sobreexcitación de las neuronas combinada con la depresión no sólo provoca la muerte de las células cerebrales, sino que además empequeñece el cerebro. Cuando sufrimos estrés, ya sea a raíz de una disputa con el cónyuge, por problemas económicos u otros, nuestro cerebro libera substancia P y ello desencadena unos efectos que pueden llegar a ser desastrosos.

Y AHORA LAS BUENAS NOTICIAS

Después de habernos extendido sobre los nefastos efectos de la perniciosa y negativa substancia P, puede que el lector se pregunte: ¿qué puede hacer nuestro cuerpo para ponerle remedio? De ello vamos a tratar en el resto del capítulo y a lo largo del libro. Se está llevando a cabo una investigación sobre el tema y existen unas opciones específicas a nuestro alcance para reducir los efectos negativos de la substancia P.

Reductores de excitotoxicidad. Sabemos actualmente que los antidepresivos de siempre pueden reducir la excitotoxicidad causada por la substancia P. Se ha descubierto recientemente que determinados nutrientes reducen de manera significativa la excitotoxicidad, y entre ellos cabe citar el picnogenol, el acetil-L-carnitina y una mezcla de la coenzima Q10 y niacinamida. Experimentos preliminares sobre inhibidores de la substancia P en el cerebro han demostrado que es posible reducir la ansiedad sin recurrir a los tranquilizantes actuales, que poseen efectos secundarios. Otras pruebas clínicas en cuanto a los inhibidores de la substancia P han demostrado también que en ocasiones resultan más eficaces que los antidepresivos tradicionales, como el Prozac y el Paxil.

Inhibidores de la substancia P. Muchos investigadores trabajan actualmente con elementos químicos capaces de inhibir o suprimir elevados niveles de substancia P. Hoy en día ya se utiliza con normalidad uno de estos inhibidores: la capsicina, el ingrediente que da el sabor «picante» a las guindillas o cerecillas. Se trata de un inhibidor natural de la substancia P, que puede consumirse en forma de suplemento o de alimento propiamente dicho, pimientos rojos picantes, salsa picante y otros platos, o bien aplicarse de forma tópica. Puede utilizarse la crema de capsicina para combatir dolores crónicos causados por herpes o inflamaciones en acné y eccema. No se trata de la panacea, pero muchos pacientes la han considerado útil. En el capítulo 4 se incluye más información sobre la capsicina.

Alivio contra el estrés. Como hemos visto en los dos capítulos anteriores, un alto nivel de estrés aumenta la producción de hormonas y neuropéptidos perjudiciales, como la substancia P. Para neutralizar el proceso, hay que encontrar la forma de contrarrestar el estrés, pues es imposible evitarlo totalmente. Podemos intentar abordar un programa de ejercicios físicos moderados. Casi todos los ejercicios físicos reducen de forma significativa la inflamación a escala celular. Por otro lado no hay nada mejor que el ejercicio para experimentar un alivio. Recordemos, sin embargo, que la moderación es la clave del éxito. Un ejercicio que exija un gasto exagerado de energía tendrá un efecto proinflamatorio en el organismo. Es importante también reservar todos los días un rato (preferiblemente de noche, antes de meternos en la cama) para la relajación y la meditación. Aprovecharemos esta ocasión para quitarnos de la cabeza todo lo que la ha llenado durante el día —lo bueno y lo malo— o para rezar, si somos creyentes. La compañía de un animal es también algo excelente para la liberación del estrés. Son todos ellos detalles que pueden llevarnos a mejorar nuestra calidad de vida.

El neuropéptido Y. Los científicos investigan actualmente la forma de estimular la producción del neuropéptido Y, al que suele considerarse «tranquilo y audaz». Cuando se libera en el cerebro el neuropéptido Y se inhibe la ansiedad y la depresión y puede producirse asimismo un aumento del apetito y una mejora de la memoria. El neuropéptido Y contribuye también en la constricción de los vasos sanguíneos, la regulación de la temperatura corporal y de la presión sanguínea y en el control de liberación de las hormonas sexuales.

Un descubrimiento que ha intrigado especialmente a los médicos procede de un estudio sobre el Trastorno por Estrés Postraumático (TPEP). Los investigadores descubrieron que dicho trastorno prácticamente no se registra entre los componentes de cuerpos especiales y de elite —los SEAL (fuerzas especiales de la Armada de EE. UU.), los Rangers y otras fuerzas de intervención—, sujetos a unas condiciones de tensión mental, emocional y física extremas. Al parecer, los soldados pertenecientes a los cuerpos de elite presentan altos niveles del neuro-péptido Y en su sistema nervioso central. Y aunque el estrés físico y psi-cológico sea capaz de reducir de manera significativa estos niveles, los citados soldados de las fuerzas especiales demuestran que, después de cada período de estrés, vuelven a los niveles normales con rapidez. No es el caso, sin embargo, de los soldados del ejército regular, mucho más sus-ceptibles de sufrir el TPEP. Los científicos creen que este alto nivel de neuropéptido Y permite a los soldados de elite resistir el TPEP y mostrar una tranquilidad y un valor excepcionales en el campo de batalla.

Naturalmente, el neuropéptido Y produce efectos contrarios a los de la substancia P, cuyos elevados niveles se asocian a la ansiedad, la depresión, el miedo y el nerviosismo. Afortunadamente, los mismos elementos que inhiben la substancia P provocan un aumento del neuro-péptido Y. Puesto que hoy en día todos tenemos que ser «supersolda-dos» para enfrentarnos a la vida cotidiana, *La promesa de la eterna juventud* nos presenta en los siguientes capítulos estrategias que nos ayudarán a mantener un elevado nivel del neuropéptido Y, y a inhibir al tiempo los niveles excesivos de substancia P.

Los neuropéptidos: ¿el ADN de la conciencia?

Una de las cosas que más me emocionan al pensar en los neuropéptidos es todo lo que nos queda por aprender. Habrá que ver cuánto tiempo tar-daremos en descubrir todos los misterios de los neuropéptidos y, a través de ellos, los del cerebro, la personalidad y la propia conciencia.

Ya que en los últimos años se ha ampliado mucho el uso de los neu-ropéptidos —no los utilizamos únicamente como analgésicos o reme-dios para la memoria, las sensaciones, el apetito y las emociones—, los investigadores han empezado a comprender el alcance de la tarea que les espera: descifrar los códigos de la conciencia. Ya que los neuropépti-dos se han revelado como el equivalente neurobiológico del ADN, quie-nes investigan en este campo han captado el enorme potencial de las cadenas en tirabuzón y de las espirales de aminoácidos presentes en el cerebro y en el sistema nervioso central. Dichos elementos químicos, como han reconocido por fin los científicos, no son tan sólo cuestión de pensamiento, sensación o emoción; al contrario, los neuropéptidos son en realidad los propios pensamientos, las sensaciones y las emociones, de todo lo que conoce nuestro cerebro. Nos encontramos ante la clarificación o simplificación definitiva del célebre planteamiento de Descartes: «mi cerebro está lleno de neuropéptidos, luego existo».

Se están llevando a cabo investigaciones emocionantes y estoy convencido de que cuanto más vayamos descubriendo sobre los neuropéptidos, más capaces seremos de mejorar nuestra memoria, el bienestar emocional y nuestra longevidad.

Se nos han revelado ya algunos secretos de los neuropéptidos y éstos conforman la base del programa de 28 días de *La promesa de la eterna juventud*. En la segunda parte de este libro pasaremos a unos sensacionales descubrimientos en el campo de la alimentación, de los suplementos y las cremas de uso tópico, que nos ayudarán a conseguir un aspecto más joven y a vivir de una forma más saludable en los próximos años.

Segunda parte

LAS TRES ETAPAS

Los conceptos fundamentales de esta obra —como la existencia de vínculos entre inflamación, envejecimiento y enfermedad— son los mismos
de los que llevo años hablando. La diferencia radica en que *La promesa
de la eterna juventud* va más allá, hasta llegar a la propia raíz del proceso inflamatorio: el papel que ejercen los péptidos y los neuropéptidos.
Este libro se centra en la lucha contra el envejecimiento del cuerpo en
sentido global, pues no se trata tan sólo de conseguir un aire más joven,
sino de vivir más tiempo.

La mejor forma de centrarse en dichos péptidos y neuropéptidos, de
reducir sus efectos negativos e intensificar sus virtudes, consiste en
abordarlos desde todos los ángulos: del exterior hacia el interior y vice-
versa.

Todo ello, evidentemente, empieza por la alimentación. Nuestra forma
de envejecer dependerá de lo que comamos. Los alimentos que consumimos pueden inhibir o fomentar la inflamación. Los capítulos 3, 4 y 5 nos
ayudarán a elegir los alimentos más sanos (entre los cuales encontraremos

los diez superalimentos) para reducir la inflamación y rejuvenecer la piel y el cuerpo.

En el capítulo 6, descubriremos los suplementos alimentarios que constituyen el arma revolucionaria del arsenal antienvejecimiento: los polisacáridos, una nueva forma de estimular la producción de energía en lo más profundo de nuestro cuerpo, a escala celular. El capítulo 7 sigue el proceso y nos presenta los suplementos alimentarios multiuso, de gran efectividad, que fomentarán la producción de péptidos y neuro-péptidos antiinflamatorios, el arma natural del organismo en su lucha contra el envejecimiento.

El último capítulo de esta sección se dedica a los productos tópicos, unas cremas innovadoras formuladas a base de neuropéptidos que, en su función desde el exterior hacia el interior, nos ayudarán a conseguir casi instantáneamente un aspecto más joven.

Estos capítulos tienen como objetivo proporcionarnos la base necesa-ria para tomar las decisiones correctas si queremos vivir más tiempo y de una forma más saludable. Saber es poder, y los conocimientos que adqui-riremos en estas páginas nos permitirán conservar el resto de nuestra vida un aspecto rejuvenecido y nos ayudarán a sentirnos mucho mejor.

Primera etapa

Los alimentos

3. El arco iris de los alimentos

LA ESCALERA DE COLOR QUE NOS LLEVA AL TRIUNFO

No pretendo ser imparcial en materia de colores.
Disfruto con los tonos vivos y me dan pena
los marrones opacos.

SIR WINSTON CHURCHILL

De la misma forma que Winston Churchill experimentaba el mayor placer al pintar con colores vivos, nosotros disfrutaremos de una vida más saludable y de las virtudes de los alimentos escogiendo productos que contengan toda la gama del arco iris. De todas formas, Sir Winston no tenía por qué sentir pena por los «marrones opacos». Estos pigmentos de tonos pardos en realidad confieren unas propiedades extraordinarias a los frutos secos y a una gran variedad de legumbres. Es una feliz coincidencia que el color de los alimentos nos hable de sus virtudes, algo que parece fruto de la buena fortuna. Los pigmentos vegetales no sólo sirven para añadir color a las frutas, las verduras y determinados mariscos: constituyen también una fuente esencial de fitonutrientes que previenen las enfermedades y de antioxidantes que combaten el envejecimiento y la inflamación. La Madre Naturaleza nos facilita la tarea: ¡limitémonos a elegir los productos de la tierra y del mar que presenten los colores más vivos e intensos de la paleta del artista!

EL CASO DE BRETT

Hace poco tuve el honor de intervenir en un congreso internacional sobre el futuro de la belleza y la salud. En mi intervención establecí la relación intrínseca entre la belleza interior y la belleza exterior. Expuse con detalle la función de la dieta, de los suplementos y de las terapias tópicas, así como la forma de sacar provecho de esta sinergia para alcanzar el objetivo.

Después de la conferencia me presentaron a Brett, una atractiva morena que había cumplido hacía poco los cuarenta y trabajaba para una multinacional de la cosmética. Después de intercambiar unas palabras, me dijo:

—Me ha gustado mucho su intervención, doctor Perricone, y me ha fascinado la idea de que determinados alimentos puedan influir en la belleza de una persona. Prácticamente todas las mujeres que conozco, y yo misma me incluyo en el grupo, comen pensando en su peso y no en su aspecto. —Y luego añadió—: Pero veo muy claro que a mi piel no le vendría mal una ayuda. Creo que soy la candidata ideal para su programa.

Brett tenía suficiente habilidad para disimular sus problemas cutáneos a base de los productos que comercializaba su empresa, pero al mirarla más a conciencia me di cuenta de que su piel había perdido la luminosidad de la juventud y tenía un aspecto apagado y seco. Se dibujaban también en ella pequeñas arrugas alrededor de los ojos y la boca. Brett estaba en una edad muy vulnerable, pues las decisiones que tomara en aquel momento podían obsesionarla (o llenarla de alegría) en su camino hacia los cincuenta.

—Los años que van de los treinta y cinco a los cuarenta y cinco son importantísimos en nuestra vida —le expliqué—. En este período, las mujeres, en particular, tienen que hacer frente a una serie de cambios hormonales y de otro tipo. Es un momento clave para prestar la máxima atención a lo que una come, pues la alimentación y el estilo de vida pueden acelerar o frenar el proceso del envejecimiento. Algo que se hará visible en primer lugar en el rostro.

Pedí a Brett que me explicara qué comía. Me horrorizó oír que en su dieta tenían una gran importancia las galletas de arroz, sobre todo las aromatizadas con queso cheddar.

—Vivo sola y, la verdad, no me motiva mucho preparar un plato de gourmet para una sola persona. De todas formas —añadió—, si estuviera segura de que comiendo alimentos «de verdad» no iba a engordar, le aseguro, doctor, que lo haría.

Expliqué a Brett que tendría que replantearse su filosofía alimentaria, ya que las galletas de arroz de aspecto inocente se transforman rápidamente en azúcar. ¿Por qué? El arroz y el maíz contienen un alto índice glicémico (IG), lo que los convierte en alimentos proinflamatorios. Y lo que es peor, cuando están «hinchados» su IG sube en picado; en realidad, bajo esta forma, ¡su índice glicémico es superior al del azúcar de mesa! Uno de estas galletas de arroz o maíz puede provocar una reacción insulínica que nos lleve a almacenar grasas en lugar de quemarlas. Brett admitió que, si bien consumía pocas calorías, le costaba perder peso.

—Y eso es porque las galletas de arroz provocan una liberación de insulina que causa el almacenamiento de la grasa corporal —le expliqué.

¿Grasa y arrugas?

Por si fuera poco lo que le había contado y no tuviera motivación suficiente para cambiar sus hábitos alimentarios le conté que el almacenamiento de grasas no era el único inconveniente del consumo de azúcares y almidón, que provoca una respuesta insulínica. Además, cuando dichos alimentos se transforman rápidamente en azúcar en la sangre, desencadenan también la glicación de las proteínas en los tejidos orgánicos, en definitiva, el equivalente del proceso que lleva a los alimentos a perder el color y a endurecerse cuando se guardan demasiado tiempo. Las moléculas de azúcar se adhieren a las fibras de colágeno, las cuales a su vez se vinculan a las moléculas de esta misma substancia, lo que provoca una pérdida de elasticidad en la piel y la aparición de pronunciadas arrugas.

—Me parece de lo más lógico —admitió Brett—. ¿Pero qué tengo que hacer? Llevo demasiados años comiendo de esta forma... ¿No es tarde para frenar el daño producido?

Le expliqué que nunca es tarde para ponerse manos a la obra e insistí en que se lo planteara como un sencillo programa que consta de tres fáciles etapas.

A fin de concentrarnos en la glicación, aconsejé a Brett que empezara un programa de suplementos antiinflamatorios, con el que iba a sacar partido de los péptidos y de un suplemento alimentario denominado *carnosina*, un dipéptido (compuesto por dos aminoácidos) conocido por sus virtudes a la hora de neutralizar los efectos de la glicación. Le aconsejé también la benfotiamina, una vitamina B_1, soluble en grasa, de importantes propiedades en la lucha contra el envejecimiento (sobre la que insistiremos en el capítulo 7). Expliqué a Brett que le enviaría un tratamiento tópico a base de neuropéptidos que le ayudaría a atenuar las arrugas y frenar la pérdida de elasticidad que empezaba a notarse en su rostro y cuello.

Ahora bien, ante todo Brett tenía que aprender a diferenciar los antioxidantes naturales.

—No voy a darle un cursillo sobre nutrición o bioquímica —le dije—. Pero sí le pediré que elija los alimentos en función de los colores del arco iris. Cuando vaya a la compra, siga como único criterio la elección de alimentos de colores intensos, vivos y variados. Aunque —añadí a modo de advertencia—. Ahí no entran las bolsitas de aperitivos, pues se trata de una norma que rige tan sólo para los alimentos que ha creado la naturaleza y no para los fabricados en un laboratorio.

Cuatro semanas después, Brett apareció en mi consulta, radiante de salud y vitalidad. Su piel se veía fina y tersa. Me encantó ver aquel color natural en sus mejillas. En realidad, a pesar de sus conocimientos profesionales, no llevaba más que un leve toque de rímel y de brillo en los labios.

—No puede imaginarse lo maravilloso que ha sido para mí este último mes —me confió—. Nunca había soportado ir al supermercado, pero siguiendo sus instrucciones, he descubierto lo divertido que podía resultar. Ir a la compra se ha convertido para mí en un regalo para mi bienestar. Cada vez que voy a la compra me planteo el desafío de encontrar nuevos alimentos con los colores del arco iris para añadir a mi lista, que va a más. ¡Incluso he empezado a escribir un diario!

Brett me mostró su diario, en el que hablaba del primer día que fue a comprar comida con la idea del color en la cabeza. Había empezado en la sección de las verduras, seleccionando una amplia variedad de hojas para ensalada, col roja, brécol, judías verdes, cebollas rojas, tomates aún más rojos, ajos lilas, pimientos rojos y amarillos y guindillas de un rojo encendido, alfalfa y brécol, así como gran cantidad de hierbas aromáticas, como albahaca, perejil, tomillo, romero, salvia, orégano y eneldo. Seguidamente se detuvo en la fruta. Allí adquirió los arándanos más azules, las moras más brillantes y las fresas de un rojo más intenso. Pasó luego a los amarillos limones, al atractivo naranja del melón cantalupo, las moradas ciruelas, las rojas manzanas y las cerezas de un granate negruzco. Como condimento, Brett eligió el aceite de oliva virgen extra, de un verde intenso, y una selección de aceitunas verdes y negras. En la sección de legumbres, Brett adquirió frijoles negros, lentejas pardas y rojas, dorada avena y cebada, nueces y almendras de un marrón intenso y semillas de calabaza de color verde claro. Hizo la última parada en la sección del pescado, donde encontró salmón de Alaska y bogavante de Maine, junto con unas patas de cangrejo, también de Alaska, y gambas.

—Lo mejor de todo es que han pasado ya cuatro semanas y tengo la impresión de que no he hecho más que empezar a descubrir el inmenso mundo del arco iris de los alimentos —siguió Brett—. Cada visita a la tienda es como emprender una nueva aventura. Mi actitud en cuanto a la alimentación ha cambiado totalmente.

En efecto, Brett había sufrido una transformación y el provecho que había sacado de ella trascendió a otras facetas de su vida. Salía con Charles, un ejecutivo como ella, y comentó que en cuanto empezaron a cocinar juntos y a compartir comidas (una experiencia totalmente nueva para Brett), su relación empezó a despegar. En los dos últimos fines de semana se habían desplazado al campo en busca de las frutas y verduras que pueden adquirirse en los mercados rurales. Y tenían intención de visitar unas huertas de manzanos en Vermont en otoño.

—Doctor Perricone —me confesó—, antes de empezar a usar las gafas con los colores del arco iris que usted me ofreció, en mi vida no había color. Hoy es un calidoscopio y cada día me ofrece nuevos descubrimientos. Aunque lo que me parece más sorprendente es cuánto ha cambiado mi aspecto y lo bien que me siento.

En todo el programa contra el envejecimiento y a favor del rejuvenecimiento, como mínimo hay que tener una idea de lo que funciona y por qué funciona, aunque sólo sea para comprender cuál es la razón que nos lleva a evitar ciertos alimentos. En este capítulo, titulado justamente «El arco iris de los alimentos», trataremos de lo que nos enseña la ciencia sobre los antioxidantes naturales. Constataremos que dichos alimentos nos proporcionan grandes beneficios. ¿Mi recomendación? Para cumplir con *La promesa de la eterna juventud* disfrutaremos de la mayor cantidad posible de estos alimentos a fin de aprovechar su amplio espectro de virtudes antienvejecimiento y contra las arrugas.

EL ARCO IRIS DE LOS ALIMENTOS: UNA ESCALA DE SALUDABLES COLORES

Al principio de este capítulo citábamos que los pigmentos vegetales contienen fitonutrientes y antioxidantes que previenen las enfermedades y frenan el envejecimiento. Pero ¿qué son exactamente los fitonutrientes? *Phyto* significa «planta», por consiguiente, un fitonutriente será un nutriente procedente de una planta. La mayor parte de fitonutrientes son excelentes antioxidantes y éstos, como sabemos ya, son los agentes antiinflamatorios naturales. Además, como citaba la revista *Time* en febrero de 2004: «cuanto más color, mejor, ya que las plantas de colores más vivos en general contienen mayor cantidad de antioxidantes, algo idóneo para eliminar los radicales libres que se generan durante la inflamación». Anima ver que los medios de comunicación más influyentes, como la revista *Time*, reconocen la validez de lo que llevamos tiempo afirmando, a saber, que la inflamación, aunque quede oculta, constituye la base de un gran número de enfermedades relacionadas con el envejecimiento.

Una de nuestras mejores defensas contra este enemigo invisible es una dieta rica en fitonutrientes antiinflamatorios: frutas y verduras de intensos colores así como frutos secos, semillas y legumbres. Es una buena idea comer una gran variedad de vegetales, pues con ello se consigue una óptima protección contra distintas enfermedades degenerativas, como las cardíacas, la osteoporosis, la artritis y también las arrugas y las falta de tersura en la piel. Los investigadores han identificado más de dos mil fitonutrientes distintos en los alimentos vegetales, y muchos de ellos tienen propiedades antioxidantes. En efecto, los científicos del servicio de investigación agrícola del Centro de Investigaciones Sobre la Alimentación Humana y el Envejecimiento de la Universidad Tufts de Boston han creado una prueba estándar para medir el potencial antioxidante de los alimentos.

Espero que las investigaciones futuras precisen qué alimentos nos protegen mejor contra los radicales libres, la inflamación y las enfermedades que estos fomentan. Mientras tanto, la capacidad de absorción del radical oxígeno (escala CARO) identifica los alimentos más prometedores en cuanto a prevención de enfermedades, como mínimo en lo que se refiere a sus propiedades antioxidantes. Debemos tener en cuenta que, si bien las uvas pasas aparecen en segundo lugar en la lista, son alimentos que, al igual que toda la fruta seca, tienen un alto contenido en azúcar y pueden provocar un incremento no deseado del nivel de azúcar en la sangre.

Se recomienda un consumo de entre 3.000 y 5.000 unidades diarias. Puede parecer mucho, pero pensemos que un cuarto de kilo de arándanos contiene unas 2.400 unidades. Lo mejor es que la cantidad de frutas y verduras que consumamos sume un mínimo de 5.000 CARO al día. Nos daremos cuenta también de que los veinte primeros alimentos se sitúan entre los más vistosos en cuanto al color.

COMPAREMOS LAS MANZANAS Y EL ORÉGANO

Hay que recordar dos puntos importantes respecto al índice CARO. En primer lugar, se establece dicho índice para indicar la capacidad antioxidante de las substancias comestibles dentro de una categoría determinada; la capacidad antioxidante de una planta se comparará con la de otras plantas, por ejemplo, y la capacidad antioxidante de una fruta u hortaliza se comparará con la de otras frutas y hortalizas. En segundo lugar, a igual peso, las plantas aromáticas que se usan en la cocina poseen una mayor capacidad antioxidante que las frutas o las verduras. En el capítulo 5, «Las especias de la vida», comprobaremos que el índice CARO de frutas y verduras parece mucho más elevado que el de las hierbas aromáticas, cuando en realidad dichas plantas poseen un contenido y una capacidad antioxidantes mucho mayor en cuanto a peso. Por ello, diferentes investigadores utilizan escalas de medida distintas, a veces incompatibles.

LOS VEINTE PRINCIPALES ALIMENTOS EN LA ESCALA ANTIOXIDANTE CARO

Unidades CARO por 100 g

Frutas		Verduras	
Ciruelas pasas	5.770	Col rizada	1.770
Pasas	2.830	Espinacas	1.260
Arándanos	2.400	Col de Bruselas	980
Fresas	1.540	Brécol	890
Frambuesas	1.220	Remolacha	840
Ciruelas	949	Pimiento rojo	710
Naranjas	750	Cebolla	450
Uva negra	739	Maíz	400
Cerezas	670	Berenjena	390
Kiwis	602		
Pomelos rosas	483		

EN LA CIMA DEL ARCO IRIS

Animo al lector a leer este capítulo a fin de comprender mejor los distintos fitonutrientes, sus virtudes y los alimentos que los contienen. Para facilitar la labor, he aquí una lista de los alimentos más saludables.

- *Verduras y hierbas aromáticas.* Brotes de alfalfa, polen de abeja (suplemento alimentario), hojas de remolacha, pimientos, brécol, coles de Bruselas, alcaparras, coliflor, guindillas, cebollinos, verduras de hoja oscura (espinacas, acelgas, repollo, col rizada, hojas de mostaza), eneldo, menta, col roja, estragón, tomillo, tomates.
- *Frutas.* Manzanas, albaricoques, frutas del bosque o bayas (de todo tipo), cerezas, kiwis, peras, granadas, uva negra.
- *Bebidas.* Té (negro, verde o blanco), zumo de granada, vino tinto.

Para ayudar a la identificación (y, por consiguiente, selección) de los alimentos más sanos para el mantenimiento de la piel y el cuerpo, en general hemos dividido el resto del capítulo en dos partes. La primera se centra en los fitonutrientes, sus categorías, nombres (algunos nos resultarán familiares, otros no) y virtudes. La segunda parte está formada por un gráfico del arco iris de los alimentos. En éste, los alimentos se dividen según su color y se indica qué nutrientes contienen.

Sigamos la pista de los fitonutrientes: color por fuera, salud por dentro

Tal como mencionábamos antes, existen más de dos mil fitonutrientes distintos. En este capítulo nos limitaremos a las cinco categorías más corrientes y beneficiosas para la salud:

1. Los carotenoides
2. Los limonoides y limonenos
3. Los flavonoides
4. Los Flavon-3-ol
5. Los glucosinolatos y los indolos

Estos nombres científicos no deben desanimarnos. Probablemente, los alimentos que consumimos habitualmente contienen estos fitonutrientes. Pero mi objetivo es conseguir que el lector incluya en su alimentación más elementos con antioxidantes y antiinflamatorios, que estimulan la producción de péptidos. Estoy convencido de que, una vez comprendida su función, todos verán la necesidad de añadirlos a su dieta diaria.

Los carotenoides

Los carotenoides —cuyo nombre procede de su función a la hora de dar su color característico a las zanahorias— desempeñan un papel importante en la pigmentación de muchas frutas y verduras. Los carotenoides son los que dan el color amarillo anaranjado rojizo a las yemas de los huevos y al salmón, sobre todo el de Alaska, a determinadas especies de trucha, a algunos mariscos y también a ciertas aves, como el flamenco, que consumen grandes cantidades de alimentos ricos en carotenoides. Los carotenoides están también presentes en muchas verduras de color verde, aunque su color quede encubierto por la clorofila, el pigmento más predominante.

Los seres vivos obtienen su color, en general, de los pigmentos naturales. Pero el color no sólo sirve para hacerlos más atractivos, sino que cumple una serie de importantes funciones biológicas:

- Fomenta la actividad de la provitamina A y se convierte en retinol o vitamina A, según sus necesidades.
- Reduce el riesgo de enfermedades cardiovasculares, probablemente gracias a sus virtudes antioxidantes y antiinflamatorias.
- Neutraliza los radicales libres responsables del estrés oxidante, el principal motor de la inflamación.
- Reduce el riesgo de contraer cáncer, en especial de pulmón, de vesícula, de mama, de esófago y de estómago.
- Funciona como antioxidante protector de la retina (más en concreto, la col y las espinacas) y podría ayudar en la prevención de las cataratas y la degeneración macular.
- Bloquea la inflamación cutánea producida por los rayos solares, que provoca arrugas y puede causar cáncer de piel.
- Ayuda a reducir el dolor y la inflamación.

La familia de los carotenoides se divide en dos subgrupos: los carotenos y los xantofilos. Durante muchos años, el betacaroteno atrajo toda la atención de los investigadores y fue objeto de muchos estudios. Sin embargo, últimamente los científicos se han centrado más en otros carotenoides y en sus posibles efectos benéficos para la salud. Cada vez está más claro que es preferible consumir una mezcla de carotenoides en lugar de una mayor dosis de uno de ellos. La familia de los carotenoides:

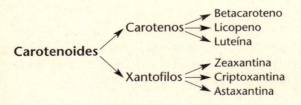

Los carotenos

Los carotenos, que se encuentran en los albaricoques, los pimientos, las guindillas, los tomates, el perejil, las hojas de remolacha, las espinacas, las acelgas, el repollo, el brécol, la col rizada y la lechuga romana, refuerzan la reacción inmunitaria, protegen las células cutáneas contra los rayos UV y «ahorran» enzimas hepáticas que neutralizan los carcinógenos y otras toxinas. Cabe recordar, sin embargo, al consumir alimentos que son fuente de carotenos «azucarados» —como las zanahorias, las calabazas, la remolacha o algunas frutas con altos niveles glicémicos—, que hay que comerlos con moderación y empezar siempre por las proteínas.

- El betacaroteno es el conocido pigmento de color naranja con propiedades antioxidantes que se incluye en muchos suplementos multivitamínicos. El organismo puede transformar con facilidad el betacaroteno en vitamina A, aunque tan sólo para satisfacer sus necesidades, por ello se considera la fuente de vitamina A más segura, en especial para las embarazadas, aunque un exceso de vitamina A puede dañar el feto.
- El licopeno es el antioxidante que se encuentra de una forma más abundante en el tomate y, sobre todo, en los productos derivados de esta hortaliza. Al parecer, una dieta rica en zumos, salsas y sopas de tomate ayuda a evitar algunos cánceres, como el de próstata, el de pulmón, el de estómago y otros. Los alimentos ricos en licopeno pueden reducir también el riesgo de sufrir enfermedades cardiovasculares, pues reducen el colesterol LDL («malo») y también la presión sanguínea.
- La luteína se encuentra en grandes concentraciones en las hortalizas de hoja verde oscura (espinacas, col rizada, repollo, coles de Bruselas), alimentos que al parecer reducen el riesgo de contraer cataratas y degeneración macular asociada la edad. La luteína pasa a la retina, donde protege las células fotorreceptoras contra los radicales de oxígeno generados por la luz. Un elevado nivel de luteína en la sangre suele relacionarse con un menor riesgo de contraer cáncer de pulmón.

Los xantofilos

Al igual que los carotenos, los xantofilos, del grupo de los carotenoides, son antioxidantes. Los xantofilos se dice que protegen también a la vitamina A, la E y otros carotenoides contra la oxidación. Entre los componentes de la familia de los xantofilos, destacan tres por sus propiedades antioxidantes y preventivas: la zeaxantina, la criptoxantina y la astaxantina.

- La zeaxantina, presente en los pimientos anaranjados o las guindillas, la col rizada, el repollo, las espinacas, las judías de manteca, las judías verdes, el brécol, las coles de Bruselas, la col y la lechuga, trabaja conjuntamente con la luteína para proteger los ojos contra los rayos de sol.
- La criptoxantina, que encontramos en los mismos alimentos que contienen zeaxantina, ayudaría en la prevención del cáncer vaginal, uterino y del cuello del útero.
- La astaxantina, también se ha llamado «oro rojo del mar» por ser el carotenoide con más propiedades antioxidantes: es diez veces más eficaz en este sentido que el betacaroteno y cien veces más que la vitamina E. Los alimentos con tonos rosados y rojizos que han tenido su hábitat en aguas marinas y dulces —como el salmón, la trucha arco iris, las gambas, el bogavante, las cigalas y los cangrejos— deben su espléndido color a su alimentación, rica en astaxantina. El salmón rojo es el número uno en este campo, con la extraordinaria proporción de 4,5 mg de astaxantina por 200 g de su carne. En cuanto a capacidad antioxidante, 4,5 mg de astaxantina representan el equivalente de 450 mg de vitamina E, cantidad reconocida en general como óptima para la salud.

  El salmón de piscifactoría posee únicamente entre un 25 % y un 50 % de la astaxantina que contiene dicho pescado si ha vivido en su hábitat. Los peces de piscifactoría que consumen astaxantina sintética se desarrollan con más lentitud que los que consumen el mismo volumen de astaxantina a partir de fuentes naturales. Esto nos indica que la astaxantina sintética no funciona de la misma forma en el organismo del salmón, y probablemente tampoco en el cuerpo humano.

EL SALMÓN DE ALASKA: EL REY DE LOS SUPERALIMENTOS

Mis lectores saben que hace mucho que aconsejo comer salmón criado en libertad con la máxima frecuencia posible, por muchas razones, entre las cuales cabe destacar:

1. El salmón es el mejor alimento para conservar la salud cardíaca, a pesar de su alto contenido en proteínas.
2. El salmón es único entre los alimentos proteínicos por sus extraordinarias propiedades antiinflamatorias. Y ello porque es de lejos la mejor fuente de ácidos esenciales omega-3 (EPA, DHA y otros).
3. El salmón es una de las mejores fuentes de alimento que contienen un pigmento naranja de gran poder antioxidante y antiinflamatoria denominado *astaxantina,* del que se informa ampliamente en este capítulo.
4. El salmón constituye una de las pocas fuentes alimenticias que contienen DMAE, una substancia neuroquímica natural que se ha demostrado que mejora el tono muscular del rostro y reduce las arrugas.

Recomiendo siempre el consumo del salmón que se cría en libertad, pues su grasa es mucho más saludable que la del salmón de piscifactoría y contiene tan sólo ínfimas cantidades de contaminantes procedentes de la acción humana (PBC, pesticidas), en comparación con el elevado volumen que presenta el salmón criado en cautividad. Por otra parte, mientras que la pesca comercial del salmón está universalmente reconocida como práctica segura y sostenible, la piscicultura del salmón ha creado un sinfín de problemas ambientales que siguen sin resolverse. Por todo ello, hay que procurar consumir siempre que se pueda salmón no procedente de piscifactoría.

Hay que poner mala cara... ¡para prevenir!
Los limonoides y los limonenos

Como sus nombres indican, estos fitonutrientes se encuentran en los cítricos de sabor ácido, como el limón, la lima y el pomelo. Pese a su relación con los carotenoides, no proporcionan color a los alimentos ni tienen las mismas virtudes antioxidantes, aunque sí efectos beneficiosos concretos:

- Protegen los pulmones y alivian el malestar provocado por la enfermedad pulmonar obstructiva crónica.
- Ayudan en la prevención del cáncer al estimular la actividad desintoxicadora de las enzimas del hígado.
- Reducen los niveles de colesterol de la sangre.
- Inhiben el cáncer de las células mamarias en los seres humanos y de las del colon en animales de laboratorio.

Inclinémonos por los flavonoides
como alimentos sanos

Los flavonoides (o bioflavonoides) poseen muchas virtudes que nos ayudan a mejorar la salud. En general se utiliza el término *flavonoide* para designar todos los antioxidantes que no son carotenoides y están presentes en frutas y verduras.

Entre los alimentos ricos en flavonoides cabe citar las manzanas, el polen de abeja (suplemento alimentario), el brécol, la col, las alcaparras, las guindillas, el cebollino, los arándanos, el eneldo, las bayas de saúco, el hinojo, el ajo, la col rizada, los puerros, los limones, las cebollas, el perejil, las peras, la menta, el estragón y el tomillo.

He aquí un resumen de las virtudes de los flavonoides:

- Combaten los radicales libres, la inflamación y las afecciones inflamatorias, como las alergias.
- Ayudan a neutralizar las bacterias y los virus.
- Ayudan en la protección contra la hipertensión arterial y los coágulos (agregación plaquetaria).

- Inhiben el desarrollo de tumores cancerosos.
- Protegen el sistema vascular y fortalecen los capilares que transportan el oxígeno y los nutrientes esenciales a todas las células.
- Ayudan a evitar las cataratas.
- Constituyen una ayuda para los capilares y un tratamiento contra la insuficiencia venosa crónica.

La mayor parte de beneficios que obtenemos de los flavonoides proceden de sus propiedades antioxidantes, que neutralizan la acción de los radicales libres. Otra propiedad importante es su capacidad de elevar los niveles de glutación, nuestro principal medio de defensa antioxidante y efectivo supresor de la inflamación crónica.

Los flavonoides son también eficaces tónicos antiinflamatorios, debido a sus efectos sobre las enzimas ciclooxigenasas. Las enzimas COX-1 intervienen en la salud del estómago, los riñones y la función de las plaquetas sanguíneas, al tiempo que protegen las paredes de los intestinos. Las enzimas COX-2 provocan dolor e inflamación.

Una forma de reducir la inflamación activa consiste en «inhibir» las enzimas COX. La aspirina, el ibuprofeno y otros medicamentos antiinflamatorios no esteroidales inhiben tanto la enzima COX-1 como la COX-2. Y esto es algo negativo, pues los efectos de las enzimas COX-1 son beneficiosos. Por otro lado, los antiinflamatorios no esteroidales nos hacen más susceptibles a las hemorragias y a las úlceras pépticas, ¡algo que mata cada año a más de 100.000 personas en Estados Unidos! Los flavonoides no tienen efectos secundarios, puesto que únicamente inhiben la producción de enzimas antiinflatorias COX-2.

Encontramos inhibidores de COX-2 en una gran variedad de plantas que alivian el dolor, y en especial el jengibre y la cúrcuma (como veremos en el capítulo 5).

Otros flavonoides corrientes denominados quercetina y miricetina, que se encuentran en alimentos como las alcaparras, el eneldo, el hinojo, el trigo sarraceno, el polen de abeja, las cebollas, el cebollino, el perejil y el colinabo, son también potentes inhibidores de la enzima COX-2 y en muchos casos han resultado tan eficaces como los medicamentos que se expenden en las farmacias.

ACUDAMOS A LOS FLAVON-3-OL PARA UNA MEJOR PROTECCIÓN

En 1535, los marineros que participaron en la expedición que llevó a cabo el explorador francés Jacques Cartier en Canadá cayeron gravemente enfermos. Contrajeron una enfermedad degenerativa de los tejidos conjuntivos a causa de la típica dieta alimentaria que se seguía en los barcos por aquel entonces: carne seca y galletas. Les salvaron los nativos, quienes les aconsejaron tomar unas infusiones hechas con la corteza un pino autóctono. En la década de 1930, se identificó el componente de lo que hoy en día llamamos vitamina C como nutriente vegetal capaz de tratar el escorbuto y se le dio el nombre de *ácido ascórbico* (que significaba «antiescorbuto»). Sin embargo, a los científicos que estudiaron la curación de los tripulantes de Cartier, las ínfimas cantidades de vitamina C que contenía la corteza de aquel pino les parecieron insuficientes para explicar la fulgurante recuperación de unas personas atacadas por el escorbuto. En realidad, no había sido el contenido en vitamina C de las infusiones que tomaron aquellos hombres, sino más bien un tipo de antioxidantes denominados *polifenoles flavon-3-ol* que se encontraban en dicha corteza.

Y es también la familia de los flavon-3-ol la que convierte el té verde en algo tan saludable. Se trata de unos compuestos que proporcionan también extraordinarias propiedades antioxidantes a las bayas, las granadas, las manzanas, el vino tinto y las uvas.

Los flavon-3-ol destacan en cuatro importantes tareas en el campo de la prevención:

1. Protegen contra la peligrosa oxidación del colesterol LDL (malo), un factor clave en la formación de placa en las arterias.
2. Neutralizan los radicales libres responsables del estrés oxidante general, la principal fuerza que se halla detrás de la inflamación.
3. Bloquean el deterioro genético y celular que puede conducir al cáncer e inhiben el desarrollo de los tumores.
4. Bloquean el envejecimiento de la piel provocado por los rayos de sol.

He aquí la familia de los flavon-3-ol:

Flavon-3-ol ——→ Antocianinas
              ——→ PCO

Las antocianinas

Las antocianinas son pigmentos antioxidantes que proporcionan su color rojizo a las manzanas, las bayas, las uvas negras (y al vino tinto), la col roja, la berenjena y las hojas en otoño. Las bayas de saúco y una fruta amazónica llamada *açaí* son las principales fuentes de antocianinas. (Ver capítulo 4, «Los diez superalimentos», donde se incluye más información sobre el açaí y también sobre la deliciosa bebida a base de açaí llamada Sambazon.) Entre otras importantes fuentes de antocianinas antioxidantes cabe citar el té blanco, el té verde, el té negro, las grosellas negras, los arándanos, las moras, las frambuesas, las cerezas, las fresas, las habas, las manzanas rojas, los albaricoques, la col roja y el trigo sarraceno. Los ensayos llevados a cabo en animales de laboratorio demuestran que las antocianinas proporcionan una gran variedad de beneficios para la salud:

- Protegen contra el cáncer al inhibir la inflamación, las alteraciones en las células y el desarrollo de los tumores.
- Reducen el envejecimiento del cerebro y refuerzan la memoria.
- Ayudan a evitar la degeneración macular, principal causa de ceguera en las personas de más de sesenta y cinco años.
- Reducen la oxidación del colesterol LDL y también la agregación plaquetaria (coágulos), dilatan los vasos sanguíneos y mejoran el funcionamiento general del corazón.
- Estimulan la producción de eicosanoides para reducir la inflamación.

TÉ BLANCO: MENOS CAFEÍNA, MÁS ANTIOXIDANTES

El término *té blanco* designa un té que ha sufrido un mínimo proceso (se ha secado al aire y prácticamente no se ha oxidado). De todos los tipos de té (verde, oolong, negro), los tés blancos contienen los más altos niveles de antocianinas. Con los tés blancos se debe preparar una infusión con agua caliente rozando el punto de ebullición (74° C) durante cinco o seis minutos. Con ello se asegura todo su aroma y un mínimo de cafeína, es decir entre 5 y 15 mg por taza, cuando el té verde contiene 20 mg y el té negro, entre 40 y 50 mg.

Las PCO

Las PCO (proantocianidinas oligoméricas) se encuentran concentradas en las semillas y capas exteriores de una serie de plantas que, por desgracia, suelen llegarnos sin cáscara. Ello explica por qué las principales fuentes de PCO son los extractos de semilla de uva, los de bayas, los de vino tinto y los de corteza de pino (picnogenol). Las PCO nos ofrecen todas las ventajas relacionadas con las antocianinas y además poseen unas extraordinarias virtudes en el campo de la prevención y el terapéutico:

- Tienen unos inigualables efectos antioxidantes; resultan dieciocho veces más eficaces que la vitamina C y cincuenta veces más efectivas que la vitamina E.
- Regeneran la capacidad antioxidante de las moléculas de la vitamina C y E, agotadas a raíz de la actividad de desgaste de los radicales libres. Esto explica por qué algunos investigadores han dado el nombre de *vitamina C_2* a las PCO.
- Constituyen importantes agentes antiinflamatorios.
- Fomentan la salud de la piel evitando la glicación (glicación = arrugas).
- Contribuyen en la prevención del cáncer e incluso son capaces de eliminar células cancerosas en las mamas, el pulmón y el estómago.
- Mantienen fuertes los vasos sanguíneos: desde 1950, los médicos europeos recetan a sus pacientes productos a base de PCO para tratar enfermedades relacionadas con el debilitamiento de los capilares.
- Podrían prevenir y tratar infecciones urinarias.
- Estimulan la salud cardíaca.

LA UVA Y EL CACAO: LOS PROS Y LOS CONTRAS

El zumo de uva negra —importante fuente de flavon-3-ol— tiene el triple de antioxidantes que los zumos de naranja, pomelo y tomate, que extraen sus virtudes antioxidantes de los carotenoides y los flavonoides. Un vaso de 250 ml de zumo de uva Concord posee el mismo contenido de antioxidantes que una ración entera de fruta o verdura con los colores del arco iris. La uva posee también un alto contenido en resveratrol, un antioxidante anticancerígeno y especialmente indicado para mantener un corazón sano.

No obstante, el zumo de uva contiene un alto índice glicémico —por consiguiente, inflamatorio—, y por ello sus virtudes en este campo disminuyen. Mejor será obtener el flavon-3-ol y el resveratrol a partir de suplementos que contengan extractos de vino tinto o una planta tradicional china como el *huzhang* (bistorta del Japón). El extracto de esta planta, al igual que el zumo de uva y el vino tinto, posee un alto contenido en antioxidantes flavon-3-ol y resveratrol. Además, las pruebas llevadas a cabo con animales demuestran que es un gran protector de la piel contra los rayos UV. Ahora bien, a diferencia de los citados zumos, el extracto de bistorta del Japón no contiene azúcar ni alcohol.

El cacao en polvo es también muy rico en antioxidantes tipo flavon-3-ol. En efecto, el cacao contiene dos veces más flavon-3-ol que el vino tinto y cinco veces más que el té verde. Si bien el cacao en polvo es prácticamente incomestible si no se mezcla con la mantequilla elaborada también con este producto y azúcar, podemos disfrutar de sus virtudes tomando de vez en cuando pequeñas cantidades de cacao o chocolate del más oscuro, con la mínima cantidad de edulcorante que lo convierta en agradable al paladar. Buscaremos chocolates que contengan un 70 % de cacao o, mejor aún, un 85 %, información que encontraremos por lo general en su envoltorio.

LOS SUPERANTIOXIDANTES

Uno de los descubrimientos más emocionantes en el campo de la prevención del cáncer fue el de las crucíferas, hortalizas como el brécol, la col rizada, las coles de Bruselas, la coliflor y la col, que contienen unos importantes fitonutrientes anticancerígenos denominados indoles y glucosinolatos. Efectivamente, los estudios llevados a cabo en amplias capas de la población demuestran que, gramo por gramo, las propiedades anticancerígenas de las crucíferas son superiores a las de otras hortalizas y frutas, incluyendo las que contienen unos niveles superiores de antioxidantes.

TRES VISTOSOS ALIMENTOS QUE DESTACAN: LAS GRANADAS, EL BRÉCOL Y LOS ARÁNDANOS

Merecen una mención especial estos tres alimentos de vivos colores, pues poseen unas propiedades antioxidantes y antiinflamatorias superiores a la media y un impacto positivo sobre los péptidos.

El color rojo que nos llega del Paraíso: las virtudes preventivas de la granada

La granada es una de las primeras frutas que cultivó el hombre. Los testimonios históricos apuntan que el ser humano empezó a plantar granados entre el 4000 y el 3000 a. C. Algunos historiadores consideran que la manzana que hizo célebres a Adán y Eva en el Paraíso era en realidad una granada. A lo largo de la historia, esta deliciosa fruta de atractivo color ha sido venerada como símbolo de salud, fertilidad y renovación. En muchas versiones medievales del mito del unicornio, el granado al que se asocia el animal representa la vida eterna, y ciertas culturas creen que dicha fruta posee poderes curativos de raíz profunda y mística. Hoy en día, la ciencia demuestra que nuestros antepasados no se equivocaban.

Hay que considerar el zumo de granada como alimento arco iris por excelencia, rico en flavon-3-ol. Siempre recomiendo comer la fruta o la verdura enteras en lugar de tomar su zumo, pues en éste normalmente falta parte de su fibra o los antioxidantes del alimento, pero en el caso de la granada, teniendo en cuenta su perfil terriblemente antioxidante, el zumo elaborado con extracto no azucarado tiene prácticamente las mismas virtudes que la fruta entera, y nos ahorra ir sacando granito a granito las innumerables semillas de esta fruta que hizo los delicias de nuestros ancestros.

Luz verde a la prevención contra el cáncer

A pesar de que no sean tan populares (o no los tengamos tan al alcance) los brotes de brécol nos proporcionan incluso más glucosinolatos anticancerígenos (entre diez y cien veces más) y antioxidantes por peso que el brécol que ha alcanzado la madurez. Además, estos brotes contienen un alto contenido en glucorafanina, substancia que estimula el sistema de defensa antioxidante del organismo. Un estudio llevado a cabo con animales y publicado en 2004 por la Academia Nacional de las Ciencias demostraba que una alimentación en la que se incluyan brotes de brécol ricos en glucorafanina ayuda a reforzar el sistema de defensa antioxidante, disminuye la inflamación, reduce la tensión sanguínea y mejora el sistema cardiovascular en tan sólo catorce semanas. En el capítulo 4, «Los diez superalimentos», se incluye más información sobre los brotes o alimentos germinados.

El azul para mejorar el equilibrio y la función cerebral

A menudo nos sorprende lo que descubrimos sobre los alimentos. Tomemos por ejemplo los arándanos. ¿Quién imaginaría que esta minúscula fruta es uno de los mejores alimentos que existen? Pues es cierto.

- Los arándanos son buenos para el cerebro (es decir, la plaza ya no la tiene sólo reservada el pescado). Hasta hace muy poco se creía que el descenso de la función cerebral, tanto en el plano cognitivo como motriz, era algo inevitable e irreversible. Pensemos en los problemas de equilibrio, una señal evidente del envejecimiento. Una persona joven normalmente se sostiene sobre una pierna, incluso cerrando los ojos, durante mucho más tiempo que otra de más edad, quien empieza a balancearse y al cabo de poco ve la necesidad de poner el pie que había levantado en el suelo para evitar una caída.

  Todos mantenemos la postura corrigiendo de forma automática cualquier movimiento oscilatorio; pero al envejecer, las señales neuronales se transmiten de forma más lenta y perdemos el equilibrio con más facilidad. Resulta que una dosis diaria de arándanos constituye el único tratamiento conocido para frenar, al envejecer, el deterioro de la función motriz.
- Las substancias fitoquímicas que contienen los extractos de arándanos al parecer aceleran la comunicación neuronal. Las neuronas que aprovechan las virtudes de los arándanos se comunican entre sí con más facilidad.

- Los elementos fitoquímicos presentes en los arándanos previenen la muerte de las células y la reducción del factor de crecimiento de los nervios.
- Los arándanos permiten al cuerpo liberar una mayor cantidad de dopamina, un neurotransmisor vigorizante y estimulante. Nos protegen también contra la pérdida de células de dopamina producida normalmente al envejecer. Como quiera que aumenta la producción de energía en el cerebro y protege nuestra función cerebral, la dopamina ejerce un efecto antienvejecimiento de una importancia capital. Y, ya que la dopamina disminuye con la edad, los arándanos se convierten en un alimento aún más importante a medida que vamos envejeciendo.

EL CUADRO DEL ARCO IRIS: LA GUÍA MULTICOLOR PARA UNAS COMIDAS SALUDABLES

El cuadro siguiente nos proporciona un arco iris de opciones saludables que nos ayudarán a conseguir una piel con un brillo radiante, nos ayudarán a prevenir las enfermedades degenerativas y añadirán años a nuestra vida.

Huelga decir que no hemos podido incluir en el cuadro todos los alimentos arco iris. Se ha confeccionado tan sólo a modo de guía para dar al lector una idea del tipo de alimentos que no deben faltar en su lista de la compra. Se han agrupado los alimentos según su color y luego en función de los fitonutrientes que contienen. Algunos poseen un alto contenido en un fitonutriente específico; otros lo presentan en cantidades menores; y otros, a pesar de contener el fitonutriente, son menos recomendables por su alto contenido en azúcar.

La próxima vez que vayamos a la compra tendremos en cuenta que hay que llegar a casa con la cesta más multicolor posible. De todas formas, no hace falta que adquiramos alimentos de todos los colores el primer día; intentaremos alegrar el menú poco a poco. Y guardaremos un espacio para los diez superalimentos que se presentan en el capítulo siguiente, productos que nos permitirán preparar comidas aún más sanas, tentadoras y apetitosas.

ALIMENTOS DE COLOR ROJO, NARANJA Y AMARILLO

ALIMENTO	CONTENIDO ALTO EN	MENOS CONTENIDO EN	FUENTE MENOS DESEABLE POR SU ALTO ÍNDICE GLICÉMICO
Ajo	Flavonoides		
Albaricoque	Antocianinas Betacaroteno		Zeaxantina
Arándanos	Flavonoides		
Bogavante	Antocianinas		
Boniatos			Antocianinas Betacaroteno Luteína
Calabaza			Luteína Zeaxantina
Calabaza de invierno			Betacaroteno Criptoxantina Luteína Zeaxantina
Cangrejo	Antocianinas		
Cebolla	Flavonoides		
Cerezas	Antocianinas		
Cigalas	Antocianinas		
Col roja	Antocianinas		
Extracto de semillas de uva	PCO		
Frambuesas	Antocianinas		
Fresas	Antocianinas		
Gambas	Astaxantina		
Granada	Antocianinas		
Guayaba			Licopeno
Guindillas	Betacaroteno Criptoxantina Flavonoides Zeaxantina		
Limón	Limonoides		
Maíz			Luteína Zeaxantina
Mandarina			Flavonoides

ALIMENTOS DE COLOR ROJO, NARANJA Y AMARILLO (CONT.)			
ALIMENTO	**CONTENIDO ALTO EN**	**MENOS CONTENIDO EN**	**FUENTE MENOS DESEABLE POR SU ALTO ÍNDICE GLICÉMICO**
Mango			Luteína Criptoxantina Zeaxantina
Manzana	Antocianinas Flavonoides		
Melocotón			Betacaroteno Criptoxantina Luteína Zeaxantina
Melón cantalupo		Betacaroteno Criptoxantina	
Naranja			Betacaroteno Criptoxantina Flavonoides Limonoides Luteína Zeaxantina
Ñame			Antocianinas Betacaroteno
Papaya			Betacaroteno Criptoxantina Luteína Zeaxantina
Pera	Flavonoides		
Pimientos	Betacaroteno Criptoxantina Zeaxantina		
Polen de abeja	Flavonoides		
Pomelo	Limonoides		
Remolacha			Caroteno
Salmón criado en libertad	Astaxantina		
Sandía			Licopeno
Tomate	Betacaroteno Licopeno		
Trucha arco iris	Astaxantina		
Uva negra	PCO		
Vino tinto	Antocianinas		
Zanahorias			Betacaroteno

ALIMENTOS VERDES

ALIMENTO	CONTENIDO ALTO EN	MENOS CONTENIDO EN	FUENTE MENOS DESEABLE
Acelgas		Betacaroteno Licopeno	
Alcaparras	Flavonoides		
Brécol	Criptoxantina Flavonoides Glucosinolato Luteína Zeaxantina		
Brotes de brécol	Glucosinolato		
Cebollinos	Flavonoides		
Col rizada	Criptoxantina Flavonoides Glucosinolato Zeaxantina	Caroteno Licopeno	
Col verde	Criptoxantina Flavonoides Glucosinolato Luteína Zeaxantina	Betacaroteno Licopeno	
Coliflor	Glucosinolato		
Eneldo	Flavonoides		
Espinacas	Criptxantina Luteína Zeaxantina	Betacaroteno Licopeno	
Estragón	Flavonoides		
Habas	Antocianinas		
Hinojo	Flavonoides		
Hojas de remolacha	Betacaroteno Criptoxantina Luteína Zeaxantina	Betacaroteno Licopeno	
Judías de manteca	Criptoxantina Luteína Zeaxantina	Betacaroteno Licopeno	
Judías verdes	Criptoxantina Luteína Zeaxantina	Betacaroteno Licopeno	
Kiwi			Betacaroteno Luteína Zeaxantina

ALIMENTOS VERDES (CONT.)			
ALIMENTO	CONTENIDO ALTO EN	MENOS CONTENIDO EN	FUENTE MENOS DESEABLE POR SU ALTO ÍNDICE GLICÉMICO
Lechuga	Criptoxantina Luteína Zeaxantina	Betacaroteno Licopeno	
Lima	Limonoides		
Manzana	Flavonoides		
Melón de miel			Betacaroteno Luteína Zeaxantina
Menta	Flavonoides		
Nabos			Glucosinolato
Peras			Betacaroteno Luteína
Perejil	Betacaroteno Flavonoides		
Puerros	Flavonoides		
Repollo	Criptoxantina Zeaxantina	Caroteno	
Té verde	Antocianinas		
Tomillo	Flavonoides		

ALIMENTOS AZULES Y MORADOS			
ALIMENTO	CONTENIDO ALTO EN	MENOS CONTENIDO EN	FUENTE MENOS DESEABLE POR SU ALTO ÍNDICE GLICÉMICO
Açaí	Antocianinas		
Arándanos	Antocianinas		
Bayas de saúco	Flavonoides		
Ciruelas			Antocianinas
Ciruelas pasas			Betacaroteno Criptoxantina Luteína Zeaxantina
Grosella negra	Antocianinas		
Moras	Antocianinas		
Té negro	Antocianinas		
Uva			Antocianinas

4. Los diez superalimentos

Que vuestro alimento sea vuestra medicina, y vuestra medicina, vuestro alimento.

HIPÓCRATES

Nuestras vidas no están en manos de los dioses, sino en manos de nuestros cocineros.

LIN YUTANG, *La importancia de vivir*

Ahora que hemos llenado la cesta de la compra con alimentos sanos, de los colores del arco iris, probablemente estaremos dispuestos a meternos en la cocina. Pero un momento: tal vez nos apetezca añadir algún otro producto antes de confeccionar los menús. Al presentar estos diez superalimentos, me propongo ayudar al lector a adquirir unos hábitos alimentarios que le ayudarán a reforzar las virtudes antiinflamatorias de los péptidos, a mejorar su sistema inmunitario y a conseguir una piel radiante al tiempo que disfruta de una envidiable salud.

Evidentemente existen más de diez «superalimentos». En efecto, entran en esta categoría casi todas las frutas y verduras de vistosos colores, y lo hacen también los frutos secos, las legumbres, las semillas y las plantas aromáticas y especias de múltiples colores. Podríamos escribir páginas y más páginas sobre las virtudes de cada uno de estos superalimentos.

Hemos seleccionado estos diez por su relación directa entre cerebro y belleza. Se trata de unos alimentos con alto contenido en ácidos grasos

esenciales (AGE), antioxidantes o fibra, o bien, como en el caso del
açaí, ¡ricos en los tres elementos! Hemos incluido también determinados alimentos que han demostrado su capacidad a la hora de regular el
índice de azúcar en la sangre, un factor de una importancia extraordinaria para todos los que pretenden frenar el proceso del envejecimiento y
prevenir la diabetes, la obesidad, las arrugas y un sinfín de enfermedades degenerativas.

LAS GRASAS ADECUADAS PARA UNA PIEL DE FÁBULA

Si bien la reducción del consumo de grasas perjudiciales —sobre
todo en exceso de grasas saturadas, aceites vegetales con excepción del de oliva y grasas conocidas como ácidos transgrasos—
constituye un objetivo digno de alabanza, no es saludable eliminar todas las grasas de nuestra dieta, pues podría resultar claramente peligroso para nuestra salud, la función de nuestro cerebro
y el estado de nuestra piel. Las materias grasas son uno de los
nutrientes que necesita nuestro organismo, al igual que las proteínas, los hidratos de carbono y las vitaminas. Los componentes
básicos de las grasas y de los aceites se denominan *ácidos grasos.*
Nuestro cuerpo no puede crear los ácidos grasos del grupo que
conocemos como ácidos grasos esenciales y por ello debe obte-
nerlos de los alimentos que ingerimos. Los AGE nos proporcionan una gran variedad de beneficios para la salud:

• Protección contra las enfermedades cardíacas.
• Protección contra la depresión sin disminución de la función
  cognitiva.
• Descenso de la presión sanguínea.
• Reducción del riesgo de formación de coágulos en la sangre.
• Disminución del riesgo de contraer cáncer de colon, mama y
  próstata.
• Reducción de la inflamación, en especial en las enfermedades
  autoinmunitarias.
• Mantenimiento de una piel tersa y sin arrugas.

A pesar de que muchos de estos alimentos nos proporcionan beneficios terapéuticos, hay que tener siempre presente que, si se produce
cualquier problema de salud, da igual el síntoma físico que sea, jamás
hay que autodiagnosticarse o automedicarse, ni siquiera mediante un
alimento o una planta medicinal. En el campo de la salud, tenemos que
depositar nuestra confianza en el profesional que nos atiende. De todas
formas, los diez superalimentos que se incluyen en este capítulo nos
brindan importantes efectos beneficiosos para la salud. En la siguiente
lista que encontraremos algunas de las razones que nos han movido a
incluirlos en la dieta cotidiana:

- Previenen o reducen la inflamación.
- Ayudan a regular el metabolismo y a quemar grasa corporal.
- Disminuyen el índice total de colesterol.
- Reducen la tensión sanguínea.
- Contribuyen en la protección contra las enfermedades cardíacas.
- Contribuyen en la protección de los órganos contra las toxinas.
- Fomentan la salud del aparato digestivo.

EL PRIMER SUPERALIMENTO: EL AÇAÍ, LA FRUTA ENERGÉTICA DE LA NATURALEZA

Puede parecer raro empezar la lista de superalimentos con una fruta de
la que probablemente algunos ni siquiera han oído hablar. Pero una
serie de estudios ha demostrado que esta pequeña baya es uno de los
alimentos más nutritivos y energéticos del mundo. El açaí procede de
una palmera muy especial del Amazonas. Se recoge en las selvas
húmedas de Brasil y tiene un sabor a medio camino entre el de las frutas del bosque y el del chocolate. En su extraordinario pigmento mora-
do se encuentra la magia que convierte a esta fruta en la fuente perfecta de energía de la naturaleza. El açaí contiene una gran cantidad de
antioxidantes, aminoácidos y ácidos grasos esenciales. Es probable
que no encontremos el açaí en los puntos donde solemos hacer la
compra, pero sí estará en forma de zumo en tiendas especializadas de
alimentación natural y selecta. Se ha comercializado también un nuevo

producto elaborado a base de pulpa de açaí sin edulcorantes, y éste es el que recomiendo en especial.

La pulpa de açaí contiene:

- Una importante concentración de antioxidantes que ayudan a combatir el envejecimiento prematuro, con diez veces más antioxidantes que la uva negra y entre diez y treinta veces la cantidad de antocianinas del vino tinto.
- Un conjunto de grasas monoinsaturadas (saludables), fibra alimenticia y fitoesteroles, que trabajan en sinergia para conservar la salud cardiovascular y del sistema digestivo.
- Un complejo casi perfecto de aminoácidos esenciales, junto con importantes minerales, vital para la musculación.

LA LUCHA CONTRA EL COLESTEROL CON LOS FITOESTEROLES COMO ALIADOS

Los fitoesteroles son unos compuestos vegetales que en el ámbito químico nos recuerdan el colesterol. Sin embargo, el organismo absorbe con facilidad el colesterol procedente de fuente animal, como el que se encuentra en la carne roja, y con ello su nivel en el cuerpo experimenta un aumento. Los fitoesteroles, al contrario, son más difíciles de absorber por parte del cuerpo (ahí está su parte positiva) y evitan que el flujo sanguíneo absorba el colesterol. Dicho de otra forma, provocan un descenso del nivel de colesterol. Estos compuestos contribuyen también a prevenir las enfermedades cardíacas, en la reducción de la inflamación en casos de artritis y otras enfermedades autoinmunitarias y permiten a los diabéticos un mejor control de su índice de azúcar en la sangre.

El contenido en ácidos grasos del açaí es parecido al del aceite de oliva, y es rico en ácido oleico monoinsaturado. Es importante el consumo de ácido oleico por una serie de razones. Ayuda a los aceites omega-3 del pescado a penetrar en la membrana celular y así esta aumenta en flexibilidad. Cuando la membrana celular conserva su elasticidad, las hormonas, los neurotransmisores y los receptores de insulina funcionan con más eficacia. Es algo especialmente importante, pues un alto nivel de insulina crea un estado inflamatorio y, como bien sabemos, la inflamación está vinculada al envejecimiento.

EL SEGUNDO SUPERALIMENTO: LA FAMILIA DE LOS *ALLIUM*

Si el açaí es el alimento más exótico de esta lista, los alimentos de la familia de los *Allium* probablemente sean los más humildes. El ajo, la cebolla, el puerro, la cebolleta, el chalote y el cebollino contienen unos flavonoides que estimulan la producción de glutatión, el tripéptido con mayor poder antioxidante del hígado. El glutatión fomenta la eliminación de las toxinas y las substancias carcinógenas y ello sitúa a la familia de los *Allium* en los puestos principales de la lista de alimentos con capacidad de prevenir el cáncer. He aquí unas cuantas virtudes que nos ofrece esta familia.

El ajo

- Reduce el índice total de colesterol (y genera sin embargo un aumento del colesterol HDL o «bueno»).
- Reduce el riesgo de arteriosclerosis (endurecimiento de las arterias).
- Reduce la tensión sanguínea.
- Reduce el riesgo de coágulos en la sangre (causantes de la mayor parte de apoplejías y ataques al corazón).
- Destruye los virus y las bacterias que provocan infección.
- Reduce el riesgo de contraer determinados tipos de cáncer, en particular el de estómago.
- Aumenta la producción de «células asesinas naturales» en la sangre para luchar contra los tumores y las infecciones.
- Ayuda a combatir ciertas enfermedades neurológicas, como el Alzheimer.
- Al reducir las toxinas del organismo, mejora el proceso de desintoxicación.

Para obtener unos efectos óptimos, consumiremos el ajo crudo. Su cocción puede destruir algunos de sus compuestos, como la alicina, elemento activo del ajo.

La cebolla

- Inhibe el desarrollo de las células cancerosas.
- Provoca un aumento del colesterol HDL (en especial, cruda).
- Reduce el índice global de colesterol.
- Estimula la actividad encaminada a la disolución de los coágulos.
- Ayuda a prevenir los resfriados.
- Estimula el sistema inmunitario.
- Reduce los niveles de azúcar en la sangre en los diabéticos.
- Posee propiedades antibacterianas y antifúngicas.
- Reduce el riesgo de contraer determinados cánceres.
- Ayuda a aliviar los problemas de estómago y otros trastornos gastrointestinales.

La cebolla contiene dos importantes elementos antioxidantes, el azufre y la quercetina. Los dos ayudan a neutralizar los radicales libres y a proteger las membranas del organismo contra el deterioro.

El puerro

El puerro posee las mismas propiedades beneficiosas de los demás componentes de la familia de los *Allium* descritas anteriormente. Pero además posee los siguientes nutrientes:

- Vitamina B_6
- Vitamina C
- Folato
- Manganeso
- Hierro
- Fibra

Esta combinación específica de nutrientes convierte el puerro en un alimento capaz de estabilizar el azúcar en la sangre, ya que no sólo contribuye a frenar la absorción de azúcares en el sistema digestivo, sino que también vela para que el organismo los metabolice de forma correcta. No hay que olvidar que la estabilización del azúcar en la sangre es uno de los principales objetivos de *La promesa de la eterna juventud*. Cuando se dispara el índice de azúcar, se acelera el envejecimiento, la formación de arrugas y el desarrollo de un gran número de enfermedades degenerativas.

Todos sabemos que la cebolla y el ajo confieren un delicioso aroma a las comidas. Si encima les añadimos puerro, pasaremos de lo delicioso a lo sublime. El puerro resulta una delicia con pescados como el fletán, con pollo y también en sopas de pescado y de ave.

EL TERCER SUPERALIMENTO: LA CEBADA

Uno de los cereales más antiguos que hoy en día han dejado a un lado quienes marcan las pautas gastronómicas en el mundo. Sin embargo, además de tener un aroma extraordinario y una gran versatilidad, la cebada es uno de los productos que nos ofrecen mayores ventajas en el campo de la salud.

Podemos prepararla como cereal en el desayuno, en sopas y guisados y también como sustituto del arroz en platos como el risotto.

La cebada, aparte de contener un índice glicémico casi insignificante, posee gran cantidad de fibras solubles e insolubles. Las fibras solubles permiten al organismo metabolizar las grasas, el colesterol y los hidratos de carbono y reducen los niveles de colesterol en la sangre. Las grasas insolubles —denominadas comúnmente *fibras*— fomentan el buen funcionamiento del sistema digestivo y reducen el riego de contraer cánceres que lo afecten, como el de colon.

Las fibras alimenticias son importantísimas para nuestra salud, y sin embargo en nuestra sociedad moderna pocos llegan a consumir la cantidad diaria que se recomienda. Muchos expertos consideran que una excelente salud empieza en el colon, y sin un aporte de fibra suficiente en la dieta cotidiana se corre el riesgo de contraer un gran número de enfermedades, desde hemorroides hasta cáncer de colon.

La fibra que presenta la cebada proporciona alimento a las bacterias beneficiosas que se encuentran en el intestino grueso, algo que tiene una gran importancia, pues estas bacterias «buenas» pueden superar en número a las que provocan enfermedades en los intestinos, con lo cual mejora nuestra salud para contrarrestar las alteraciones.

Podemos encontrar la cebada bajo formas distintas, todas ellas igual de nutritivas. No obstante, la que mantiene su cáscara (la fibra) es más rica en distintos elementos y nutrientes que otras formas de presentación, por ejemplo la cebada perlada o la escocesa.

Si tomamos cebada integral con regularidad conseguiremos:

- Reducir los niveles de colesterol en la sangre.
- Proteger el organismo contra el cáncer, ya que su alto contenido en fibra permite acelerar el paso de los alimentos por el sistema digestivo, y porque representa una importante fuente de selenio, substancia que se ha demostrado que reduce de forma significativa el riesgo de contraer cáncer de colon.
- Conseguir una importante aportación de niacina, la vitamina B cardioprotectora.
- Disminuir el ritmo de la digestión del almidón, lo que facilita la estabilización de los niveles de azúcar en la sangre.
- Obtener unas altas concentraciones de tocotrienoles, una forma superior de vitamina E.
- Conseguir lignanos, substancias fitoquímicas con propiedades antioxidantes. Las mujeres que consumen lignanos (presentes también en elevados niveles en las semillas de lino) son menos propensas a desarrollar cáncer de mama.

CUARTO SUPERALIMENTO: LOS ALIMENTOS VERDES O TODO EL PODER DE LAS PLANTAS EN PEQUEÑAS DOSIS

Cuando hablamos de «alimentos verdes» no nos referimos a los pertenecientes al verde en la clasificación del arco iris del capítulo anterior, sino de un grupo de alimentos que comprende los brotes jóvenes de cereales como la cebada y el trigo, así como las algas verdiazules. En el ámbito nutricional, los alimentos verdes son primos hermanos de las hortalizas de hoja verde oscura, si bien nos ofrecen una mayor densidad de nutrientes. Dicho de otra forma, cien gramos de estos alimentos ver-

des concentrados contienen más fitonutrientes benéficos que cien gramos de hortalizas de hoja verde oscura.

Los resultados de un gran número de estudios experimentales
demuestran que los alimentos verdes proporcionan importantes efectos
sobre el colesterol, la tensión sanguínea, la respuesta inmunitaria y la
prevención del cáncer. Dichos efectos se atribuyen en parte a su alta
concentración en clorofila.

La clorofila, substancia fitoquímica que proporciona a las hojas,
las plantas y las algas su tono verde es el equivalente vegetal de los
glóbulos rojos, encargados de transportar el oxígeno al organismo. El
consumo regular de clorofila inhibe las bacterias portadoras de enfermedades y ejerce un efecto terapéutico sobre el mal aliento y los olo-
res internos.

Los brotes de trigo y cebada

Los brotes jóvenes de los cereales —en especial del trigo y la cebada—
se distinguen por su brillante tono verde esmeralda. Antes de la Segunda Guerra Mundial, en las farmacias de todo el país —pero sobre todo
en las de los estados del Medio Oeste, pertenecientes al cinturón cerea-
lístico— se vendían tabletas de hierba seca de trigo o cebada a modo de
suplemento vitamínico. Hoy en día, los brotes de trigo y cebada se
secan y se convierten en polvo para elaborar los suplementos alimentarios o bien se transforman en zumo cuando se recogen frescos.

En el primer estadio de su crecimiento, las plantas del trigo y la
cebada se parecen más en su composición a las hortalizas que a los cereales. Es importante precisarlo, pues, a pesar de que desaconsejo
comer trigo y productos elaborados a partir de este cereal, considero
que los brotes tiernos de esta planta constituyen una aportación excelente a la dieta.

El perfil nutritivo de los brotes verdes de los cereales cambia con
gran rapidez a medida que la planta crece. En este proceso, su contenido
en clorofila, proteínas y vitaminas desciende en picado, al tiempo que
aumenta su contenido en celulosa (fibra indigesta). Después de unos
meses, las verdes plantas de los cereales se convierten en una masa de
color ámbar en las que encontramos las espigas que se recogen para elaborar la harina, un alimento pernicioso para la salud y proinflamatorio.

A escala nutricional, existe muy poca diferencia entre los brotes de trigo y los de cebada, aunque es importante precisar que los de cebada neutralizan los radicales libres y por ello reducen la inflamación y el dolor, mientras que los de trigo contienen P4D1, una «glucoproteína» antioxidante que disminuye la inflamación. También se cree que ayuda al organismo a atacar las células cancerígenas.

Podemos encontrar los brotes de cereales en forma de polvo o de comprimidos. Los brotes deshidratados resultan más fáciles de manipular que los frescos, que deben transformarse a la fuerza en zumo. Hay que tener en cuenta, sin embargo, que el zumo de los brotes frescos contiene unas saludables enzimas que no encontramos en los que se han convertido en polvo, y es probable que nos brinde también más fitonutrientes. Muchos bares especializados en zumos y establecimientos de alimentación sana ofrecen este tipo de zumos. El lector puede consultar la guía de recursos, donde encontrará información sobre el equipo y los métodos para la germinación de los cereales y para transformar en zumo los brotes de trigo y cebada.

Las algas verdiazules: espirulina, clorela y otras

Las algas conocidas como verdiazules son plantas unicelulares que podemos adquirir en establecimientos de alimentación natural. Son fuentes de proteínas, clorofila, carotenoides antioxidantes, vitaminas, minerales y fitonutrientes con múltiples virtudes para la prevención de las enfermedades. Existen distintos tipos de algas verdiazules y las más populares son la espirulina y la clorela.

Las investigaciones actuales, a pesar de demostrar deficiencias en ciertos aspectos, sugieren que las algas verdiazules producen unos efectos preventivos importantes, tal vez únicos, probablemente a raíz de su contenido en polisacáridos, antioxidantes, ácidos nucleicos y péptidos.

Entre otras virtudes de la espirulina y la clorela, cabe citar:

- Ayuda a aliviar las alergias, como en el caso de la fiebre del heno.
- Ayuda a proteger el hígado contra las toxinas.
- Reduce la presión sanguínea y el colesterol.
- Ayuda a controlar los síntomas de la colitis ulcerosa.
- Tiene unos extraordinarios efectos antioxidantes y antiinflamatorios.

Las algas verdiazules contienen un alto índice de ácidos grasos esenciales, de antioxidantes fenólicos, clorofila, vitamina B, carotenoides y minerales, como el calcio, el hierro, el magnesio, el manganesio, el potasio y el zinc. Todas ellas, y en especial la espirulina, son también importantes fuentes de ácido gama linoleico (AGL), un ácido graso omega-6 con una serie de propiedades que determinados organismos son capaces de producir y cuya carencia se hace especialmente patente en la dieta estándar de Estados Unidos.

No obstante, hay que precisar ciertos puntos en cuanto a las algas verdiazules. A veces se presentan como importantes fuentes de proteínas. En realidad, si se consumen secas, estas algas contienen relativamente pocas proteínas y hace falta tomar grandes cantidades —lo que representa un alto coste— para obtener de ellas un volumen significativo de proteínas. Se ha dicho también que son ricas en hierro y carotenoides. Esto puede ser cierto, pero resulta muchísimo más económico obtener el hierro de otras fuentes, como los huevos, las verduras de hoja verde oscura o los suplementos alimentarios; en cuanto a los carotenoides, los que nuestro cuerpo necesita pueden sacarse del salmón y de las frutas y verduras multicolores que se relacionan en el capítulo 3.

Existen afirmaciones extravagantes sobre el hecho de que las algas verdiazules proporcionan energía y ayudan a perder peso, pero nada por el momento nos induce a creer que estos alimentos quiten el apetito de una forma más efectiva que otras plantas con fibra. Además, ya que determinados tipos de algas verdiazules (como la *Microcystis aeruginosa*) producen unas toxinas denominadas *microcistinas,* que pueden dañar el hígado y fomentar el desarrollo de tumores, hay que tener cuidado y adquirir únicamente el producto comercializado por firmas conocidas y en los establecimientos que nos merezcan confianza.

EL QUINTO SUPERALIMENTO: EL TRIGO SARRACENO O ALFORFÓN, SEMILLA, CEREAL Y FUENTE INAGOTABLE DE SALUD

Si bien nos lo presentan normalmente como un cereal, el trigo sarraceno es en realidad la semilla de una planta de hojas anchas que tiene relación con el ruibarbo. A pesar de no ser un cereal propiamente dicho, se usa en la cocina como si lo fuera y sus virtudes superan de largo las del arroz, las del trigo y del maíz, sobre todo teniendo en cuenta que estos tres cereales poseen un alto contenido glicémico y por ello provocan un súbito ascenso en los niveles de azúcar en la sangre, algo que fomenta la inflamación sistémica. El trigo sarraceno, en cambio, se sitúa en los últimos peldaños de la escala glicémica.

Los granos de trigo sarraceno o alforfón con cáscara presentan unos tonos que van del beis al verde, mientras que tostado, conocido como *kasha* —alimento básico en el este de Europa—, es de color marrón oscuro y tiene un aroma que recuerda el de los frutos secos. El *kasha* suele prepararse hervido con cebolla, aceite de oliva y perejil, y a veces se combina con avena a partes iguales, preparado que se toma caliente para desayunar y al que se añaden frutas del bosque. Hace más de mil años que se cultiva el alforfón en China, Corea y Japón, donde a menudo se sirve en forma de fideos *soba,* plato de pasta cada vez más popular en Occidente, saludable sustituto de la pasta de harina.

El trigo sarraceno contiene más proteínas que el arroz, que el trigo, que el mijo y el maíz, y constituye una fuente extraordinaria de lisina y arginina, dos aminoácidos esenciales que los demás cereales contienen en cantidades ínfimas. Su extraordinario contenido en aminoácidos confiere al alforfón la capacidad de multiplicar el valor proteínico de las legumbres y los cereales que se consumen durante el día. Por otra parte, el alforfón no contiene gluten —la fuente de proteínas de los auténticos cereales—, y por consiguiente pueden tomarlo con tranquilidad las personas alérgicas al gluten y los celíacos.

Además, las proteínas del trigo sarraceno presentan unas virtudes únicas para la salud:

- Según estudios recientes, constituye el principal alimento que consigue reducir los índices de colesterol.
- Ayuda a reducir y a estabilizar los niveles de azúcar en la sangre después de las comidas, un factor clave en la prevención de la diabetes y la obesidad.
- Al igual que los medicamentos inhibidores de la ECA prescritos para combatir la hipertensión, las proteínas del trigo sarraceno reducen la actividad de la enzima conversora de la angiotensina (ECA), y por consiguiente, reducen la hipertensión.

¿Por qué el alforfón es mejor que los cereales?

- *Más vitaminas y minerales*. Si se compara con los verdaderos cereales, el alforfón contiene más minerales, en especial, zinc, cobre y manganeso (entre el 13 y el 89 % del aporte diario recomendado).
- *Menos grasas*. A diferencia de los auténticos cereales, el exiguo contenido graso del trigo sarraceno está constituido básicamente por ácidos grasos monoinsaturados, el tipo de grasa que encontramos en el aceite de oliva, tan adecuado para mantener la salud del corazón.
- *Almidón y fibras más equilibrados*. El contenido en fibras de los cereales propiamente dichos (aparte de la cebada) está formado básicamente por fibras insolubles, mientras que una parte importante de las fibras alimenticias del trigo sarraceno son del tipo soluble. Las fibras solubles, como las de la avena, mantienen el corazón sano, reducen el índice de colesterol y también el riesgo de contraer cáncer de colon. Por otro lado, el trigo sarraceno presenta un alto contenido en fécula resistente, substancia que protege el colon y lleva a una disminución de los niveles de azúcar en la sangre.
- *Reduce la hipertensión y los índices de colesterol LDL (malo)*, a la vez que combate la obesidad. Hace poco se demostró que el extracto de alforfón reducía de forma significativa los niveles de glucosa en la sangre en ratas diabéticas, descubrimiento prometedor que a buen seguro llevará a investigaciones similares en seres humanos. Esas virtudes en el campo del azúcar en la sangre se atribuyen a unos compuestos de hidratos de carbono llamados *fagopiritoles* (especialmente D-dhiro-inositol), de los cuales hasta hoy el trigo sarraceno es la principal fuente.
- *Contiene flavonoides beneficiosos para el corazón y el sistema circulatorio*. Además de sus claras virtudes nutricionales, el trigo sarraceno se ha considerado tradicionalmente un alimento capaz de «crear» sangre. La ciencia moderna atribuye esta reputación antigua a su alto contenido en polifenoles antioxidantes, en especial el rutino (un bioflavonoide), que refuerza el sistema circulatorio y ayuda a prevenir las hemorragias recurrentes provocadas por el debilitamiento de los vasos sanguíneos, como en el caso de las hemorroides y las varices. Finalmente, el rutino actúa como inhibidor de la ECA y contribuye a reducir la tensión arterial.

EL SEXTO SUPERALIMENTO: JUDÍAS Y LENTEJAS

No es casual que las legumbres ocupen dos lugares preeminentes, por ejemplo en la pirámide de la guía alimenticia elaborada por el Departamento de Agricultura de Estados Unidos. En primer lugar porque figuran entre los alimentos más ricos en proteínas, como los huevos, la carne de ave y el pescado, y en segundo lugar porque contienen las mismas vitaminas que las hortalizas con alto contenido en éstas. Las substancias fitoquímicas que presentan las legumbres poseen también virtudes preventivas que no tiene en cuenta dicha pirámide. El poder nutritivo y preventivo de este alimento de múltiples facetas —una categoría que agrupa las judías (frijoles, judías negras, azules y pintas), los garbanzos, la soja, los guisantes secos y las lentejas) lo convierte en una necesidad diaria en la lucha contra el envejecimiento.

Las legumbres presentan un bajo contenido en grasas (con excepción de la soja), en calorías y en sodio, pero por otra parte son ricas en hidratos de carbono complejos y fibra y además contienen modestas cantidades de ácidos grasos esenciales, principalmente los omega-6 (la soja es la única legumbre que nos aporta un volumen significativo de omega-3). Las legumbres son asimismo una excelente fuente de proteínas y sólo hay que combinarlas con cereales, como la cebada o la avena, para obtener todos los aminoácidos necesarios para un aporte completo de proteínas, una solución para los vegetarianos, por ejemplo, que no disponen de otra fuente de proteína en su alimentación.

Las legumbres son muy adecuadas en la lucha contra la diabetes, pues no elevan el nivel de azúcar en la sangre, lo que significa que no provocan el inflamatorio ascenso del nivel de azúcar en la sangre, desencadenante de apetito, que se asocia con los cereales refinados y los productos de pastelería. Las legumbres poseen mucha fibra: 250 g de legumbres cocidas pueden proporcionar 15 g de fibras alimenticias —más de la mitad de la cantidad diaria recomendada (25 g)— y esta fibra pasa lentamente al torrente sanguíneo, proporcionando al cuerpo energía y sensación de saciedad durante un largo período. De todas formas, recomiendo no incluir más de 125 g de legumbres cocidas en cada comida.

Las judías y las lentejas constituyen un alimento básico en muchas cocinas del mundo. Durante miles de años han sido el alimento más nutritivo que ha tenido a mano la humanidad y aún siguen siéndolo. Por otro lado, son productos de una gran versatilidad. Pueden combinarse con hierbas aromáticas y verduras para obtener deliciosas sopas o servirse en ensalada, en puré o como pasta para untar. Los garbanzos y las lentejas también pueden molerse y convertirse en una harina que contiene un alto contenido proteínico y un bajo índice glicémico.

Las virtudes de las legumbres

Las legumbres resultan saludables por una serie de razones, aparte de su contenido en fibras:

- Constituyen una importante fuente de potasio, elemento que ayuda a reducir el riesgo de hipertensión y apoplejía. En Estados Unidos, más del 80 % de la población adulta, por ejemplo, no consume la cantidad de potasio que se recomienda a diario (3.500 mg), cuando 125 g de legumbres contienen 480 mg de potasio y apenas 5 mg de sodio.
- Las legumbres constituyen una importante fuente de ácido fólico, que protege contra las enfermedades cardíacas, pues descompone un aminoácido denominado *homocisteína*. (Hay que tener en cuenta que 250 g de legumbres cocidas proporcionan 264 mcg de folato, es decir, más de la mitad del aporte diario recomendado, que es de 400 mcg.) Un alto nivel de homocisteína en la sangre o una cantidad insuficiente de ácido fólico pueden triplicar el riesgo de sufrir un ataque al corazón o una apoplejía. El folato también reduce el riesgo de ciertos tipos de cáncer, pues ejerce un importante papel en la adecuada división celular y en la reparación de las células dañadas.
- Un estudio en el que intervinieron unas 10.000 personas, entre hombres y mujeres, ponía de relieve que quienes comían legumbres como mínimo cuatro veces por semana reducían en un 20 % el riesgo de sufrir enfermedades coronarias. Al parecer, estas virtudes en el campo de la salud no tenían ninguna relación con otros hábitos alimentarios, ya que los ajustes llevados a cabo para tener en cuenta otros factores de riesgo en el campo de las enfermedades cardiovasculares sólo modificaron ligeramente la estimación del riesgo.
- Otros estudios demuestran que una dieta con alto contenido en legumbres de lata o secas (entre 150 y 200 g al día) durante dos o tres

semanas reduce en un 10 % o más el nivel de colesterol en la sangre, y que puede llegar a reducir un 20 % el riesgo de enfermedad coronaria.

- Las judías y las lentejas poseen las mismas substancias antiinflamatorias y antioxidantes —flavonoides y flavonoles— que encontramos en el te, la fruta, la uva, el vino tinto y el cacao. Los pigmentos rojizos que colorean las judías y las lentejas ejercen una actividad antioxidante cincuenta veces superior a la de la vitamina E, protegen los lípidos de las membranas celulares contra el deterioro producido por la oxidación, estimulan la salud del colágeno y los cartílagos y recuperan las virtudes antioxidantes de las vitaminas C y E una vez han vencido a los radicales libres.

- Los cereales son unas de las principales fuentes alimenticias de las saponinas, elementos químicos que ayudan a prevenir las mutaciones genéticas no deseadas.

LA PREPARACIÓN DE LAS LEGUMBRES

En general, cuanto mayor es el tamaño de la legumbre, más tiempo tiene que estar en remojo; y cuanto más tiempo esté en remojo, más deprisa se cocerá. Los garbanzos, las judías y los guisantes secos necesitan dejarse unas ocho horas.

Si la noche anterior olvidamos ponerlas en remojo, lo haremos por la mañana antes de salir de casa y cuando volvamos del trabajo las tendremos a punto. También podemos hacer lo siguiente: añadir tres partes de agua por una de legumbres, llevarlas a ebullición, dejarlas unos minutos en el fuego, apartarlas de éste y dejarlas reposar una hora. Desecharemos el agua y las pondremos de nuevo en el fuego con agua limpia. Otra solución sería usar la olla a presión, con lo que reducimos el tiempo de cocción a la mitad y también la pérdida de nutrientes. Evidentemente, podemos consumir legumbres enlatadas, después de escurrirlas y pasarlas bajo el grifo; de esta forma las tendremos enseguida a punto para preparar ensaladas, sopas o curris. También podemos prepararlas en cantidades considerables y congelarlas en porciones, pues las legumbres cocidas se congelan bien.

Las legumbres que han estado suficiente tiempo en remojo tardan entre tres cuartos de hora y una hora en cocerse, según la variedad. Las dejaremos en el fuego hasta que estén tiernas y luego las enjuagaremos bien, pues la fécula que queda en su superficie alimenta a las bacterias inofensivas de nuestros intestinos, que provocan los gases. Una parte de esta fécula permanece en el agua del remojo, por lo que no es aconsejable utilizarla para cocer las legumbres.

Evitaremos también la formación de gases intestinales incorporando de forma gradual las legumbres a nuestra dieta. Empezaremos tomando un poco cada día hasta que el cuerpo se acostumbre a ellas. Beber mucho también ayuda. Otra solución es la de tomar un suplemento de enzimas del tipo que se puede encontrar en los supermercados, para facilitar la digestión de los azúcares que provocan los gases. Bastará con añadir unas gotas de preparado al primer bocado de legumbres.

LA PREPARACIÓN DE LAS LENTEJAS

Como otras legumbres, las lentejas presentan un bajo contenido en grasas y son ricas en proteínas y fibra, y encima tienen la ventaja de que se cuecen con más rapidez. No hace falta poner las lentejas en remojo. Simplemente hay que quitarles las impurezas, limpiarlas bajo el grifo y ponerlas a hervir con agua. Las lentejas rojas se cuecen en veinte minutos, las verdes tardan entre media hora y tres cuartos de hora y las marrón, entre tres cuartos de hora y una hora. No hay que añadir sal durante la cocción, pues podrían endurecerse. Al igual que otras legumbres, las lentejas se conservan muchísimo tiempo si se dejan en un lugar fresco y seco. Poco a poco su color se debilita algo, pero no su aroma o sus virtudes nutritivas. Las lentejas constituyen una forma extraordinaria de añadir proteínas y fibra a las comidas y disfrutar al mismo tiempo de las propiedades antioxidantes de este grupo de alimentos. Tienen un sabor extraordinario y se adaptan a una amplia variedad de hierbas aromáticas y especias; son especialmente apetitosas con cúrcuma y jengibre.

El séptimo superalimento: los pimientos picantes o guindillas

Las guindillas pertenecen a un grupo de plantas en el que encontramos desde los populares pimientos verdes o los morrones, con su dulzor característico, hasta el picantísimo pimiento habanero. Cuando Colón probó las pequeñas y picantes guindillas rojas que descubrió en sus viajes por las Antillas creyó que había llegado a la India —de donde los europeos sacaban la pimienta negra— y los llamó pimientos rojos. En efecto, los pueblos autóctonos de las Américas llevaban siete mil años cultivando y comiendo pimientos dulces y picantes. Poco después de que las naves de Colón los hubieran introducido en España, los comerciantes los extendieron por todo el mundo, con lo que se transformaron las cocinas —y las perspectivas en cuanto a prevención de enfermedades— de todos los rincones del planeta, de Marruecos a Hungría y de la India a China.

Los pimientos —ya sean dulces o picantes— pertenecen al género *Capsicum*, término que procede de la palabra griega *kapto,* que significa «morder».

Todos los pimientos contienen un compuesto denominado *capsicinoide.* Lo encontramos especialmente concentrado en las auténticas guindillas, que deben su picante —así como sus extraordinarias virtudes antiinflamatorias, analgésicas, anticancerígenas y preventivas— a los elevadísimos niveles de capsicinoides, la forma más corriente de los cuales es la capsicina.

Además de la capsicina, las guindillas o pimientos picantes tienen un alto contenido de carotenos y flavonoides antioxidantes y doble cantidad de vitamina C que los cítricos. Podemos dar más realce al sabor de cualquier plato —sopas, estofados, fritos y salsas— añadiéndoles una pequeña cantidad de guindilla.

Las propiedades saludables de la capsicina

- *Alivia el dolor de cabeza.* Como hemos visto en el capítulo 2, la substancia P es el elemento clave en la transmisión del dolor hacia el cerebro. Efectivamente, la substancia P es el principal mecanismo de que dispone nuestro organismo para producir hinchazón y dolor a través del nervio trigémino, que pasa por la cabeza, las sienes y la cavidad de los senos. Cuando las fibras nerviosas entran en contacto con la substancia P, reaccionan provocando hinchazón, lo que desencadena dolores de cabeza y distintos síntomas en el ámbito de los senos de ésta. Las investigaciones han demostrado que, si se toman alimentos que contienen capsicina, puede suprimirse la producción de substancia P. Una serie de pruebas clínicas ha puesto de manifiesto que la capsicina resulta muy efectiva para el alivio del dolor y como prevención contra cefaleas, migrañas y sinusitis.

- *Alivio contra la artritis.* Las personas que sufren artritis suelen presentar altos niveles de substancia P en la sangre, así como en el líquido sinovial que envuelve las articulaciones. La ingestión de alimentos que contienen capsicina —o la aplicación tópica de cremas con este elemento— constituye un alivio para dicha dolencia.
- *La capsicina calma la sinusitis.* La capsicina posee importantes substancias antibacterianas y resulta muy eficaz para combatir y prevenir las infecciones crónicas de los senos (sinusitis). Esta substancia química completamente natural, capaz de descongestionar las vías nasales como no lo haría ningún otro producto, resulta también útil en el tratamiento de los síntomas alérgicos relacionados con los senos. Incluso de ha demostrado que una pequeña dosis diaria de capsicina puede prevenir la congestión nasal crónica.
- *La capsicina como antiinflamatorio.* En los últimos años, los investigadores han descubierto que la capsicina es un importante antiinflamatorio e incluso han detectado la forma en que combate la inflamación crónica. El núcleo de las células humanas contiene unas substancias químicas denominadas *factores de transcripción nuclear* (FTN); dos de ellos —la proteína activadora 1 (PA-1) y FN-kappa B— se ha demostrado que tenían una gran importancia en la prevención del cáncer y del envejecimiento prematuro de la piel. Pueden «activarse» cada uno de estos factores mediante rayos ultravioletas y radicales libres, con lo que se provoca una reacción proinflamatoria en cadena que fomenta el envejecimiento prematuro y una amplia variedad de enfermedades degenerativas. El antioxidante ácido alfa lipoico (AAL) es extraordinariamente eficaz a la hora de impedir que estos dos factores FTN desencadenen una cascada proinflamatoria. (Ello explica por qué utilizo mucho el AAL en la preparación de los

tratamientos tópicos y lo recomiendo como suplemento alimentario.) Y resulta que la naturaleza nos ofrece otros muchos bloqueadores de FTN, entre los que cabe citar la capsicina de las guindillas y el pigmento amarillo de la cúrcuma: la curcumina.

- *Alivio gástrico*. Un estudio reciente sobre trastornos gástricos realizado por investigadores de la Universidad Duke demostraba que la capsicina podría llevar al descubrimiento de un remedio contra determinadas enfermedades intestinales. El equipo de Duke descubrió que existe un receptor de células nerviosas que ejerce una función clave en el desarrollo de la enfermedad inflamatoria intestinal (EII), término general que se aplica a una amplia variedad de trastornos crónicos relacionados con la inflamación intestinal, que provocan retortijones, dolor y diarrea. No se conoce la causa de la EII y se considera que tan sólo en Estados Unidos hay más de dos millones de personas que la padecen.

- *La capsicina contra el cáncer*. Una serie de estudios recientes ha demostrado que la capsicina podría incluso prevenir el desarrollo de determinados tipos de cáncer. Ciertas pruebas específicas llevadas a cabo en Japón y China han puesto de manifiesto que la capsicina natural inhibe el crecimiento de las células leucémicas. A pesar de que en dichas pruebas clínicas se utilizó capsicina pura inyectada directamente en las células enfermas aisladas en el laboratorio, los científicos concluyeron de todas formas que el consumo diario de pimientos picantes (es decir, que contengan capsicina) podría evitar algunos tipos de cáncer. En toda América del Sur se registran índices bajos de cáncer de intestinos, estómago y colon, en comparación con los de Estados Unidos. Los expertos en medicina asocian estos bajos índices al mayor volumen de capsicina en la dieta, puesto que prácticamente todos los platos que consumen contienen alimentos con capsicina, en especial pimientos jalapeños o de cayena. Evidentemente, hay que tener en cuenta también que estas poblaciones consumen a diario legumbres con alto contenido en fibra.

- *La capsicina para quemar grasas*. La capsicina es un ingrediente activo en muchos de los suplementos para «quemar grasas» más populares del mercado. Como agente termogénico, colabora en el aumento de la actividad metabólica y presta ayuda al organismo para quemar calorías y grasas. Desde que la Food and Drug Administration (FDA) de Estados Unidos prohibió la venta de efedra, los fabricantes de suplementos buscan un ingrediente termogénico que pueda sustituirla, y muchos han optado por añadir pimentón picante a sus mezclas. Si bien la capsicina reproduce algunos de los efectos metabólicos de la efedra, no es tan nefasta como esta planta por lo que se refiere a frecuencia cardíaca. En realidad, la capsicina es un suplemento que mantiene la salud cardíaca.

LA ESCALA DE SCOVILLE: PICANTE, MUY PICANTE, PICANTÍSIMO

La capsicina se encuentra principalmente en los pimientos del género *Capsicum*. Si bien la mayor parte de variedades procede de América del Sur, donde primero se cultivaron las guindillas, existen también variedades de *Capsicum* en África, la India e incluso China. No todos los pimientos son picantes. Por ejemplo, los pimientos morrones, que también pertenecen al género *Capsicum,* son dulces, y el pimiento rojo del que se saca el pimentón dulce es también un miembro del género *Capsicum*. Su primo hermano, por el contrario, el pimiento de cayena, es picantísimo. Todo depende del factor picante de cada planta específica.

Los pimientos picantes incluso se clasifican siguiendo una gradación de intensidad conocida como escala de Scoville. Ésta, utilizada básicamente por la industria alimentaria, se considera la forma más precisa para medir el grado de picante de un pimiento. Las unidades Scoville, creadas en 1912 por el botánico Wilbur Scoville, se basan en el grado de dilución del pimentón en agua hasta que resulte imposible detectar su sabor picante. Las unidades de Scoville miden el picante en múltiplos de cien; los pimientos morrones se sitúan en el punto cero en cuanto a intensidad y la capsicina pura registra más de 16 millones de unidades de Scoville, mientras que los tipos más populares se sitúan alrededor de 30.000 unidades Scoville. Hasta hace poco, el récord mundial pertenecía a los pimientos habaneros, con algunas variedades que ascendían hasta 300.000 unidades Scoville. En el año 2000, sin embargo, unos investigadores indios midieron la intensidad de una guindilla llamada *naga jolokia*, procedente de la remota provincia de Assam, al noreste de la India. Pues bien, este pimiento fuerte como un demonio posee hoy la categoría del más picante del mundo, con 855.000 unidades Scoville.

Cerca de un 80 % de la capsicina del pimiento picante se encuentra en la membrana y las semillas, que pueden desecharse para reducir su intensidad. La capsicina está distribuida, además, de forma desigual, en cantidades más reducidas, en la carne de los pimientos.

Hoy en día se utilizan aerosoles de capsicina, conocidos como pulverizadores de pimentón (a menudo para repeler posibles atacantes), para tratar problemas de sinusitis, alergias y dolores de cabeza, gracias a un nuevo aerosol nasal que contiene extractos de pimentón picante. Para más información, consultar la guía de recursos que se incluye al final del libro.

Hay que ser muy prudente al manipular los pimientos picantes y seleccionar los que prefiera nuestro paladar. Es aconseja cortarlos y quitarles las semillas con guantes y evitar tocarse los ojos cuando los dedos hayan estado en contacto con la preparación. El aceite que contienen las guindillas produce una sensación de quemadura intensa, ¡y hablo con conocimiento de causa, pues he tenido una dolorosa experiencia!

EL OCTAVO SUPERALIMENTO: LOS FRUTOS SECOS Y LAS SEMILLAS

Si deseamos reducir de forma drástica el riesgo de contraer cáncer, enfermedades cardíacas y diabetes, controlemos nuestro peso sin pasar hambre y reduzcamos los signos visibles del envejecimiento, como las arrugas y la falta de tersura en la piel. Para ello recomiendo lanzarse a los frutos secos.

Veamos cómo:

• Cuando, entre comidas, nos apetece comer algo, podemos saborear un puñado de frutos secos crudos, sin sal. Es un alimento que, además de ser muy saludable, sacia.

- Podemos añadir frutos secos a las comidas normales: una cucharada de almendras picadas en las gachas de avena del desayuno, otra de nueces en la ensalada de la hora de comer o preparar un filete de salmón con costra de almendras (ver la receta en el Apéndice A). Los frutos secos se prestan a todo tipo de preparación; pueden sustituir la harina y el pan rallado, y con ello ganamos en sabor y en ventajas para la salud. De todas formas, como en todo, debemos utilizar los frutos secos con moderación.

Los frutos secos, las semillas y la salud del corazón

Unos estudios en los que participaron más de 220.000 personas demostraron que una alimentación rica en frutos secos reduce el riesgo de padecer enfermedades cardíacas, la principal causa de mortalidad tanto en hombres como en mujeres en Estados Unidos. Es algo que no tendría que extrañarnos, pues los frutos secos contienen importantes substancias antioxidantes y antiinflamatorias, y las enfermedades cardíacas, al igual que otras muchas, son enfermedades inflamatorias.

Reflexionemos, por ejemplo, sobre estos descubrimientos:

- En un célebre estudio, se hizo un seguimiento a más de 30.000 miembros de la Iglesia Adventista del Séptimo Día durante un período de doce años. Los resultados mostraron que incluso entre los miembros de esta comunidad, que llevan una vida sana y son mayoritariamente vegetarianos, quienes comían frutos secos como mínimo cinco veces por semana disminuían en un 48 % el riesgo de morir a raíz de una enfermedad coronaria, en comparación con los que únicamente tomaban este alimento una vez por semana. Y también reducían en un 71 % el riesgo de padecer una crisis cardíaca sin resultado de muerte.
- Un estudio en el que participaron más de 3.000 hombres y mujeres afroamericanos demostraba que quienes consumían más de 250 g de frutos secos semanales reducían en un 44 % el riesgo de muerte por enfermedad coronaria, en comparación con los que tomaban menos de 30 g semanales.
- Los resultados de un estudio realizado durante catorce años sobre la salud de 86.000 enfermeras demostraron que las que consumían 175 g

de frutos secos a la semana reducían en un 35 % el riesgo de sufrir enfermedades coronarias, en comparación con las que tomaban 30 g al mes. Se observaron las mismas reducciones en cuanto a riesgo de muerte a partir de enfermedades coronarias y crisis cardíacas no mortales. Otro estudio llevado a cabo durante diecisiete años con más 21.000 médicos demostraba que los que consumían frutos secos como mínimo dos veces por semana reducían en un 53 % el riesgo de muerte por ataque cardíaco, en comparación con quienes consumían estos productos muy de vez en cuando. No se observó una disminución significativa del riesgo de crisis cardíaca sin resultado de muerte o de muerte no súbita a causa de enfermedades coronarias.

Los frutos secos ayudan a mantener la salud del corazón por su extraordinario contenido en proteínas, grasas, esteroles y vitaminas:

- *Proteínas saludables para el corazón.* La mayoría de frutos secos son ricos en arginina, un aminoácido que reduce los índices de colesterol y, como precursor del óxido nítrico, dilata los vasos sanguíneos, disminuyendo así la tensión arterial y el riesgo de padecer angina de pecho, insuficiencia cardíaca congestiva y ataque al corazón.
- *Grasas saludables para el corazón.* La mayor parte de materias grasas de los frutos secos son ácidos grasos omega-3 y omega-6 poliinsaturados, que bajan los niveles de colesterol en la sangre. Un sinfín de ensayos clínicos han demostrado que las almendras, las avellanas, las nueces de macadamia, los cacahuetes, las pacanas, los pistachos y las nueces reducen el índice total de colesterol y el colesterol LDL en las personas que presentan índices entre normales y elevados de esta substancia. Además, los componentes grasos de los fitoesteroles de los frutos secos inhiben la acumulación de grasa en las paredes arteriales, causantes de la angina de pecho, la apoplejía y los ataques al corazón.
- *Vitaminas saludables para el corazón.* La vitamina E —un antioxidante que abunda en las almendras— ayuda a evitar la oxidación del colesterol que lleva a la acumulación de grasa en las arterias. El folato de la vitamina B, que encontramos en una serie de frutos secos, reduce los altos niveles de homocisteína en la sangre, un importante pronosticador de las enfermedades cardíacas.

- *Minerales saludables para el corazón.* Los frutos secos y las semillas en general son ricos en calcio, magnesio y potasio, minerales que sirven para reducir la tensión sanguínea.
- *Substancias fitoquímicas saludables para el corazón.* La capa que envuelve todos los frutos secos y semillas —como la finísima película marrón que protege las almendras y los cacahuetes— es rica en polifenoles antioxidantes, relacionados también con la reducción del riesgo de contraer enfermedades cardíacas. Los frutos secos y las semillas que han sufrido algún tipo de procesamiento contienen menos cantidad de este tipo de antioxidantes; así pues, siempre que sea posible, compraremos los frutos secos crudos y a granel. Las nueces contienen un volumen considerable de ácido alfa linoleico, ácido graso esencial que protege el corazón y el sistema circulatorio.

Frutos secos y semillas, en pie de guerra contra el cáncer

Las grasas especiales, los polifenoles antioxidantes y las proteínas que convierten los frutos secos en nuestros aliados en la lucha contra las enfermedades cardíacas, nos ayudan también en la prevención del cáncer.

- El ácido fítico es un antioxidante vegetal natural que se encuentra en los frutos secos y las semillas. Sus propiedades colaboran en la conservación de las semillas y, por la misma razón, podrían reducir los índices de cáncer de colon y otras enfermedades intestinales inflamatorias.
- La capa que envuelve todos los frutos secos y las semillas es rica en polifenoles antioxidantes, conocidos por sus efectos de reducción del riesgo de contraer cáncer. Ésta es otra de las razones que ha de llevarnos a escoger los frutos secos y las semillas crudos y a granel, y no pelados, envasados y tratados.
- El beta-sitoesterol y el campesterol —dos de los fitoesteroles presentes en la mayor parte de frutos secos— poseen al parecer propiedades que tienden a eliminar tumores en mama y próstata.
- Un aminoácido denominado *arginina,* abundante en la mayoría de frutos secos —en especial en las almendras— inhibe asimismo el desarrollo de tumores y refuerza el sistema inmunitario.

• Las nueces son especialmente adecuadas por su contenido en ácido elágico, un polifenol antioxidante que combate el cáncer, presente también en las granadas y las frambuesas rojas.
• El selenio, otro factor antioxidante clave, conocido por sus virtudes en el campo de la prevención del cáncer, es particularmente abundante en los coquitos del Brasil.

En síntesis: un magnífico refrigerio que también ayuda a adelgazar

Aunque pueda parecer extraño, una dieta que incluya cantidades razonables de frutos secos —alimento rico de por sí en grasas y calorías— ayuda a evitar la obesidad e incluso a reducir peso. Un estudio demostraba que las personas que seguían un régimen hipocalórico (un 35 % de calorías) en el que se incluían frutos secos y otras grasas beneficiosas perdían el mismo peso que los que seguían un plan en el que las grasas no representaban más que el 20 % de las calorías. Los investigadores descubrieron también que, en un período de dieciocho meses, el grupo que ingería una cantidad razonable de grasas mantenía con más facilidad el peso que el grupo que ingería muy pocas grasas, probablemente por la tendencia a no experimentar la misma sensación de hambre.

CÓMO COMPRAR Y GUARDAR LOS FRUTOS SECOS

Los frutos secos pierden sus virtudes en el campo de la salud y de control del apetito cuando se toman salados, fritos, pasados o rancios. Por otro lado, las grasas que contienen pueden oxidarse tras un largo período de exposición a la luz y al aire, un proceso que elimina su valor nutritivo y estropea su sabor.

Así pues, hay que comprar los frutos secos y las semillas en pequeñas cantidades y guardarlos con su cáscara —que les impide oxidarse— en un lugar fresco y seco. Desecharemos las cáscaras que tengan alguna rotura, así como los frutos secos o las semillas que hayan perdido el color, se vean mustios, gomosos,

mohosos o arrugados y los que tengan un olor raro. Los guardaremos en un recipiente hermético en la nevera (como máximo una
semana) o en el congelador. Como último consejo: para tomar los
frutos secos más frescos, es importante que los abramos o les qui-
temos la cáscara antes de consumirlos.

Los inhibidores de enzimas y los fitatos limitan la disponibili-
dad de sus nutrientes. A fin de maximizar su valor nutritivo, pondremos los frutos secos en remojo en agua salada entre seis y
ocho horas, los escurriremos y los secaremos al horno en una
placa para galletas.

Los frutos secos y las semillas en nuestra dieta

Los frutos secos y las semillas añaden textura y aroma a las ensaladas y
a un gran número de recetas. Sin duda, constituyen también un excelente refrigerio. A muchos les gusta extender mantequilla de frutos secos
en galletas o frutas. No recomiendo consumir este tipo de mantequillas
preparadas en la misma tienda, pues nunca podemos estar seguros de
que el molinillo con el que se elaboran esté completamente limpio y por
el hecho de que el preparado se expone al aire y a la luz al salir del pro-
cesador. En realidad es mejor adquirir mantequillas de frutos secos ya
envasadas por alguna firma de alimentación natural que sea de nuestra
confianza, que no contenga aceites hidrogenados añadidos. Es bastante
fácil prepararlas en casa con un robot: sólo hay que añadirle el aceite
necesario. Como hemos aconsejado para los frutos secos y las semillas,
conservaremos también las mantequillas caseras a base de estos productos en recipientes herméticos en el frigorífico.

Recomiendo una ración de frutos secos o semillas (unos 70 g)
todos los días. Por otra parte, además de utilizar el aceite de oliva, es
bueno para la salud cocinar con aceite de macadamia, cacahuete,
sésamo o colza en lugar de hacerlo con mantequilla, margarina u
otras grasas. Ni que decir tiene que habrá que tener en cuenta el sabor
particular de cada uno de estos aceites: el de cacahuete resulta ideal
para la mayoría de platos asiáticos. Nunca hay que utilizar en la cocina el aceite de lino, el de cáñamo o el de nuez, pues sus delicados ácidos grasos omega-3 se oxidan al exponerse al calor, al aire y a la luz.

Podemos utilizar el aceite de semillas de lino, el de nuez, el de cáñamo y el de oliva para preparar los aderezos de las ensaladas. En la medida de lo posible, compraremos frutos secos, semillas y aceites de cultivo ecológico. Consumidos con moderación, todos los frutos secos y las semillas son saludables: el secreto radica en la variedad. De todas formas, algunos destacan respecto a los demás por su excepcional composición en ácidos grasos. Recomiendo los frutos secos y las semillas que se presentan a continuación por su mayor contenido en ácidos grasos (monoinsaturados) omega-3 y omega-9. Estos dos ácidos grasos nos ayudan a mantener la salud cardíaca y además son importantes antiinflamatorios. El contenido en ácidos grasos de cada uno de los frutos o semillas que vamos a describir se expresa como porcentaje de su contenido total en grasas. *Nota:* los porcentajes representan una media, puesto que el contenido en ácidos grasos de los frutos secos y de las semillas varía considerablemente según una fuente de datos u otra.

- *Los más ricos en ácidos grasos omega-9 monoinsaturados*. Nueces de macadamia (50%), pacanas (45%), almendras (42%), avellanas (38%), pistachos (35%), coquitos del Brasil (32%), cacahuetes (23%), semillas de sésamo (21%). *Nota:* a diferencia de la mayoría de frutos secos, los pistachos constituyen una fuente excelente de carotenoides antioxidantes.
- *Los más ricos en ácidos grasos omega-3 poliinsaturados*. Semillas de lino (50%), nueces (8%), semillas de calabaza (7%).

EL NOVENO SUPERALIMENTO: LOS BROTES

Los brotes son un alimento muy nutritivo. Se cultivan, según el lugar, todo el año y constituyen una extraordinaria fuente de proteínas y de vitamina C. A fin de informar de la forma más fidedigna sobre este alimento, su historia, sus virtudes nutritivas y sus distintos usos, contacté con la Asociación Internacional de Productores de Brotes, quienes tuvieron la amabilidad de concederme permiso para incluir en mi libro buena parte de la información científica e histórica que me proporcionaron.

La citada Asociación se fundó en 1989, como organización sin ánimo de lucro, con el objetivo de promocionar el sector de los brotes vegetales y de intercambiar información entre sus productores y proveedores. Para obtener más información e importantes recetas en este campo, puede visitarse la siguiente página de Internet: www.isga-sprouts.org.

¿A qué llamamos brote?

Se produce un brote cuando una semilla germina y se convierte en verdura u hortaliza. Pueden cultivarse brotes a partir de semillas de verduras, cereales, legumbres, trigo sarraceno y judías. Los brotes presentan variaciones en textura y sabor. Algunos son picantes (los brotes de rábano y de cebolla), otros tienen un sabor más consistente y se usan en general en la cocina asiática (frijol chino), mientras que otros resultan más delicados al paladar (alfalfa) y añaden textura y suavidad a ensaladas y sándwiches.

¿Por qué comer brotes?

Muchas razones nos llevan a incluir los brotes en nuestra alimentación. Al hacernos mayores, disminuye la capacidad de producción de enzimas de nuestro organismo. Los brotes son una fuente concentrada de enzimas vivas y de «fuerza vital», algo que se pierde con la cocción o con alimentos no acabados de recoger en la huerta. Además, y por su alto contenido en enzimas, los brotes son mucho más fáciles de digerir que la semilla o la legumbre de la que proceden. Los brotes resultan tan nutritivos que tienen su propio superhéroe: Sproutman, alias Steve Meyerowitz (www.sproutman.com). La información que se incluye a continuación es de Sproutman y nos proporciona una respuesta amplia a la pregunta: «¿por qué debería comer brotes?, ¿no bastan las frutas y verduras frescas?».

El Instituto Nacional del Cáncer y los Institutos Nacionales de la Salud recomiendan consumir cinco porciones de frutas y verduras todos los días. Para cumplir con dicha norma nos ayudará poder incluir brotes de semillas germinadas en nuestras comidas. Los brotes de alfalfa contienen más clorofila que las espinacas, la col rizada, el repollo o el perejil. Los brotes de alfalfa, de girasol, de trébol y de rábano contienen un 4 %

de proteínas. Podemos comparar la proporción con la de las espinacas, que contienen un 3 %, la de la lechuga alargada, con un 1,5 %, la de la lechuga iceberg, con un 0,8 %, e incluso la leche, con tan sólo un 3,3 %... La carne contiene un 19 % y los huevos, un 13 % (pero un 11 % de materia grasa)... Los brotes de soja contienen doble cantidad de proteínas que los huevos y sólo una décima parte de su contenido en materia grasa... Los brotes de rábano contienen 29 veces más vitamina C que la leche (29 mg contra 1 mg) y 4 veces más vitamina A (391 UI contra 126).

La alfalfa, el rábano, el brécol, el trébol y la soja germinados contienen elevadas concentraciones de substancias fitoquímicas (compuestos vegetales) capaces de protegernos de las enfermedades. La canavanina, un aminoácido presente en la alfalfa ha demostrado poseer virtudes de resistencia contra el cáncer de páncreas, de colon y la leucemia. Los estrógenos vegetales que contienen estos brotes ejercen una actividad parecida a la del estrógeno humano, pero sin efectos secundarios. Mejoran la formación y la densidad de los huesos y previenen contra sus roturas (osteoporosis). Resultan eficaces en el control de los sofocos, los síntomas de la menopausia, el síndrome premenstrual y los tumores fibroquísticos de mama. Además de contener un alto índice de glucosinolatos y de isotiocianatos, los brotes de brécol son ricos en glucorafanina, una substancia que refuerza los sistemas de defensa contra la oxidación de nuestro organismo. Un estudio publicado en 2004 por la Academia Nacional de Ciencias demostraba que una dieta que incluyera brotes de brécol, ricos en glucorafanina, aumenta las defensas contra la oxidación, disminuye la inflamación y la presión arterial y mejora la salud cardiovascular en sólo 14 semanas.

Los brotes de alfalfa son una de nuestras mejores fuentes alimenticias de saponinas, que reduce los niveles del colesterol malo, sin afectar por ello al HDL bueno. Las saponinas estimulan también el sistema inmunitario y favorecen la actividad de unas células que tienen el cometido de eliminar, como los linfocitos T y el interferón. Los brotes contienen asimismo gran cantidad de antioxidantes de elevada efectividad que evitan la destrucción del ADN y nos protegen contra los efectos del envejecimiento.

Como médico especializado desde hace mucho en la lucha contra el envejecimiento, estoy convencido de que Steve Meyerowitz, Sproutman, tiene toda la razón. Todos los nutrientes que necesitamos para vivir están en las semillas, una categoría de alimentos que incluye los cereales, las legumbres y los frutos secos. Puesto que los brotes son un alimento fresco y no pueden permanecen días o semanas almacenados, al consumirlos estamos seguros de que han conservado todo su valor nutritivo.

DELICIOSAS FORMAS DE SERVIR LOS BROTES

- Añadirlos a las ensaladas verdes.
- Utilizarlos en ensaladas a base de repollo (col, trébol, rábano).
- Introducirlos en empanadillas y rollitos (alfalfa, girasol, rábano).
- Prepararlos salteados con otras verduras (alfalfa, trébol, rábano, frijoles chinos, lentejas).
- Mezclarlos con zumos vegetales (repollo, frijoles chinos, lentejas).
- Combinarlos con queso fresco, tofu, yogur o kéfir y preparar con ellos pastas para untar (frijoles chinos, rábano).
- Verterlos en sopas o estofados en el momento de servirlos (frijoles chinos, lentejas).
- Consumirlos frescos y crudos en ensalada de brotes (mezclas especiales para ensalada).
- En tortilla o con huevos revueltos (alfalfa, trébol, rábano).
- Combinarlos con platos a base de avena, cebada o alforfón (fenogreco, lentejas, frijoles chinos).
- Añadirlos al sushi (rábano, girasol).
- Salteados con cebolla (frijoles chinos, trébol, rábano).
- En puré con guisantes o judías (frijoles chinos, lentejas).
- Añadirlos a las judías guisadas (lentejas).

Dónde encontrar los brotes

En Internet, en establecimientos de alimentación natural y supermercados encontraremos las bandejas y las semillas para llevar a cabo las germinaciones. Hay que comprar siempre semillas, granos y legumbres ecológicos, con certificación; las adquiriremos en pequeñas cantidades y las guardaremos en el frigorífico antes de hacerlas germinar.

He aquí una lista básica de semillas, legumbres y cereales apropiados para la germinación: alfalfa, repollo, trébol, fenogreco, mostaza, rábano, sésamo, girasol, judías azuki, garbanzos, lentejas, frijoles chinos, guisantes, trigo, centeno y triticale. Si cultivamos nuestros propios brotes y deseamos un máximo de actividad enzimática, los recogeremos tras un período de entre cuatro y ocho días.

Quienes no tengan tiempo para preparar esos germinados pueden encontrar los brotes frescos en las secciones de frutas y verduras del mercado o en el departamento de verduras frescas del supermercado. A menudo los establecimientos de alimentación natural venden este tipo de brotes. Veremos que están frescos si tienen las raíces húmedas y blancas y el brote conserva su vigor.

Advertencia: independientemente de su procedencia, no hay que utilizar jamás semillas que hayan sido tratadas con fungicidas. Las semillas tratadas no son comestibles y pueden reconocerse fácilmente por la capa de polvillo rosa o verde que las recubre. En esta categoría encontramos las que se venden para plantar. Utilizaremos únicamente las destinadas al consumo o para germinar, nunca las que se usan para sembrar.

Guardaremos los brotes en el lugar destinado a las verduras del frigorífico y los consumiremos cuanto antes. Si se enjuagan todos los días con agua fría puede prolongarse un poco su vida. Los brotes de frijoles chinos que vayamos a utilizar cocinados podemos congelarlos y guardarlos unos meses en una bolsa hermética en el congelador.

EL DÉCIMO SUPERALIMENTO: EL YOGUR Y EL KÉFIR, NUESTROS ALIADOS PROBIÓTICOS

El origen de los alimentos lácteos fermentados con cultivos se remonta a tiempos tan antiguos que según algunos podrían ser épocas anteriores a las que la historia nos documenta. Es algo que cuadra a la perfección con mi propia filosofía, según la cual los alimentos más antiguos han llegado hasta nosotros por una buena razón: continúan siendo claves para la supervivencia de nuestra especie. Los alimentos fermentados y tratados podrían representar la primera experiencia de lo que hoy en día los investigadores denominan alimentos «funcionales»: alimentos que contribuyen a mantenernos en un estado de salud óptimo.

Los científicos experimentados en alimentos fermentados consideran que el yogur y el kéfir son los principales «probióticos». ¿Qué son los probióticos y cuál es su función?

Las investigaciones llevadas a cabo a principios del siglo xx por el doctor Elie Metchnikoff, premio Nobel de biología, le llevaron a formular su «teoría de la intoxicación» en las enfermedades. Methnikoff consideraba que las toxinas secretadas por las bacterias perjudiciales que pudren y hacen fermentar los alimentos en los intestinos aceleran el proceso del envejecimiento. Creía asimismo que las bacterias inofensivas que encontramos en los productos lácteos fermentados podrían explicar la longevidad de ciertos grupos étnicos, en particular la de los pueblos que viven en las montañas del Cáucaso, al sur de Rusia.

De acuerdo con esto, Metchnikiff recomendó consumir alimentos «con cultivos», como el yogur, que contiene bacterias saludables. Esta idea se extendió rápidamente y en poco tiempo tanto el yogur como los alimentos probióticos atrajeron la atención mundial. Además, ya que Metchnikoff había demostrado que las bacterias que segregaban ácido láctico eran las más beneficiosas, los denominados *lactobacilos* se convirtieron en el primer foco a la hora de llevar a la práctica las hipótesis de Metchnikoff. En la actualidad, los microbios probióticos se incorporan normalmente a la alimentación de los animales de granja y todo el mundo acepta que las diferentes especies de lactobacilos y bifidobacterias dejen entrever importantes beneficios en la mejora de la salud humana.

Los microbios probióticos ayudan al organismo humano a luchar contra las enfermedades infecciosas al competir con los elementos patógenos por conseguir alimento, nutrientes y, en definitiva, su supervivencia. Precisamente por esto la leche materna es rica en factores nutritivos que fomentan el crecimiento de las bifidobacterias, una familia de bacterias que protege la salud intestinal de los bebés y les previene contra muchas enfermedades.

Los probióticos frente a las enfermedades

Los estudios preliminares indican que los probióticos podrían prevenir o tratar distintas afecciones comunes. No obstante, hay que llevar a cabo más investigaciones, de modo que no debemos confiar en que los probióticos puedan tratar los problemas de salud sin supervisión médica. Veamos algunas funciones de los probióticos:

- Mejoran la resistencia vaginal frente a las infecciones (bacterianas y de levaduras), así como las del tracto urinario y de la vesícula.
- Mejoran la resistencia contra los problemas intestinales inflamatorios, incluyendo la enfermedad inflamatoria intestinal.
- Mejoran la resistencia del cuerpo contra las alergias alimenticias y las afecciones alérgicas inflamatorias, como el asma y el eccema.
- Reducen el riesgo de sufrir enfermedades cardiovasculares.
- Reducen determinados factores de riesgo de contraer cáncer intestinal.
- Reducen la duración de las gastroenteritis y de las diarreas infantiles provocadas por rotavirus.
- Reduce la frecuencia de las infecciones respiratorias infantiles.
- Mejora la resistencia a la diarrea provocada por la bacteria *Escherichia coli*.
- Ayuda a prevenir la caries dental.

Probióticos, inflamación y función inmunitaria

Los investigadores han descubierto que las personas que siguen una dieta rica en alimentos probióticos poseen un sistema inmunitario que funciona mejor. Al parecer, los probióticos normalizan la respuesta inmunitaria, inhiben la inflamación crónica y podrían incluso mejorar algunas dolencias inflamatorias de origen autoinmunitario, como el asma, el eccema y la enfermedad de Crohn.

Hoy en día asistimos a un alarmante aumento de agentes patógenos (virales, bacterianos y otros) resistentes a los antibióticos. Estas circunstancias graves que plantean una posible amenaza a la vida de las personas han llevado a los investigadores a plantearse la utilización de las bacterias probióticas a la hora de combatir las infecciones. Sabemos actualmente que los probióticos ayudan a aumentar los índices de anticuerpos del organismo. Con esta mejora del sistema inmunitario se reduce el riesgo de infecciones y se evita la necesidad de consumir antibióticos. Muchos médicos recomiendan a los pacientes el consumo de yogures al tomar antibióticos, a fin de reponer las bacterias beneficiosas del organismo; algunos afirman incluso que los cultivos vivos del yogur pueden reducir también la frecuencia de los resfriados, los ataques alérgicos y de la fiebre del heno.

El yogur, contra la obesidad

Una dosis diaria de yogur es conveniente para las personas de todas las edades. Es también un alimento importante para quienes desean perder peso. Como derivado de la leche, el yogur constituye una fuente natural de calcio. Las investigaciones demuestran que el calcio ayuda a limitar el aumento de peso. Incluso una ligera variación en los niveles de calcio de las células adiposas puede modificar las señales que se surgen en el interior de la célula y controlan la creación y la combustión de las grasas.

En un estudio realizado en 2003 en la Universidad de Tennessee se pidió a treinta y cuatro personas obesas que siguieran una dieta baja en calorías. Administraron de dieciséis de ellas entre 400 y 500 mg de calcio al día en forma de suplemento alimentario. Las dieciocho restantes siguieron una dieta con alto contenido en calcio —1.100 mg diarios— en forma de yogur. Doce semanas más tarde, ambos grupos habían perdido grasa. De todas formas, los que habían consumido los suplementos perdieron 2,7 kg de grasa, mientras que el grupo que consumió yogur perdió 4,5 kg de grasa. Mejor aún, quienes tomaron yogur descubrieron que habían perdido casi cuatro centímetros de contorno de cintura, y en cambio los que tomaron suplementos sólo perdieron un centímetro de cintura. Finalmente, un 60 % (un resultado sorprendente) de la pérdida de peso de quienes consumieron yogur estaba constituido por grasa abdominal, mientras que en el otro grupo el porcentaje era de un 26 %.

Se trata de una noticia extraordinaria, pues la grasa abdominal —la que nosotros, los médicos, denominamos *grasas intraabdominales* o *viscerales*— se relaciona con unos índices altos de colesterol, de insulina y de triglicéridos, así como con un aumento de la tensión sanguínea y otros problemas. Por otro lado, las grasas viscerales podrían secretar más moléculas inflamatorias asociadas a las enfermedades que otros tipos de grasa.

El estudio demostraba también que el grupo que consumió yogur, además de perder más peso, había mantenido su masa muscular con doble efectividad. Tal como precisaba el director del estudio, el doctor

Michael Zemel, en un comunicado de prensa: «se trata de una cuestión importantísima para quienes siguen una dieta. El objetivo consiste en perder grasa, no músculo. Los músculos ayudan a quemar calorías, pero con la pérdida de peso a veces su masa queda en situación crítica». ¿Qué más puede decirse?

Hay que intentar consumir siempre yogur ecológico y evitar los que contienen espesantes y estabilizantes. Evitaremos también los que contienen azúcar o fruta endulzada; éstos alteran el frágil equilibrio de las substancias químicas que permiten el desarrollo de los cultivos, aparte de que los azúcares sirven de alimento a una serie de levaduras no deseadas, como la *Candida allicans*.

El kéfir: el elixir antiguo

Todas las mañanas empiezo mi jornada con un vaso de kéfir elaborado con leche entera, sin azúcar, al que añado dos cucharadas soperas de extracto puro de granada. Mezclo bien los ingredientes y obtengo una bebida con el aspecto y el sabor de un delicioso batido de frutas del bosque. ¡La forma perfecta de empezar el día!

El kéfir es una bebida probiótica a base de leche fermentada, que procede de las montañas del Cáucaso, en la antigua Unión Soviética. El término *kefir* significa, en una traducción libre, «placer» o «sensación de bienestar». Por sus virtudes en el campo de la salud, en otro tiempo se consideró como un regalo de los dioses. Afortunadamente en la actualidad se está redescubriendo y se le están reconociendo sus propiedades en la mejora de la salud y la belleza.

Podríamos describir el kéfir como una especie de yogur líquido ligeramente espumoso, con un sabor característico suave, de dulzor natural y al tiempo un aroma penetrante y un refrescante toque carbonatado. Su sabor único y su fama casi mística de elixir de la juventud explican por qué los europeos han convertido el kéfir (así como otros líquidos fermentados similares) en su bebida preferida. Sus ventas empiezan a competir con las de los principales refrescos. A diferencia del yogur, que se elabora con leche a la que se añaden determinadas bacterias ácidas lácteas, el kéfir se elabora con leche y «granos de kéfir», término popular para designar una compleja mezcla de levaduras y bacterias del tipo lactobacilo. Las reducidas cantidades de óxido de carbono, alcohol y substancias aromáticas producidas por los cultivos proporcionan al kéfir su sabor ácido y su efervescencia.

El kéfir contiene también unos polisacáridos (azúcares de cadena larga) únicos denominados kefiran, que podrían ser los responsables de algunas de las virtudes del kéfir. Siguen sin traducir la mayoría de investigaciones rusas sobre estos efectos beneficiosos para la salud, y los científicos occidentales están en mantillas en investigación en este terreno, aunque los resultados obtenidos hasta hoy abonan la impresionante popularidad del kéfir.

Esta bebida carbonatada de forma suave y natural es muy popular en el Cáucaso, en Rusia y en el suroeste asiático, y recientemente ha ganado adeptos en Europa Occidental. En otras partes podemos encontrar kéfir en la mayoría de establecimientos de alimentación natural y algunos supermercados de las zonas urbanas. Dado el auge en popularidad del yogur y sus derivados, es de esperar que dentro de poco todas las cadenas lo incorporen. De todas formas, como ocurre con el yogur, hay que desconfiar de los productos repletos de azúcares y fructosa. Elijamos el kéfir natural sin azúcar, que podemos aromatizar con una mezcla de frutas del bosque, y a ser posible que no falte el açaí.

Las virtudes del kéfir

Además de su antigua reputación como bebida saludable, se atribuye al kéfir la extraordinaria longevidad de las poblaciones del Cáucaso. En los hospitales de la antigua Unión Soviética se utiliza el kéfir —sobre todo cuando no se tienen al alcance tratamientos médicos modernos— como remedio para una serie de afecciones, como la arteriosclerosis, las alergias, los trastornos metabólicos y digestivos, la tuberculosis, el cáncer y las enfermedades gastrointentinales.

Una serie de estudios han apoyado recientemente la capacidad del kéfir de estimular el sistema inmunitario, de facilitar la digestión de la lactosa y de inhibir tumores, hongos y elementos patógenos, entre los que cabe citar la bacteria causante de la mayoría de úlceras. Es algo que no debe sorprendernos, pues los científicos descubrieron posteriormente que casi todas las úlceras tienen como causa una infección debida a la bacteria *Helicobacter pylori* y no la comida picante, los ácidos gástricos o el estrés, como creyeron erróneamente los médicos durante años.

Los científicos saben hoy en día que un gran número de enfermedades inflamatorias (incluyendo algunos tipos de dolencia cardíaca) pueden desencadenarse a raíz de una bacteria. Otra razón para incluir el kéfir en nuestra dieta cotidiana.

En el capítulo siguiente exploraremos el exótico mundo de las especias y pondremos al descubierto sus secretos para conseguir una vida más longeva y recuperar la belleza juvenil. Unas ínfimas cantidades de estos extraordinarios alimentos pueden provocar espectaculares cambios en nuestro aspecto y en nuestra sensación de bienestar, además de mejorar terriblemente el aroma, la digestibilidad y el paladar de nuestros alimentos preferidos.

5. Las especias de la vida

Are you going to Scarborough Fair?
Parsley, sage, rosemary, and thyme...
Remember me to one who lived there...
*She once was a true love of mine.**

Anónimo inglés, siglos XIII-XV

A veces tenemos la solución de un problema delante de nuestros ojos. La ciencia moderna busca la forma de reducir el deterioro mental y corporal que acompaña el envejecimiento. Hasta ahora, los esfuerzos llevados a cabo para frenar este proceso y prevenir determinadas enfermedades relacionadas con él han tenido escasos resultados. Una razón que podría explicarlo sería la incapacidad de nuestros sistemas sanitarios a la hora de abordar cuestiones básicas, como la función de la alimentación en la salud, la longevidad y las enfermedades. Peor aún, ahora nos enfrentamos a una epidemia de obesidad y a todas las enfermedades que conlleva (diabetes, síndrome X cardíaco), seamos conscientes de que nuestra sociedad marcada por la comida rápida ha optado por la vía directa hacia la muerte prematura y las enfermedades no habrá

---

* Si vas a la feria de Scarborough, / Perejil, salvia, romero y tomillo... / Saluda de mi parte a alguien que vivió allí... / Ella fue mi auténtico amor.

producto milagroso que nos salve. Por ejemplo, si bien los medicamentos basados en la estatina reducen los niveles de colesterol, no se ha demostrado que ninguno limite de forma clara el peligro de ataque al corazón. Y existe consenso entre los expertos en que los medicamentos que tenemos al alcance para el tratamiento del Alzheimer nos reportan tan pocos frutos que podría afirmarse que constituyen un gasto inútil anual de alrededor de 1.200 millones de dólares.

Podría explicar estos fracasos el hecho de que la ciencia se centra casi exclusivamente en la investigación biomédica básica. Aunque este planteamiento pueda ser útil a largo plazo, la casi total concentración en la investigación fundamental no nos permite explorar las prometedoras salidas que proporciona la alimentación en el campo de la lucha contra el envejecimiento y las enfermedades. Considero que tenemos pruebas suficientes para demostrar que los planteamientos que han obtenido más éxito en la lucha contra el envejecimiento empiezan por adoptar el arco iris de los alimentos y los superalimentos que se describen en los capítulos 3 y 4. Una vez se ha comprendido que la inflamación es la base de la aceleración del envejecimiento y de las enfermedades degenerativas que lo acompañan se ve la lógica de la propuesta. Hay que tratar el cuerpo de forma holística, empezando por lo que comemos, a fin de evitar la inflamación a escala celular. No existe medicamento ni terapia más eficaz. Hay que trabajar con el cuerpo, reforzar y revitalizar todos sus órganos, lo que significa que nuestros «remedios» tienen que ser fisiológicos, es decir, de acuerdo con el funcionamiento normal de un organismo vivo.

Si bien el arco iris de los alimentos y los superalimentos son un punto central en cualquier estrategia contra el envejecimiento y la inflamación, otros de origen vegetal resultan aún más efectivos cuando se abordan de gramo en gramo. Me refiero a un aspecto de nuestra alimentación que se deja a un lado en la mayoría de dietas: las plantas aromáticas y las especias que tenemos en la despensa. Se trata de unos elementos que nos resultan tan familiares en la cocina que nos es casi imposible verlos como potentes remedios contra el envejecimiento. A pesar de que los científicos hace tan sólo veinte años que empezaron a demostrar sus propiedades bioquímicas, está ya claro que, gramo a gramo, muchas de estas plantas y especias, por sus capacidades antioxidantes y antiinflamatorias, nos ofrecen un potencial sin parangón.

Lo que más me ha interesado de estos distintos tipos de alimentos es que, además de sus potentes efectos antioxidantes, algunos de ellos (plantas y especias) poseen también unas propiedades únicas que nos permiten aumentar nuestra sensibilidad respecto a la insulina y reducir al mismo tiempo los niveles de cortisol. Es algo importantísimo, pues al envejecer, el cuerpo pierde masa muscular y gana materia grasa, sobre todo en la zona abdominal, las piernas y los brazos. Este exceso de grasa corporal puede atribuirse directamente a dos factores. De entrada, a la disminución de nuestra sensibilidad respecto a la insulina, y en segundo lugar, al aumento del índice de cortisol (la hormona de la muerte), que va aparejado con la disminución de las hormonas de la juventud, de la testosterona, del estrógeno, de la hormona del crecimiento, etc.

LAS PLANTAS AROMÁTICAS CULINARIAS: UN TOQUE DE SABOR CON EFECTO ANTIENVEJECIMIENTO

En 1966, la pareja de folk Simon & Garfunkel obtuvo un gran éxito con una antigua balada inglesa, «Scaborough Fair», cuyo famoso estribillo —*parsley, sage, rosemary, and thyme* («perejil, salvia, romero y tomillo»)— figuraba en la carátula de su álbum, líder en ventas. Pocos seguidores suyos estarían por aquel entonces al corriente de que aquellas hierbas aromáticas tan familiares en la cocina en otra época habían tenido fama en toda Europa por sus propiedades tónicas y curativas. En efecto, hasta la llegada de la medicación moderna, el perejil, la salvia, el romero y el tomillo —así como otras plantas como el espliego, la menta y el orégano— eran la materia básica de los médicos herbolarios que precedieron a los médicos científicos de hoy en día. ¡No es de extrañar que el mundo cantara (y siga cantando) sus alabanzas!

Durante el reinado de Isabel I de Inglaterra, en el siglo XVI —cuando escaseaban los médicos, sus tratamientos resultaban caros y tenían poca utilidad en la curación de la mayor parte de enfermedades— las guías enciclopédicas sobre las plantas medicinales, denominadas también *herbarios,* eran las obras más leídas, después de la Biblia, por la población culta. Estos libros, así como la famosa enciclopedia sobre plantas medicinales de Nicholas Culpepper, destilaban unos conocimientos transmitidos a través de los siglos desde la India, China, Persia, Grecia y Roma.

¿Planta aromática o especia?

En este capítulo encontraremos ambos términos. Las plantas aromáticas son las que utilizamos para aromatizar alimentos o con fines medicinales. Las especias son plantas aromáticas secas que se usan para dar sabor a los alimentos, como remedios en medicina y a veces como conservantes de los alimentos. En muchas culturas, los términos *hierba* y *especia* son intercambiables.

Recordemos lo dicho en el capítulo anterior: a pesar de que muchas plantas y especias poseen probadas virtudes terapéuticas, si tenemos un problema de salud o algún síntoma físico concreto, no debemos hacer jamás un autodiagnóstico y mucho menos automedicarnos. Hay que acudir antes que nada a un profesional de la salud.

En las últimas décadas, el Departamento de Agricultura de Estados Unidos se ha puesto a la cabeza en la investigación sobre los efectos antioxidantes de las frutas y verduras. En un trabajo conjunto con la Universidad Tufts, los expertos del citado departamento han iniciado una recopilación de información sobre la capacidad de estos alimentos vegetales de neutralizar los efectos negativos de los radicales libres. Usando la capacidad de absorción del radical oxígeno (CARO), que se describe en el capítulo 3, han iniciado la tarea de documentación de lo que descubrieron los sanadores tradicionales después de siglos de tanteo: que las plantas aromáticas que se usan en la cocina poseen efectos preventivos para la salud.

En realidad, se ha demostrado que unas plantas que parecían banales, que muchos tenemos en la despensa, poseían un gran poder antioxidante. En 2001, por ejemplo, los científicos del departamento antes citado publicaron los resultados de su investigación sobre 27 plantas aromáticas de cocina y 12 plantas medicinales. El estudio ponía de manifiesto que la mayoría de las plantas aromáticas usadas para cocinar tienen mayor capacidad para neutralizar los radicales libres que las frutas del bosque y las verduras, consideradas hasta entonces los mejores antioxidantes; en otras palabras, unas pequeñas cantidades de esas plantas proporcionan el mismo volumen de antioxidantes que aportan unas raciones de frutas o verduras.

Observemos más de cerca estos antioxidantes sin igual que se esconden en nuestras despensas, en el alféizar de la ventana o en nuestro jardín.

Capacidad antioxidante* de 25 plantas de uso corriente

No olvidemos que los resultados obtenidos por estas plantas en la escala CARO parecen inferiores a los de las frutas y verduras presentadas en el capítulo 3 («El arco iris de los alimentos»), cuando, de hecho, las plantas aromáticas poseen un contenido y una capacidad antioxidantes mayor por gramo de substancia. La disparidad se debe al hecho de que los investigadores utilizan escalas de medición incompatibles entre sí.

Categoría		Puntuación CARO	
1. Orégano mexicano** (*Poliomintha longiflora*)	92,18	11. Romero	19,15
2. Orégano italiano*** (*Origanum x majoricum*)	71,64	12. Hierba luisa	17,88
		13. Hierba de san Juan	16,77
3. Orégano griego (*Origanum vulgare sp. Hirtum*)	64,71	14. Lavanda inglesa	16,20
		15. Valeriana	15,82
		16. Albahaca	14,27
4. Hoja de laurel	31,70	17. Hierba luna	13,40
5. Eneldo	29,12	18. Tomillo limonero	13,28
6. Ajedrea (*Satureja montana*)	26,34	19. Salvia (*Salvia officinalis*)	12,28
7. Cilantro vietnamita	22,90	20. Salvia piña	11,55
8. Bergamota	19,80	21. Perejil	11,03
9. Tomillo (*Thymus vulgaris*)	19,49	22. Alcaravea	10,65
		23. Cebollino	9,15
		24. Menta verde	8,10
10. *Ginkgo biloba*	19,18	25. Hinojo	5,88

*Zheng W. Wang SY, «Antioxidant activity and phenolic compounds in selected herbs», *J Agric Food Chem.* Nov., 2001; 49 (11): 5165-70. Los valores CARO se expresan en equivalentes de Trolox (vitamina E sintética) por gramo de peso en fresco.

**El orégano mexicano (*P. longiflora* o *P. bustamanta*) tiene un alto contenido en carvacrol y, por consiguiente, posee importantes virtudes antioxidantes. El tomillo español (orégano cubano) no es un orégano propiamente dicho, posee un aroma muy parecido a éste y probablemente también importantes virtudes antioxidantes.

***Planta de olor acre, picante, un cruce entre el orégano griego (*O. vulgare sp. hirtum*) y la mejorana dulce (*O. majorana*).

Exploración de las plantas aromáticas antioxidantes

El orégano

Tres tipos de orégano han obtenido los mejores resultados en la escala CARO como plantas aromáticas culinarias. Sus capacidades antioxidantes son muy superiores a las de la vitamina E, eficaz antioxidante que se usa como punto de referencia para comparar los valores de la escala CARO.

Orégano es tanto el nombre científico del género que agrupa distintos miembros de la familia de las mentas (lamiáceas) como el término popular que designa una amplia variedad de plantas que no tienen más relación entre sí que la fragancia y el sabor que recuerdan el orégano. La similitud entre el orégano y la mejorana genera normalmente una gran confusión, pero hay que tener en cuenta que todas las especies de mejorana forman parte del género *Origanum* y comparten con éste una serie de compuestos antioxidantes y de aceites esenciales (por cierto, un nombre poco apropiado este último, puesto que no contienen ni materias grasas ni aceites).

En griego, *orégano* significa «joya del monte» y en realidad el griego es el que tiene el mejor aroma y es la variedad más usada. Los distintos tipos de orégano comparten un sabor y perfume característicos del fenol antioxidante denominado *carvacrol* (cimofenol), también presente en el tomillo, la ajedrea, la alcaravea y la mejorana. Al igual que la capsicina, la virtud que vincula todo tipo de pimientos —dulces y picantes—, el carvacrol es lo que convierte el orégano en una planta tan sabrosa, acre y cálida. También contiene un alto nivel de ácido rosmarínico, presente en el romero y en otras plantas, con importantes propiedades antioxidantes.

Virtudes del orégano

- El timol y el carvacrol presentes en el orégano inhiben el crecimiento de las bacterias y resultan mucho más efectivos contra el parásito *Giardia* (la causa de muchos casos de diarrea provocados por la *Escherichia coli*) que la mayoría de medicamentos usados para tal efecto.
- Gramo por gramo, la capacidad antioxidante del orégano es cuarenta y dos veces superior a la de las manzanas, doce veces superior a la de las naranjas y cuatro veces superior a la de los arándanos.

- El orégano es una buena fuente de hierro, vitamina A, fibras, calcio, manganeso, magnesio y vitamina B_6.

Consejos culinarios

Apreciado por sus picantes hojas, el orégano añade un aroma único a las salsas de tomate italianas y a distintos platos de la cocina mediterránea. Como planta leñosa perenne, el orégano suele sobrevivir a los inviernos de las regiones nórdicas y es una planta indispensable en los jardines o las jardineras de plantas aromáticas. El orégano italiano es un cruce entre el orégano griego y la mejorana dulce que tiene un sabor dulce y pronunciado y combina perfectamente con carnes, huevos, sopas y verduras.

El laurel

El laurel europeo pertenece a la misma familia que la canela, la canela de China, el sasafrás y el aguacate y presenta una rica mezcla de aromas y sabores, que van de lo balsámico a lo cítrico. El laurel se hizo famoso en la Grecia y la Roma antiguas, donde se entregaba trenzado en forma de corona a emperadores y poetas. Asociamos esta planta al éxito y al honor al hablar de un poeta laureado. Además, curiosamente, *baccalaureate,* término que designa la finalización del bachillerato, significa «bayas de laurel».

Virtudes del laurel

Las hojas y las bayas del laurel:

- Mejoran la digestión.
- Son astringentes, lo que significa que ayudan en la contracción de los tejidos y los canales del organismo y, por tanto, reducen la liberación de mucosidades y sangre.
- Alivian los gases intestinales.

Consejos culinarios

Las hojas de laurel se utilizan en todo el mundo en la preparación de sopas, salsas y estofados, y también para añadir sabor a pescados, carnes y aves. Normalmente encontramos hojas de laurel en los adobos y escabeches. La cocina mediterránea suele incluir en las salsas hojas de laurel, que se quitan antes de servir el plato.

El eneldo: sus virtudes

Los principales fitonutrientes del eneldo activan una poderosa enzima antioxidante denominada *glutatión-S-transferasa* que ayuda a las moléculas de glutatión a adherirse a las moléculas oxidadas que, de otra forma, podrían perjudicar el organismo. Esta actividad molecular nos protege contra distintos agentes carcinógenos, como los del humo de los cigarrillos, el del carbón, el de las incineradoras de basuras, los medicamentos terapéuticos y los productos del estrés oxidativo. Un buen currículo para algo que normalmente se relega a los encurtidos.

Consejos culinarios
Este ligero componente de la familia de las zanahorias, célebre por su papel aromatizante en la conserva de los pepinillos, acompaña de maravilla el pescado, el pollo, la sopa de ave e incluso el yogur. El eneldo fresco es fácil de congelar.

El toronjil

Al toronjil le avala una larga historia. Lo utilizaron como hierba medicinal el sabio griego Dioscórides y el erudito romano Plinio. En el siglo XVI, el herborista John Gerard daba toronjil a sus alumnos a fin de «estimular sus sentidos». Los colonos americanos también lo utilizaron, y se tiene constancia de que Thomas Jefferson lo cultivaba en su jardín de Monticello.

Virtudes del toronjil
Nuevas investigaciones indican que el toronjil, al igual que el romero, facilita el aprendizaje, la memorización y la utilización de la información. Distintas pruebas realizadas en laboratorios han puesto de relieve que el toronjil, como el nutriente denominado *dimetilaminoetanol* (DMAE), estimula la actividad de la acetilcolina, un mensajero químico básico para la memoria y otras funciones congnoscitivas, que las personas con Alzheimer presentan en cantidades reducidas.

Consejos culinarios

Con el toronjil se preparan unas infusiones suaves con aroma a limón, y resulta delicioso para acompañar el pescado, los champiñones y los quesos frescos. Pueden añadirse hojas frescas de toronjil a las ensaladas verdes, adobos (en especial con verduras), ensaladas de pollo y aves rellenas.

EXQUISITECES ESPECIADAS

He aquí unos detalles interesantes sobre algunas de las especias que se presentan en este capítulo.

Cardamomo. Quien haya entrado alguna vez en Starbucks sabrá que una de las bebidas más populares en esta cadena, después del café, es el té *chai,* un té indio con especias. Dicho té suele perfumarse con cardamomo, canela, clavo e incluso pimienta negra. Es curioso que el té *chai* sea más popular en los bares y restaurantes occidentales que en la India. En realidad, en la India el té con especias *(chai masala)* es un lujo que pocos pueden permitirse a diario.

Canela. La canela es un producto muy valorado desde la antigüedad, hasta el punto de que en determinadas épocas se cotizó más que el oro. Nerón quemó las reservas de canela de un año cuando murió su esposa en la pira funeraria de ésta, un gesto insólito hasta entonces, que testimoniaba lo que aquella mujer había significado para él. En 1536, los portugueses invadieron Sri Lanka. Los conquistadores no exigieron tributo en dinero, sino canela, y durante muchos años el rey estuvo pagando a los portugueses una contribución anual de alrededor de cien mil kilos de canela.

Clavo. Los habitantes de una pequeña isla indonesia llamada Ternate, con el sobrenombre de isla del Clavo, hace más de dos mil años que comercian con China con esta especia. Los chinos la utilizan en la cocina, pero también como antihalitósico: quienes se presentaban ante el emperador tenían que haber masticado unos clavos antes de ser recibidos por éste.

La menta: sus virtudes

Se dice que la menta, antiguo símbolo de hospitalidad y purificación, es adecuada contra los resfriados, la gripe y la fiebre, además de aliviar el dolor de garganta y la sinusitis. La infusión de menta está indicada contra el dolor de estómago y su aroma tiene efectos calmantes.

Consejos culinarios

Podemos preparar berenjena cocida con hojas de menta picadas, yogur natural, ajo y pimentón picante, o bien una deliciosa ensalada con una combinación de hinojo, cebolla y hojas de menta. Las hojas de menta picadas casan a la perfección con el gazpacho y otras sopas con el tomate como base. Puede incluirse la menta en preparaciones hechas con yogur, en salsas para untar y en sopas. Es preferible utilizar menta fresca en lugar de seca, tanto por su aroma como por sus propiedades curativas.

Tomillo

Tomillo es el nombre griego que designa el «valor», aunque también significa «fumigar». Los egipcios utilizaron el tomillo en los procesos de momificación.

Virtudes del tomillo

La mayor parte de virtudes de esta planta se atribuyen al timol. Distintos estudios han demostrado que el timol tiene efectos positivos para el cerebro y los principales órganos del cuerpo, pues estimula la actividad antioxidante de las enzimas y extiende estos efectos a todo el organismo. Es así en parte gracias a su capacidad de proteger los ácidos grasos omega-3 en el interior de las membranas celulares, al aumentar su proporción respecto a otros ácidos grasos.

El tomillo contiene flavonoides y carvacrol, junto con complejo vitamínico B, vitamina C y vitamina D. Hace siglos que se utiliza con fines medicinales, para tratar distintos problemas, como los trastornos gastrointestinales, la laringitis, la diarrea y la falta de apetito. El tomillo también ayuda a reducir la fiebre, además de resultar efectivo para los problemas respiratorios crónicos, incluyendo los resfriados, gripes, bronquitis y dolor de garganta. Se usa como tópico contra inflamaciones e infecciones y puede resultar eficaz para tratar los problemas de hongos, como el pie de atleta, y el herpes.

Consejos culinarios

Puede utilizarse el tomillo para aromatizar sopas, pescado, carnes, aves y huevos. Acompaña también muy bien a la salsa de tomate y a la de champiñones. Entre las variedades más apreciadas en la cocina se encuentran el de hoja estrecha, de intenso aroma, y el de hoja ancha, más suave. En el Reino Unido, el tomillo es la planta aromática más popular después de la menta. En Estados Unidos constituye un ingrediente básico en la cocina criolla de Nueva Orleans, donde se mezcla con otras hierbas en la cocción que sigue la técnica de freír a la sartén con una capa de hierbas aromáticas, sistema que no recomendaría, ya que fomenta la glicación. En América Central, el tomillo es un ingrediente básico para marinar la carne de ave y otras.

El perejil: sus virtudes

Una serie de estudios han demostrado que los flavonoides del perejil —hierba de un verde vistoso que se utiliza tanto para dar sabor como para adornar los platos— nos ofrecen una gran protección contra los radicales libres. Además, el perejil es una fuente extraordinaria de vitamina C, betacaroteno y ácido fólico.

Consejos culinarios

El perejil de hoja plana tiene un sabor más fuerte que el del perejil rizado y aguanta mejor la temperatura de la cocción. Debe añadirse a las preparaciones casi al final para conservar su sabor y su valor nutritivo. Podemos utilizarlo picado en el pesto (salsa hecha a base de albahaca, aceite de oliva y piñones) para suavizar su aroma y proporcionarle más textura, así como fitonutrientes. Puede mezclarse también picado con ajo y zumo de limón para restregar las carnes de pollo, cordero y ternera antes de su cocción. El perejil combina bien con el tomate en sopas y salsas y acompaña de maravilla casi todos los platos, incluyendo las ensaladas, las verduras salteadas y el pescado asado.

El romero

En la Edad Media, su aparente virtud de reforzar la memoria convirtió el romero en el símbolo de la fidelidad. Considerada la «planta del recuerdo», se utilizaba de forma simbólica en la confección de vestidos, elementos decorativos y regalos en bodas. Durante el Renacimiento, se usaba el aceite de romero para elaborar un producto cosmético muy popular denominado *agua de la reina de Hungría.*

Virtudes del romero

Con el paso de los años, el romero se convirtió en un remedio popular para la digestión, para reducir los espasmos en la dismenorrea (menstruación dolorosa) y para aliviar los problemas respiratorios. Actualmente sabemos que los fitonutrientes del romero estimulan el sistema inmunitario, activan la circulación de la sangre, relajan los músculos de la tráquea y de los intestinos, protegen y estimulan el hígado, inhiben la actividad tumoral, facilitan la digestión y ayudan a disminuir la gravedad de los ataques de asma.

Además, confirmando la sabiduría demostrada por nuestros antepasados, las investigaciones han demostrado que el romero estimulaba la circulación en la cabeza y el cerebro y mejoraba así la concentración y la memoria.

Los efectos de los principales fitonutrientes del romero —en especial los derivados del ácido cafeico, como el ácido rosmarínico— podrían aliviar también los dolores vinculados a dolencias espasmódicas, como los de las úlceras pépticas, las enfermedades inflamatorias, la arteriosclerosis, la cardiopatía isquémica, las cataratas y algunos cánceres. Encontramos también el ácido rosmarínico en cantidades importantes en el toronjil, la menta, la mejorana y la salvia.

Consejos culinarios

El aroma embriagador, pináceo, del romero convierte a esta planta aromática en el aderezo perfecto para las carnes asadas, en especial el cordero. Puede añadirse también romero fresco a las tortillas de todo tipo o utilizarlo para aromatizar la carne de pollo, las salsas de tomate y las sopas.

MÁS EXQUISITECES ESPECIADAS

Comino. Sabemos que el comino se utilizaba en tiempos antiguos, pues los arqueólogos han encontrados sus semillas en las pirámides egipcias. Los griegos y los romanos lo utilizaban por sus virtudes medicinales, pero también como cosmético, para aclarar el cutis. En la misma época, el comino se convirtió en el símbolo de la avaricia. En efecto, al emperador Marco Aurelio (famoso por su avaricia) le llamaban *Cuminus* a sus espaldas.

Eneldo. Durante miles de años se utilizó la infusión de eneldo para combatir el insomnio y conseguir un sueño reparador. En la Europa medieval formaba parte de los filtros de amor y se usaba como protección contra los maleficios (se llevaba una bolsita con eneldo seco junto al corazón como protección contra la brujería). Un poema épico del siglo XVII escrito por Michael Drayton y titulado *Nymphidia* alude justamente al eneldo diciendo que el eneldo: «bloquea la voluntad de las brujas».

Fenogreco. Su nombre latino significa «heno griego»; la planta seca tiene un olor parecido al del heno en paca.

La salvia: sus virtudes

Al igual que su primo hermano el romero, la salvia contiene una gran variedad de aceites esenciales, flavonoides, enzimas antioxidantes y ácidos fenólicos, entre los que cabe citar el ácido rosmarínico, presente también en el romero y en otras plantas aromáticas que utilizamos en la cocina. El ácido rosmarínico, conocido por sus efectos antioxidantes, frena la inflamación al reducir la producción de péptidos inflamatorios, como el leucotrieno B4. Así pues, la salvia podría aliviar las enfermedades inflamatorias, como la artritis reumatoide, el asma bronquial, la diabetes y las arteriosclerosis.

Y como el romero, la salvia mejora la memoria y la concentración. En efecto, la raíz seca de la salvia china *(Salvia miltiorrhiza)* se ha utilizado desde hace siglos para el tratamiento de las disfunciones cerebrales, no sin razón, ya que las investigaciones modernas demuestran que contiene unos fitonutrientes que se asemejan al inhibidor del acetil-colina esterasa sintético que se utiliza para el tratamientos del Alzheimer.

Consejos culinarios

Como el romero, la salvia desprende un agradable aroma que recuerda el del pino. Es corriente en los rellenos de las aves y se ha usado desde hace mucho en la fabricación de salchichas, para conservar su carne fresca. La tradición considera la salvia como una planta «purificadora» —los indios americanos queman ramilletes de salvia para purificar los espacios sagrados— y se ha utilizado siempre como ingrediente para los enjuagues bucales.

La albahaca

Una de las plantas más populares en América y sin embargo hace treinta años apenas se conocía fuera de Europa. Hoy en día, gracias al perfeccionamiento de las técnicas de deshidratación y transporte encontramos albahaca prácticamente en todas partes.

Las virtudes de la albahaca

Los flavonoides de la albahaca protegen las estructuras celulares y los cromosomas contra las radiaciones y los radicales libres. La albahaca frena el crecimiento de las bacterias perjudiciales, gracias a sus aceites esenciales aromáticos. La albahaca inhibe el crecimiento de las bacterias que se propagan por medio de los alimentos —algunas de las cuales se han hecho resistentes a los antibióticos corrientes—, como la *Listeria*, el *Staphylococcus* y la *E. Coli*. Si se limpian los productos con una solución que contenga un 1 % de aceite esencial de albahaca o tomillo se eliminan prácticamente los riesgos de ataque de la peligrosa bacteria *Shigella*. Si añadimos tomillo o albahaca a las vinagretas realzaremos su sabor y al mismo tiempo aseguraremos que podemos tomarlas sin riesgo para la salud. El aceite esencial de albahaca, el eugenol, bloquea las enzimas inflamatorias ciclooxigenasas (COX), las mismas que bloquean los medicamentos antiinflamatorios no esteroides, como la aspirina y el ibuprofeno. Esto significa que las propiedades antienvejecimiento de la albahaca podrían aliviar también los síntomas relacionados con distintos problemas inflamatorios, como la artritis reumatoide, la diabetes o las inflamaciones intestinales.

La albahaca es buena también para el corazón. Contiene un alto índice de betacaroteno, substancia que protege las paredes de los vasos sanguíneos contra los daños de los radicales libres y ayuda a evitar que oxide el colesterol en la sangre, con lo que se inhibe el desarrollo de la arteriosclerosis y se reduce el riesgo de ataques al corazón y apoplejía. Como buena fuente vitamina B_6, la albahaca podría ayudar a reducir los niveles de homocisteína en la sangre, algo muy importante, pues un exceso podría perjudicar las paredes de los vasos sanguíneos. La albahaca, por otra parte, es una buena fuente de magnesio, mineral que distiende los vasos sanguíneos, mejora la circulación de la sangre y reduce el riesgo de arritmia cardíaca o de espasmos.

Consejos culinarios

La albahaca resulta deliciosa en platos de pollo, pescado, pasta, estofados, ensaladas y verduras. La añadiremos diez minutos antes de apartar la comida del fuego, pues éste podría disipar su pronunciado y rico aroma. Siempre que sea posible añadiremos albahaca fresca a las ensaladas, donde combina a la perfección con el tomate.

AÚN MÁS EXQUISITECES ESPECIADAS

Ajo. Apreciado desde tiempos inmemoriales por sus propiedades curativas. Quienes construían las pirámides egipcias tomaban ajo todos los días para conservar la salud. En Francia, se ha llamado al ajo la *thériaque des pauvres,* es decir la «tríaca de los pobres», en alusión a una mezcla medicinal de la Edad Media a la que sólo accedían los ricos. Los pobres tenían que conformarse con el ajo. Y, ¡cómo no!, el ajo es el arma ideal en la lucha contra los vampiros. Los rumanos frotaban con ajo las puertas y las ventanas de sus casas y lo tomaban todos los días para protegerse. Incluso colocaban ajo en la boca de los muertos para evitar que los malos espíritus penetraran en el cadáver.

Orégano. Si bien en Europa se ha utilizado durante siglos, esta planta era prácticamente desconocida en Estados Unidos hasta el fin de la Segunda Guerra Mundial. Hizo su aparición allí con la llegada de la pizza. Ésta, al principio, se consideraba una comida para pobres, pues era poco más que un pedazo de pan con un poco de tomate encima. En 1889, cuando el rey Humberto y la reina Margarita de Italia se desplazaron a Nápoles, un panadero añadió queso mozarella y hojas frescas de albahaca a la salsa de tomate que cubría aquel pan y con ello consiguió un plato con los colores de la bandera italiana. El preparado se popularizó con el nombre de pizza Margarita y al cabo de poco había viajado por todo el mundo. Hoy en día, la pizza no suele llevar albahaca, pero sí orégano. Por razones obvias, la pizza no es un plato que yo recomiende en la dieta cotidiana, aunque un pedazo de vez en cuando resulta delicioso.

UN POCO DE PICANTE EN LA VIDA: LOS ALIADOS CONTRA EL ENVEJECIMIENTO QUE VIENEN DE LAS INDIAS

Todos estudiamos en la escuela las exploraciones y vimos que la demanda de especias fue el motor que impulsó los viajes épicos de los héroes de aquella época. En la Edad Media, los europeos se habían marcado el objetivo de apropiarse de las reservas de pimienta, nuez moscada, canela, clavo y otras especias, tanto para añadir aroma a unos alimentos insulsos, como para conservarlos en las oscuras épocas anteriores al establecimiento de los mercados de hielo y la refrigeración eléctrica.

Los mercaderes árabes fueron los primeros en introducir todo tipo de especias exóticas procedentes de Asia en el mercado europeo, donde esos tesoros culinarios se pagaban a precio de oro. A pesar de que Colón y otros exploradores no despreciaron nunca la idea de la búsqueda del oro en tierras desconocidas, básicamente pretendieron establecer vínculos comerciales directos con los proveedores asiáticos de estas preciadas especias.

En cuanto las técnicas de navegación se lo permitieron, los navegantes europeos pusieron rumbo a la India, a Java y Sumatra, decididos a cortar de una vez por todas con los intermediarios y quedarse así los beneficios. En aquella época, las especias asiáticas valían realmente su peso en oro y eso es lo que recibían los valerosos capitanes que conseguían llevarlas a su patria.

Actualmente, muchas de las especias resultan económicas. De todos modos, siguen siendo tan preciosas como en la época de los exploradores, pero por unas razones muy distintas: por sus propiedades antienvejecimiento y preventivas. La mayor parte de especias relacionadas con el curri —o las que usamos para dar un toque de sabor al zumo de manzana o al pastel de calabaza— no se limitan a añadir sabor o picante a los alimentos.

Nuestros antepasados sabían que las especias ayudaban a conservar los alimentos. Lo que no comprendían era el cómo y el porqué. El clavo, la canela, la cúrcuma, el cardamomo, el fenogreco, la mostaza, la nuez moscada, el regaliz y el jengibre conservan los alimentos porque son ricos en antoxidantes.

Pese a que existen miles de especias en el mundo, vamos a dedicar el resto del capítulo a dos de ellas, que tienen mucho en común —el jengibre y la cúrcuma— y nos ofrecen efectos antioxidantes y antiinflamatorios, sobre todo cuando las utilizamos en la cocina frescas.

Estas dos importantes y curativas plantas pertenecen a la misma familia (las zingiberáceas) a la que también pertenece el «jengibre tailandés» o galanga, que posee los mismos compuestos activos. La parte de la cúrcuma y del jengibre que se utiliza en la cocina y en medicina, lo que se llaman raíces, son en realidad los rizomas, es decir, la raíz tuberosa de las plantas que florecen. Lo que sigue aclarará porque insisto en que mis pacientes preparen sus menús con importantes cantidades de cúrcuma y jengibre.

EL JENGIBRE: LA RAÍZ DE LA SALUD

Muchos asocian el jengibre sólo al ginger-ale, al pan de jengibre o las galletas de jengibre que tomaron de pequeños. En aquella época nadie se daba cuenta de que se trataba de un poderoso remedio contra el envejecimiento, de un alimento muy eficaz contra la inflamación, con importantes virtudes, sin efectos secundarios y una larga tradición curativa en todo el mundo oriental. Como suele ocurrir, la investigación sobre sus virtudes y propiedades es limitada y se ha extendido poco entre los científicos occidentales y el gran público, a pesar de que, todo hay que decirlo, la situación está cambiando con rapidez. Es una lástima, pero las virtudes de un gran número de alimentos que consumimos a menudo parece no interesar al sector farmacéutico, que opta por concentrarse en las versiones sintéticas de estos compuestos vegetales para sacarlas al mercado en forma de medicamentos patentados y obtener de ellos pingües beneficios. Por desgracia, este planteamiento deja a un lado los efectos sinergéticos y acumulativos de un gran número de fitonutrientes que contienen las plantas y las especias, que en general funcionan mejor —y de forma más segura— combinadas que en solitario.

El jengibre posee muchísimas propiedades medicinales. Tiene una larga tradición —demostrada ahora clínicamente— como remedio contra el mareo, tanto en viajes como el matutino. A pesar de ello, todo el mundo sigue comprando productos farmacéuticos contra las náuseas, con sus efectos secundarios adversos, cuando estos medicamentos no han demostrado más efectividad que el jengibre. Esta raíz facilita enormemente la digestión de las proteínas, gracias a una enzima denominada zingibaína, con igual poder digestivo que el de la papaína, enzima de la papaya, que encontramos en la mayor parte de ablandadores de la carne. Según el investigador Paul Schulik, autor de *Ginger: Common Spice & Wonder Drug*, la raíz del jengibre es tan rica en zingibaína que un gramo de esta enzima equivale al poder digestivo de 180 g de papaya, y a diferencia de ésta, el jengibre presenta un índice glicémico más bajo. La zingibaína disuelve asimismo los complejos inmunes que precipitan los síntomas de la artritis reumatoide.

El jengibre resulta tan eficaz como los medicamentos antiinflamatorios no esteroides, como la aspirina, y no provoca efectos secundarios. De hecho, el jengibre es una mina de propiedades en el campo de la prevención, capaces de desbaratar los procesos inflamatorios de distintas formas.

¿Cómo consumir el jengibre?

Además de utilizarlo fresco en las recetas de cocina, en el té o en las frutas o verduras licuadas, podemos tomar jengibre como suplemento alimentario. Veamos las ventajas y los inconvenientes de cada una de estas formas:

- El jengibre fresco contiene más gingerol, compuesto antiinflamatorio que se encuentra en el rizoma, que el seco. En pruebas de sabor, se ha demostrado que puede detectarse el jengibre fresco en diluciones tan reducidas como una parte por treinta y cinco mil, mientras que el jengibre seco no puede detectarse hasta que no llega a la cifra de una parte por mil quinientos o dos mil.
- Los extractos de jengibre —que podemos encontrar en frascos para gotas o en cápsulas— contienen un concentrado de constituyentes activos del jengibre. Si bien yo preferiría el jengibre fresco, dichos extractos constituyen una alternativa cómoda y práctica cuando se desean obtener sus compuestos activos en cantidades considerables sin tener que comer el mismo volumen de este rizoma. En los extractos pueden encontrarse pequeñas cantidades de alcohol, ya que éste se usa para extraer los principios activos del jengibre. Un nuevo método, denominado *extracción supercrítica,* que utiliza el dióxido de carbono en lugar del alcohol, produce extractos de calidad parecida.
- El jengibre seco contiene mayores concentraciones de shogaol, un compuesto analgésico que encontramos en el jengibre fresco. Se presenta en cápsulas que podemos encontrar en los establecimientos de alimentación sana o en las farmacias, o bien adquirir al por mayor en supermercados especializados. Intentaremos comprar jengibre ecológico para minimizar la absorción de residuos de pesticidas.

El jengibre: advertencia

El jengibre es un alimento tónico apreciado desde la antigüedad y prescrito en todo el mundo para el alivio de los síntomas del resfriado, los mareos en los viajes y los trastornos estomacales. Entre los alimentos y las plantas medicinales de utilización corriente, el jengibre es uno de los tres elementos sobre los que se han realizado más investigaciones, y todos los organismos regulatorios de Estados Unidos han considerado que no entrañaba peligro alguno.

En unos estudios realizados sobre la artritis, investigadores daneses manifestaron no haber hallado efectos secundarios en los participantes que habían consumido entre 3 y 50 g de jengibre al día durante dos años. Dicho esto, hay que puntualizar también que si se toman entre

1 y 2 g con el estómago vacío se nota una sensación de quemazón, aunque breve e inofensiva.

Cabe citar también que, en cantidades importantes, el jengibre aumenta el flujo menstrual. Los médicos recomiendan no sobrepasar los 2 g al día en el primer trimestre del embarazo. Debemos ser moderados y prudentes y consultar al médico antes de tomar ciertas cantidades de jengibre, sobre todo si tomamos medicamentos anticoagulantes, sufrimos alguna enfermedad o en caso de embarazo.

UN CORAZÓN SANO CON JENGIBRE Y CÚRCUMA

El jengibre y la cúrcuma ayudan a reducir el riesgo de enfermedades cardiovasculares como mínimo por cuatro vías:

1. Al frenar el desarrollo de las lesiones escleróticas, que desembocan en obstrucción e inflamación de arterias.
2. Al reducir de forma significativa los niveles de colesterol LDL, así como los daños producidos por la oxidación y las obstrucciones.
3. Al contrarrestar la tendencia de aglutinación de las plaquetas sanguíneas ante un estímulo proinflamatorio.
4. Al reducir la tensión arterial.

La cúrcuma: oro en paño

La cúrcuma es una especia india presente en el curri con una larga historia de utilización con fines medicinales contra la inflamación. Esta deliciosa especia —que confiere el conocido color amarillo dorado al polvo del curri— es prima hermana del jengibre y se ha utilizado durante siglos para dar sabor y color a los alimentos, y también para conservarlos.

Para los antiguos pueblos arios del sur de Asia, que adoraban el sol, la cúrcuma era algo muy valorado por su tono amarillo dorado que recordaba el color del astro rey. Desde tiempos inmemoriales, las indias casadas aplican cúrcuma a sus mejillas al atardecer con la esperanza de recibir la visita de Lakshmi, la diosa de la fortuna. Esta costumbre, que sigue vigente en determinadas partes de la India, es probablemente un vestigio de la antigua tradición de adorar al sol.

El color amarillo casi iridiscente de la cúrcuma se ha utilizado ampliamente para teñir algodón, seda, papel, alimentos y productos cosméticos. Esta especia, utilizada ya por los médicos ayurvédicos como tratamiento de los trastornos gastrointestinales y las dolencias inflamatorias, se emplea también en cosmética para intensificar el tono y el aspecto saludable de la piel. En la India se elaboran ungüentos a base de cúrcuma para tratar dolores articulares, contusiones y una amplia gama de problemas cutáneos, como la inflamación, las infecciones, las manchas, las heridas, el acné, los forúnculos, las quemaduras y el eccema.

La ciencia moderna descubrió la importancia de la cúrcuma al constatar sus propiedades antioxidantes, la mayoría de las cuales proceden de la curcumina, nombre que reciben los pigmentos amarillos de esta especie (polifenol), a los que los científicos denominan también curcuminoides. Pese a que constituyen tan sólo un 5 % del total en la cúrcuma en polvo, los curcuminoides le confieren buena parte de sus extraordinarias propiedades antiinflamatorias y antioxidantes.

Los atributos antioxidantes de la cúrcuma

- Los pigmentos curcuminoides de la cúrcuma son eficaces antioxidantes que no presentan riesgo alguno. En efecto, según los estudios científicos, los curcuminoides de la cúrcuma podrían evitar la oxidación de la materia grasa en la sangre con mayor eficacia que las PCO de la corteza del pino y de los extractos de las semillas de la uva, e incluso superarían al poderoso antioxidante sintético BHT.
- La cúrcuma contiene un péptido único denominado *turmerina,* substancia que neutraliza los radicales libres y resulta más eficaz que la curcumina y que el eficaz antioxidante sintético BHA.
- Los animales alimentados con curcuminoides presentan un mayor índice de enzimas glutatión-S-transferasa en la sangre, un importante antioxidante, clave en el sistema de desintoxicación del organismo.

Las virtudes antiinflamatorias de la cúrcuma

Al igual que el jengibre, la cúrcuma es un agente antiinflamatorio con menos contraindicaciones que los medicamentos no esteroides, como la aspirina y el ibuprofeno. La cúrcuma sensibiliza los puntos del organismo receptores de cortisol, y tiene unas propiedades antiinflamatorias comparables a las de las hormonas del tipo de la cortisona producidas por nuestro organismo. Es algo que tiene una importancia vital en el contexto de *La promesa de la eterna juventud*: tenemos que mantener los niveles de cortisol bajos para evitar acelerar el envejecimiento de nuestros órganos y también el de la piel.

Atributos anticancerígenos de la cúrcuma

Investigadores de la Universidad de California en San Diego afirmaron: «la curcumina tiene que considerarse como un agente quimioterápico no tóxico y fácil de utilizar para el tratamiento de cánceres colorrectales». Ensayos clínicos llevados a cabo con seres humanos han demostrado que la curcumina no es tóxica en dosis inferiores a los 10 g al día. Un gran número de estudios concluidos hasta hoy en Estados Unidos y otros países apuntan que la cúrcuma —y en especial su contenido en curcumina— posee un enorme potencial en los campos de prevención y tratamiento del cáncer.

La cúrcuma facilita también al hígado la eliminación de peligrosas toxinas cancerígenas. Un estudio reciente demostraba que la cúrcuma en los alimentos puede provocar el aumento de los niveles de dos importantes enzimas del hígado que intervienen en el proceso de eliminación de toxicidad, la UDP-glucoronil-transferasa y la glutatión-S-transferasa. Tal como indicaban los investigadores: «estos resultados sugieren que la cúrcuma podría mejorar el funcionamiento de nuestros sistemas de desintoxicación, además de poseer propiedades antioxidantes (...). Usada como especia en cantidades suficientes podría incluso mitigar los efectos de una serie de carcinógenos presentes en la alimentación».

Una precisión final en este campo: La preparación de los clásicos platos de lentejas o judías aromatizados con cúrcuma nos proporcionará una mayor protección contra el cáncer de colon, gracias a las fibras que contienen estas legumbres y a la capacidad antioxidante de la cúrcuma.

Un sistema cardiovascular sano gracias a la cúrcuma

La cúrcuma ayuda a evitar la oxidación del colesterol en la sangre, proceso que daña los vasos sanguíneos y conlleva la formación de placa, posible desencadenante de ataque al corazón o de apoplejía. Esta especia presenta también un alto contenido en vitamina B_6, que impide que se disparen los niveles de homocisteína, un importante factor de riesgo para las enfermedades cardiovasculares; al parecer, una adecuada aportación de vitamina B_6 reduce el citado riesgo.

La cúrcuma, aliada del cerebro y el sistema nervioso

Unos estudios llevados a cabo en la India demuestran que las personas mayores que han seguido dietas ricas en cúrcuma no son tan susceptibles de desarrollar enfermedades neurológicas como la de Alzheimer. Esta enfermedad se considera una afección inflamatoria, y los médicos de la Universidad de California en Los Ángeles que se centraron en las propiedades preventivas y terapéuticas de la curcumina quedaron impresionados con el descubrimiento. Como precisaron ellos mismos: «dada su eficacia y su reducida toxicidad, este componente de la especia india nos ha parecido prometedor en el campo de la prevención de la enfermedad de Alzheimer». La curcumina puede provocar una respuesta de las proteínas de impacto térmico que protege las células contra la oxidación, lo que podría ser un elemento clave en el Alzheimer.

Unos estudios preliminares apuntan también que la curcumina podría frenar el avance de la esclerosis múltiple, tal vez al reducir la producción de la proteína IL-2, que destruye la vaina de mielina que protege la mayor parte de los nervios del cuerpo. La pérdida de mielina constituye un factor clave para la esclerosis múltiple.

¿Cómo aumentar el contenido de cúrcuma en la dieta?

Una respuesta simple: disfrutar más a menudo del curri, puesto que las múltiples variaciones que permite esta mezcla de especias combina con la mayor parte de carnes, verduras y pescados y encima contiene unas cuantas especias extraordinarias para la salud. Una vez dicho esto, hay que tener en cuenta unos detalles en lo que concierne al consumo de cúrcuma:

- Si bien las mezclas de curri comerciales contienen menores cantidades de componentes activos, su uso frecuente puede reportarnos ventajas significativas. Las pastas de curri comercializadas suelen contener una mayor cantidad de componentes activos, pero algunas presentan altos índices en grasas y calorías, por lo que hay que leer las etiquetas. También podemos preparar nuestra propia mezcla para la elaboración del curri, variando los ingredientes siguiendo las preferencias de nuestro paladar. Guardaremos la mezcla en el congelador para proteger los aceites volátiles. En los establecimientos de alimentación natural encontraremos probablemente polvo de cúrcuma puro.

- A diferencia del jengibre, la cúrcuma fresca normalmente sólo se encuentra en los mercados del sureste asiático y de la India. Pero al igual que el jengibre fresco, la cúrcuma fresca contiene más elementos activos que su raíz seca. Hay que ir con cuidado al manipularla, pues puede mancharnos las manos y la ropa. Y también como en el caso del jengibre, además de usar esta substancia generosamente para aromatizar sopas, estofados y legumbres, recomiendo tomar sus extractos —ya lleven alcohol o dióxido de carbono supercrítico— para una mayor eficacia y comodidad.

LOS COMPAÑEROS DE LA CÚRCUMA

Entre los componentes del curri, sin duda la cúrcuma es el rey de los antioxidantes, pero no es la única especia valiosa que contiene este clásico condimento, ni tampoco nuestra despensa. En la mayoría de curris se incluye cardamomo, cúrcuma, fenogreco, comino y pimentón picante, pero algunos contienen además otras especias, como el jengibre, el clavo, la nuez moscada, el cilantro, la mostaza, el ajo, el hinojo y la pimienta negra.

Echemos un rápido vistazo a algunas de las especias corrientes y a sus sorprendentes virtudes.

Pimienta negra

- En cuanto notamos el sabor de la pimienta negra, en nuestro estómago se produce un aumento de la secreción del ácido clorhídrico, lo que facilita la digestión y en especial la de las proteínas. Por ello la tradición médica popular considera que la pimienta negra es un carminativo, una substancia que ayuda a evitar los gases.

- La pimienta negra presenta importantes efectos antibacterianos.
- El envoltorio externo de los granos de pimienta estimula la descomposición de las células grasas.
- La pimienta negra contiene un fenol denominado *piperina,* importante agente antioxidante y antiinflamatorio que facilita la absorción de una serie de vitaminas, minerales, antioxidantes y aminoácidos.
- Ciertos estudios han demostrado que la pimienta inhibe el desarrollo de los tumores sólidos.

Cardamomo

El cardamomo, denominado a veces *granos del paraíso,* es una planta aromática, de sabor acre, cuya utilización se remonta al siglo VIII en la India. Los estudios realizados en laboratorio demuestran que la actividad del cardamomo es superior a la de la vitamina E y de la vitamina C. Esta deliciosa y fragante vaina nos proporciona una extraordinaria protección antioxidante.

Canela

La historia de la canela como especia y remedio se remonta al antiguo Egipto y es mencionada en la Biblia. Una corteza de árbol aromática que se convirtió en una de las primeras mercancías que fueron objeto de comercio entre Próximo Oriente y Europa. La canela de Ceilán, cultivada ahora casi en todo el mundo, es la mejor variedad.

- La canela estimula los receptores de insulina y aumenta la capacidad de las células para la absorción de la glucosa. Así pues, puede resultar una ayuda significativa para las personas que han contraído la diabetes de adultos, ya que puede normalizar sus niveles de azúcar en la sangre. Efectivamente, menos de media cucharadita de canela al día reduce de manera importante los niveles de azúcar en la sangre en las personas que han contraído la enfermedad de adultas. Un solo gramo de canela al día (aproximadamente entre una cuarta parte y media cucharadita) provoca un descenso del 20 % en el nivel de azúcar en la sangre, al tiempo que reduce los niveles de colesterol y triglicéridos. Es algo de suma importancia para los seguidores de *La promesa de la eterna juventud*, ya que uno de los factores clave para frenar las señales del envejecimiento en el rostro y el cuerpo es la

regulación del azúcar en la sangre. Al parecer, el simple hecho de agitar una rama de canela en el té o la infusión nos proporcionará un descenso de los niveles de azúcar en la sangre.
- La canela ayuda a reducir la inflamación.
- Los aceites esenciales de canela contribuyen a detener el crecimiento de bacterias y hongos.
- Una prueba en la que se comparaba la canela con el anís, el jengibre, el regaliz, la menta, la nuez moscada, la vainilla y los conservantes alimenticios sintéticos BHA y BHT demostró que la canela evitaba la oxidación de una forma más eficaz que las otras substancias, a excepción de la menta.
- El perfume de la canela intensifica las funciones cognitivas del cerebro, como la atención, la memoria y las reacciones visuales y motrices.
- La canela es un elemento muy apreciado en la medicina tradicional china y ayurvédica por sus virtudes reconfortantes, y se utiliza también para aliviar los síntomas de resfriados y gripes. Cuando tengamos la sensación de que se avecina una infección, preparemos una infusión con corteza de canela y jengibre fresco.

Semillas de cilantro
En Europa se utilizaba tradicionalmente el cilantro como tratamiento contra la diabetes; en la medicina tradicional ayurvédica es apreciado por sus virtudes antiinflamatorias. Las investigaciones actuales han corroborado estas creencias e indican que el cilantro puede reducir los niveles del colesterol total y del LDL (malo) en la sangre y provocar al mismo tiempo un aumento de los niveles de HDL (colesterol bueno). El cilantro es rico en fitonutrientes, entre los que cabe citar los flavonoides y ácidos fenólicos.

Comino
Las investigaciones indican que las semillas de comino poseen importantes propiedades antioxidantes, antiinflamatorias, anticancerígenas, analgésicas y antimicrobianas. El comino y el aceite de comino estimulan un aumento del índice de glutatión en el organismo, aumentan la circulación de la sangre y ayudan al hígado a sintetizar compuestos importantes, al tiempo que mejoran la circulación de la bilis. El aceite de

LAS ESPECIAS DE LA VIDA

comino, un antiséptico de gran eficacia, evita la formación de toxinas micótidas y resulta definitivo contra parásitos, bacterias y hongos. Un estudio reciente determinaba que los aceites esenciales de las semillas de comino negro podían considerarse como un importante remedio analgésico y antiinflamatorio.

Fenogreco

Esta fibrosa semilla que encontramos en la mezcla del curri constituye un tratamiento ayurvédico tradicional contra la diabetes y la obesidad. Las investigaciones confirman que estabiliza el azúcar de la sangre de forma tan eficaz como el medicamento glibenclamida, reduce los niveles de lípidos en la sangre y, en pruebas realizadas con animales que padecían diabetes, ha demostrado poseer unas importantes propiedades antioxidantes y antiinflamatorias. Tiene asimismo propiedades anticancerígenas y antimicrobianas.

Un estudio reciente demostraba que un aminoácido presente en las semillas de fenogreco (4-hidroxisoleucina) podría reducir la resistencia a la insulina —un marcador de riesgo y uno de los primeros signos de la diabetes— señalando con rapidez la presencia de insulina en los tejidos periféricos y en el hígado. Además, este aminoácido mejora la sensibilidad respecto a la insulina, un importantísimo efecto terapéutico en el tratamiento de la diabetes y para aquéllos que siguen un régimen antienvejecimiento. El fenogreco posee asimismo capacidad antiglicación, algo muy importante para evitar la formación de arrugas.

Si uno reflexiona se da cuenta de que nosotros, los seres humanos, tenemos más suerte que muchas otras especies animales. No estamos obligados a tomar los mismos alimentos un día tras otro. Con la combinación del arco iris de los alimentos, los superalimentos, las plantas aromáticas y las especias tenemos millones de posibilidades de variar nuestros menús. Y hemos encontrado también la forma de suministrar a nuestro organismo los nutrientes que no obtenemos o no podemos obtener de los alimentos que ingerimos. En el capítulo siguiente conoceremos los polisacáridos, una nueva y emocionante forma de aumentar los niveles de energía de dentro hacia fuera.

Segunda etapa

Los suplementos

6. Aumentemos la producción en nuestra fábrica de energía

EL GRAN PODER DE LOS POLISACÁRIDOS

Espero morir antes de tener que envejecer.

THE WHO, «My Generation»

De haber sabido que viviría tanto, me habría cuidado más.

EUBIE BLAKE
(leyenda del jazz, el día en que cumplía noventa años)

Afortunadamente para Pete Townshend, del grupo The Who, quien escribió estas memorables palabras en 1965, su deseo no se hizo realidad. En efecto, Pete y algunos de los miembros fundadores del grupo (al igual que otra banda de esta época, de la que hablaremos más adelante en el caso de Rick) siguen gozando de vigor.

La historia de Eubie Blake es aún más sorprendente. Nació en 1883, cosechó grandes éxitos en la década de 1920 como estrella del jazz y del ragtime y durante la Segunda Guerra Mundial organizó giras con su banda por las bases militares estadounidenses. Empezó a estudiar composición musical en 1946 y obtuvo su diploma de la Universidad de Nueva York. Si bien permaneció inactivo durante gran parte de los cincuenta, hizo alguna aparición en conciertos de ragtime.

El músico cayó en el olvido hasta 1969, cuando, a los ochenta y seis años, grabó un álbum doble titulado *The Eighty-Six Years of Eubie Blake*.

Su popularidad subió como la espuma y recibió de nuevo invitaciones para participar en festivales de jazz y conciertos. También dio conferencias en una serie de universidades de todo Estados Unidos. En 1972, fundó su propia compañía discográfica y en 1981 recibió la medalla presidencial de la Libertad.

Eubie siguió dando conciertos hasta los noventa y ocho años. Murió el 12 de febrero de 1983 en Nueva York a los cien años (y cinco días).

Sin la bola de cristal que nos lleve al futuro, no tenemos idea de lo que va a depararnos el destino. ¿Estaremos actuando en un concierto en el Madison Square Garden cuando cumplamos cincuenta y nueve, ante una multitud de fans que no tendrán ni la mitad de nuestra edad? O tal vez, al igual que Eubie, ¿crearemos nuestra propia firma discográfica a los noventa? Realmente la realidad supera la ficción.

Como médico, lo que sí deseo yo es que el lector mantenga la salud y la vitalidad independientemente de la edad que tenga. Y como dermatólogo, quisiera asegurar que conserva el máximo tiempo posible la tez radiante y la piel saludable de su juventud.

Estos tres últimos capítulos tienen como objetivo presentar los alimentos con las mejores propiedades antioxidantes y antiinflamatorias para asegurar la longevidad y la vitalidad.

MEJOREMOS NUESTRO RENDIMIENTO ENERGÉTICO ACUDIENDO A LA FUENTE

Si deseamos mejorar la calidad del carburante que produce nuestro cuerpo, tenemos que empezar por la fuente, el lugar en el que los alimentos que ingerimos se convierten en energía. Esta conversión es posible gracias a unas minúsculas estructuras llamadas *mitocondrias,* que se encuentran en el interior de nuestras células.

Precisamente por esto me emocionó tanto constatar, en el curso de mis investigaciones, que unos científicos de Estados Unidos y Asia habían descubierto un nuevo tipo de polisacáridos (cadenas de moléculas de glucosa) que producen unos efectos espectaculares en la mmejora de la eficacia y la integridad de las mitocondrias. Es algo que tiene una importancia capital, pues el mal funcionamiento de las mitocondrias provoca un gran número de enfermedades y también acelera el proceso del envejecimiento.

Sin mitocondrias saludables, el organismo envejece con rapidez y queda terriblemente desprotegido ante el ataque de las enfermedades. Un artículo clave publicado en 2004 en la prestigiosa revista científica *Nature*, por ejemplo, demostraba que unos pequeños defectos genéticos en las mitocondrias bastaban para desencadenar todas los síntomas del envejecimiento en los roedores. Los trabajos de los mejores investigadores en este campo precisan que un plegamiento de las proteínas celulares —disfunción relacionada con la salud de las mitocondrias— podría ser el causante de más de la mitad de las enfermedades, y en particular de la de Alzheimer.

El descubrimiento de estos importantes polisacáridos me abrió nuevos campos para la exploración en mi búsqueda de los alimentos, suplementos y cosméticos ideales para conservar la salud del organismo y de la piel. Inicié un estudio detenido sobre la interacción entre estos polisacáridos, los péptidos, los neuropéptidos y los ácidos grasos esenciales (AGE) a fin de comprobar si conseguían la mejora de la piel y de la salud en sentido global.

Esto me llevó a la creación de una bebida energética de gran poder nutritivo que contienen todos los elementos antes citados, una fórmula a la que bauticé como PEP (Peptide Functional Food).

UN POCO DE PEP EN NUESTRA VIDA PARA DAR UN IMPULSO A LAS CÉLULAS

Al empezar el día con una cucharadita de PEP diluido en doscientos mililitros de agua, que es lo que recomiendo por otra parte en el Programa Perricone de 28 días, mejoramos la calidad y la cantidad de energía producida en nuestras células. Que nadie se inquiete, pues la fórmula PEP no es algo grumoso o turbio como algunas bebidas en polvo ricas en fibras. Al contrario, incluso tiene un sabor agradable, con un aroma a frutos secos. A fin de crear un alimento que va a ejercer el mayor de los efectos, hay que combinar alimentos vegetales complementarios. Estoy convencido de que obtendremos las máximas ventajas si juntamos cuatro grupos de nutrientes:

1. *Lignanos a partir de las cáscaras de las semillas de lino.* Se ha demostrado que estas fibras fitoestrogénicas poseen capacidad para

controlar los índices de azúcar en la sangre y los de insulina y que ayudan a reducir el riesgo de padecer diabetes, determinados cánceres dependientes de las hormonas, como el de mama y el de próstata, y enfermedades cardiovasculares. Los lignanos del lino contribuyen también en la mejora de la salud gastrointestinal, al favorecer la absorción y la eliminación de los alimentos y parecen mejorar asimismo la capacidad antioxidante y energética de las mitocondrias de las células.

2. *Aminoácidos y polipéptidos.* El PEP es un alimento funcional que contiene los ocho aminoácidos esenciales que necesitamos para la producción de proteínas en el tejido conjuntivo del organismo (incluidos el colágeno y la elastina de la piel), además de otros diez, seleccionados por sus efectos sobre la capacidad de producción de energía de las células.

   Constituyen también la materia prima de todos los procesos enzimáticos, entre los que se incluyen los que proporcionan fuerza y elasticidad al colágeno.

3. *Vitaminas y minerales.* Nutrientes esenciales escogidos por sus efectos en los sistemas antioxidantes y reparadores de los tejidos corporales.

4. *Fibras alimenticias.* Una selección de fibras solubles e insolubles que ayudan a controlar el nivel de azúcar en la sangre y facilitan la digestión.

Esta combinación de nutrientes nos permite dar un «impulso» a las células, a fin de que puedan funcionar en su máxima capacidad durante el día cuando más lo necesitamos.

Notaremos una gran inyección de energía (algo mucho más sano) con la fórmula PEP que con el típico café matutino. Veo aún lejos el día en que podamos acercarnos al bar de la esquina y pedir un vaso de «polisacáridos», pero quien quiera obtener esta energía adicional para empezar el día será mejor que se tome una cucharadita de PEP disuelta en 250 ml de agua que un café atiborrado de cafeína. De entrada, el café es ácido y nos deshidrata la piel.

Peor aún, se ha demostrado que el consumo de café provoca el aumento de los niveles de cortisol, la hormona del estrés, frena la circulación de la sangre hacia el cerebro, afecta al sistema inmunitario e incremente la tensión sanguínea y los niveles de insulina. Para empezar el día de forma sana, nada mejor que un vaso de PEP seguido de un té verde.

LA POTENCIA DEL PEP

Considero la fórmula PEP como un alimento funcional superior, expresión que utiliza el Institute of Medicine de EE. UU. para definir «aquellos alimentos que contienen productos que pueden resultar sanos, incluyendo cualquier alimento o ingrediente modificado que aporte unos beneficios a la salud superiores a los que ofrecen los nutrientes tradicionales».

Además, al tratarse de un alimento, sus efectos son fisiológicos, es decir, la fórmula PEP trabaja al unísono con el organismo para nutrir y reparar sus tejidos. Esto significa que el organismo no tiene necesidad de recibir constantemente grandes cantidades de PEP para disfrutar de sus virtudes a largo plazo. Más bien podríamos afirmar lo contrario. Al cabo de uno o dos meses podemos reducir la ingestión a la mitad y obtener los mismos resultados.

He aquí algunos de los más importantes que nos proporciona la fórmula PEP:

- Aumento de la energía física y mental.
- Aumento de la circulación en músculos, corazón, cerebro y otros órganos.
- Una piel más suave, luminosa y flexible.
- Aumento de la producción de antioxidantes para una mejor protección contra los daños producidos por la oxidación y los radicales libres en todas las células corporales.
- Reducción de la inflamación en todo el cuerpo.
- Aumento de la producción de fibroblastos, las células que crean tejidos en el ámbito de la piel y otros.
- Aumento de la absorción de la glucosa por parte de las células, lo que entraña una reducción de la hiperinsulinemia (exceso de insulina) y la disfunción metabólica común denominada *síndrome X,* que lleva a la inflamación, a la diabetes y a las enfermedades cardíacas.

EL CASO DE RICK: LA SALVACIÓN DE UN ÍDOLO DEL ROCK ATACADO POR LA ANSIEDAD

Como persona que llegó a la mayoría de edad a finales de los sesenta, estoy convencido de que durante estos turbulentos años se creó la mejor música popular. En efecto, hoy en día sigue escuchándose buena parte de esta música y muchos grupos de los años sesenta agotan todas las localidades en sus conciertos. He de admitir que sentí una profunda emoción cuando acudió a mí uno de los más famosos rockeros de mi generación.

—Necesito ayuda, doctor Perricone —me dijo Rick (¡no es su nombre verdadero!) sin preámbulos—. Me espera una gira, todas las entradas están vendidas, y mi energía se diría que está por los suelos. Es cierto que una vez subes al escenario, la adrenalina toma el relevo —y alguna otra substancia estimulante, pensé yo—, pero tengo que prepararme mucho para todo lo que implica una gira de este tipo.

Rick pasaba mucho tiempo en el Caribe, donde había adquirido una villa de ensueño, como no podía ser de otra forma para un ídolo mundial del rock. Me contó que cuando no estaba tumbado junto a la piscina, navegaba con su velero. Por consiguiente, tenía la piel muy dañada por el sol. En realidad, se veía bastante arrugada. Si bien había abandonado una serie de malas costumbres de su juventud, entre ellas la de fumar un cigarrillo tras otro, tampoco llevaba una vida de santo, y los años de marcha a tope le estaban pasando factura.

En lo referente a las mujeres, podía decirse que Rick era algo así como una leyenda, y en aquellos momentos salía con una modelo muy joven, motivo de más para plantearse un programa de rejuvenecimiento.

—Entonces, ¿qué, doctor, por dónde empiezo? —me preguntó—. ¿Para cuándo lo del bisturí?

—Ésta no es una solución para ti —le dije—. Vamos a abordarlo de una forma «natural». —Rick era también un niño de los sesenta, así que pensé que el planteamiento holístico iba a atraerle—. Empezaremos de entrada con un régimen antinflamatorio y un programa a base de suplementos nutricionales, también antiinflamatorios, que te echarán una mano en la recuperación de la energía y la resistencia. Seguidamente emprenderemos la parte más curiosa del proceso de rejuvenecimiento, en la que vamos a incluir unas substancias geniales que se llaman neuropéptidos —le expliqué. Había decidido también hacerle llegar una cajita de salmón de Alaska, por ser la piedra angular de mi programa antiinflamatorio. Le indiqué que tomara salmón cuatro o cinco veces por semana, que era algo incomparable para el rejuvenecimiento, tanto de la piel como del cerebro.

Sabía que Rick iba a plantearme uno de los mayores desafíos de mi carrera. Tenía que asegurar que los nutrientes de los alimentos y suplementos que le recomendara fueran en realidad biodisponibles, es decir, que su cuerpo pudiera digerirlos y absorberlos de forma adecuada. Tenía intención de mandarle tomar el alimento funcional a base de PEP que acababa de crear en forma de polvos para preparar una bebida.

Al elaborar una bebida a base de PEP mi objetivo era obtener una substancia rica en nutrientes, muy concentrada, que trabajara en sinergia con el programa de 28 días, a fin de sacar el máximo partido de sus virtudes antienvejecimiento. Con la introducción de la alimentación basada en los polisacáridos —como la fórmula PEP— proporcionamos a las mitocondrias de las células un carburante eficaz y al alcance. Rick era el candidato ideal para demostrar su efectividad. Y el proyecto le entusiasmó.

Antes de seguir con el caso de Rick, tal vez debería explicar que la fórmula PEP funciona básicamente proporcionando al cuerpo unos polisacáridos únicos denominados alfa glucanos, que ayudan a estimular la producción de energía en nuestras células y a reparar la piel, a renovarse y a revitalizarse. Las vitaminas, los minerales y los aminoácidos presentes en la fórmula PEP ayudan directamente a la piel, facilitándole la síntesis del colágeno estructural y de la elastina, y protegiéndola contra los radicales libres y de los daños de los rayos UV. Por su parte, los ácidos grasos esenciales nutren la piel y ayudan a mantenerla hidratada y suave como la seda.

Aparte del alimento PEP, recomendé a Rick que tomara unos suplementos a base de de péptidos tímicos, dentro de un programa completo de suplementos y productos neuropéptidos tópicos. Le hablé de mi programa en tres etapas y le sugerí que empezara por un suero facial con neuropéptidos, a fin de saturar su piel con una mezcla de neuropéptidos y DMAE. Con ello, su piel iba a recibir todos los beneficios de este conformador facial de neuropéptidos. A causa de sus arrugas, le recomendé que lo utilizara mañana y noche, aunque la mayoría tiene bastante con una sola aplicación al día. Como último detalle, le aconsejé efectuar masajes en el rostro y el cuello con la crema de contorno a base de neuropéptidos, a fin de solucionar la falta de tersura en la piel.

Cuatro semanas más tarde recibí dos entradas para el primer concierto de la gira en el Madison Square Garden, así como un par de pases para los camerinos. Después de un instante de nostalgia ante la idea de lo que hubieran representado aquellas dos entradas para mi carrera unas décadas antes, puse la fecha en mi agenda.

El día del concierto amaneció claro y luminoso, y mientras me desplazaba en coche a la ciudad me di cuenta de lo impaciente que estaba por llegar al espectáculo. Sin embargo, nada me había preparado para lo que vieron mis ojos tres horas después. Rick y su grupo actuaron con el dinamismo y la energía de unos muchachos de dieciséis años, y el delirio de sus fans puso la guinda al concierto.

Me abrí paso hacia los camerinos, con la esperanza de que hubiera sido mi dieta y mis suplementos antiinflamatorios, junto con los efectos de los neuropéptidos, los responsables de la transformación de Rick. A pesar de que estaba algo cansado después del espectáculo, enseguida me di cuenta de que la nueva energía que había encontrado Rick era el resultado de mi programa de cuatro semanas. Su piel se veía radiante gracias al efecto del aumento de la circulación, estimulado por los neuropéptidos. Las arrugas y los surcos del su rostro habían perdido profundidad y la piel en general parecía más firme, suave y tersa.

—He de darle sinceramente las gracias, doctor —dijo con una gran sonrisa—. Esta historia de los péptidos tiene su miga. Tengo la impresión de ser un hombre nuevo.

En honor a la verdad he de decir que esa misma impresión había tenido yo.

El PEP contra el síndrome X

Las investigaciones demuestran que el alimento funcional a base de PEP que mandé tomar a Rick proporciona otros beneficios inesperados: ayuda a corregir el aumento de una serie de desequilibrios metabólicos que se agrupan bajo la denominación de *síndrome X,* trastorno que observamos tanto en diabéticos como en obesos o en personas que padecen enfermedades cardiovasculares. La fórmula *maitake* fracción SX, sobre la que profundizaremos más adelante en este capítulo, tiene también una gran importancia en la lucha contra el síndrome X.

Cuatro detalles nos ayudan a indentificar el síndrome X:

1. Obesidad abdominal (exceso de tejido adiposo en esta región).
2. Intolerancia a la glucosa.
3. Dislipidemia (altos niveles de triglicéridos en la sangre y bajos niveles de colesterol HDL).
4. Hipertensión.

El síndrome X está estrechamente relacionado con los trastornos en el metabolismo de la glucosa y la insulina (llamados también *resistencia a la insulina;* ver el próximo recuadro), situación que pueden mejorar de distintas formas los alimentos que contengan polisacáridos y péptidos:

- A través de sus efectos sobre los sistemas de señalización del aparato digestivo, los alfa glucanos mejoran la eficacia del proceso de producción de insulina como reacción a los azúcares y los hidratos de carbono que ingerimos. La insulina es necesaria para el transporte de la glucosa hacia las células, donde se «quema» para obtener energía.
- El síndrome X reduce la producción de deshidroepiandrosterona (DHEA) —la hormona precursora de una serie de hormonas antienvejecimiento, como la testosterona, el estrógeno y la hormona del crecimiento— hasta un 50 %. Dado que los nutrientes que contienen los alimentos PEP reducen los efectos del síndrome X, ayudan al organismo a producir toda la DHEA que necesita.
- Los alfa glucanos frena la absorción de los azúcares de la dieta, como la fibra alimenticia, un efecto que ayuda también a equilibrar el proceso de metabolización del azúcar y de la insulina.

- Los polipéptidos que contiene el alimento PEP son una importante fuente de materias primas para nuestro organismo, las necesarias para elaborar la insulina y los aminoácidos básicos para producir antioxidantes para la lucha contra el envejecimiento, como el glutatión.

LA RESISTENCIA A LA INSULINA

Tras haber dedicado décadas a la investigación sobre las causas del envejecimiento, una de mis preocupaciones ha sido una afección que se conoce con el nombre de resistencia a la insulina. La insulina es la hormona responsable de proporcionar energía, en forma de glucosa (azúcar en la sangre) a nuestras células. En el interior de la célula, la glucosa tanto puede utilizarse como carburante como almacenarse para una utilización posterior en forma de glicógeno en el hígado o en las células musculares. Cuando desarrollamos resistencia a la insulina, los niveles de ésta van en aumento, pero el azúcar de la sangre nunca llega a nuestras células. Esto significa que sigue circulando un elevado nivel de insulina y de azúcar en la sangre, lo que provoca un aumento de la glicación de las proteínas, y además los tejidos dañados generan un flujo constante de radicales libres que fomenta la inflamación y los síntomas del envejecimiento.

Un exceso de insulina en la sangre lleva también a un aumento del riesgo de sufrir diabetes. Alrededor de una tercera parte de las personas que desarrollan resistencia a la insulina sufren diabetes de tipo 2 (adulto). Hoy en día nos encontramos ante una verdadera epidemia de diabetes. Su prevalencia aumenta entre un 4 y un 5 % anualmente y se calcula que entre un 40 y un 45 % de las personas de más de sesenta y cinco años se encuentra en situación de grave riesgo. Muchos investigadores que trabajan en este campo consideran que el porcentaje seguirá en aumento a medida que los hijos del boom de la natalidad vayan cumpliendo cincuenta y sesenta años.

Y un reciente estudio en el *New England Journal of Medicine* muestra que las mitocondrias no parecen funcionar adecuadamente en los hijos de padres que padecen diabetes del tipo 2. Este problema puede llevar a una acumulación de grasa en las células musculares y a la resistencia a la insulina. La tragedia en realidad radica en que es algo que podríamos evitar si nos inclináramos por opciones alimenticias más sanas, si hiciéramos ejercicio y no lleváramos una vida tan estresante. Incluso en los que no desarrollan diabetes, un bajo nivel de resistencia insulínica puede acelerar el proceso de envejecimiento en todo el organismo y hacer que aparezcan señales visibles de éste, como las arrugas. Y para empeorar las cosas, la resistencia a la insulina, además de agravar una serie de trastornos crónicos, se hace más frecuente con la edad.

Los resultados obtenidos en los estudios realizados sobre diabetes y enfermedades cardiovasculares ha llevado a los científicos a plantearse la hipótesis de que estos revolucionarios polisacáridos que encontramos en la fórmula alimenticia PEP podrían trabajar conjuntamente con sus ácidos grasos esenciales, con lignanos del lino, aminoácidos, vitaminas y minerales para mejorar la producción de energía celular, colaborar en el rejuvenecimiento y la reparación de las células (consultar la guía de recursos, que incluye información sobre la forma de conseguir la fórmula PEP). En una serie de universidades se han iniciado estudios para constatar los efectos beneficiosos de la citada fórmula a través de los mecanismos definidos en nuestra hipótesis. Recomiendo tan sólo una reducida porción al día. Con ello, nuestras células conseguirán la cantidad óptima de nutrientes que les reportarán un sinfín de ventajas, entre las que destaca una piel radiante, más joven y sana.

LA MAGIA DEL MAITAKE: LOS POLISACÁRIDOS DE LAS SETAS

Una vez hemos pasado revista a las innumerables virtudes de estos sorprendentes polisacáridos que nos proporciona la mezcla de la fórmula PEP, quisiera compartir con el lector más información sobre otra fuente de saludables polisacáridos: los que encontramos en los hongos, en especial en los que se han utilizado tradicionalmente en la medicina china.

Hace poco conversé con el doctor Harry G. Preuss, de la facultad de medicina de la Universidad de Georgetown, acerca de los hongos maitake. El doctor Preuss es autor del libro *Maitake Magic* y también coautor de un gran número de estudios científicos sobre el maitake. En su opinión, los extractos de maitake y de otros hongos se consideran un «medicamento» de primera línea en todo el mundo, a pesar de que hace sólo veinte años que se iniciaron los estudios científicos sobre los hongos.

¿QUÉ ES EL MAITAKE?

El maitake es un gran hongo que crece en las montañas del noreste de Japón (donde le llaman el «rey de los hongos»), pero también en América del Norte y en Europa. Conocido desde tiempos inmemoriales por sus propiedades medicinales, en el Japón feudal era tan apreciado que los señores de determinados lugares pagaban su precio en plata para poderlo ofrecer al shogun.

La mayoría de hongos medicinales —como el reishi, el shiitake, el cordiceps y el maitake— contienen unos polisacáridos denominados beta-glucanos, que estimulan la inmunidad por mediación de las células. Dicho de otra forma, al parecer los hongos «ponen en funcionamiento» las células del sistema inmunitario, incluyendo las macrófagas (células de gran tamaño capaces de digerir substancias extrañas al organismo) y las células T, al parecer con propiedades importantes en el campo de la lucha contra el cáncer y las infecciones.

Además de estimular la inmunidad, determinadas fracciones de beta-glucanos (compuestos de polisacáridos) que encontramos en el maitake nos ofrecen otras virtudes, como un mayor control del índice de azúcar en la sangre, del colesterol, de la presión sanguínea y del peso corporal. Aunque muchos hongos puedan utilizarse como importante fuente de beta-glucanos, el maitake es, de lejos, el mejor, ya que podemos tomarlo oralmente en forma de polvos o en líquido inyectable, y se cree que funciona bien en los dos casos.

En el Programa Perricone de 28 días recomiendo empezar el día con una cucharadita de mi fórmula PEP. Como alternativa, puede tomarse todos los días un suplemento de maitake, escogiendo uno de los dos tipos siguientes:

- *Fracción SX*. Los beta-glucanos del maitake producen un efecto estabilizador en los niveles de azúcar e insulina de la sangre. Al sensibilizar las células respecto a la insulina, se convierten en un arma eficaz en la lucha contra el síndrome X y la resistencia a la insulina.
- *Fracción D*. Una serie de estudios han demostrado que la insólita estructura química de los polisacáridos beta-glucanos del maitake puede contribuir en realidad en la reducción del tamaño de algunos tumores cancerosos. Los investigadores que inyectaron polisacáridos beta-glucanos a unos ratones de laboratorio afectados por melanoma (forma mortal del cáncer de piel), observaron una reducción de un 70 % en el peso de los tumores; los beta-glucanos inhiben asimismo la extensión del cáncer hacia los pulmones. Un estudio llevado a cabo sobre la fracción D del maitake determinaba que su acción inhibidora del cáncer es más importante que la de cualquier otra fuente alimenticia de beta-glucanos.

Los polisácaridos de la fracción D del maitake pueden contribuir asimismo a frenar las infecciones bacterianas y algunas virales, desde el resfriado a la gripe, pasando por el herpes y el VIH. Incluso pueden antenuar los efectos tóxicos de la radioterapia y la quimioterapia y aumentar su eficacia, con lo que se mejora la esperanza de vida de los pacientes afectados por el cáncer. En la guía de recursos se incluye más información sobre los productos a base de maitake.

Estos productos polisacáridos podrían parecernos extraños debido a su «novedad», pero hay que tener en cuenta que cada día se descubren detalles nuevos y fascinantes sobre el funcionamiento del cuerpo. Además, ya que cada vez se viven más años, la batalla contra el envejecimiento tiene que encontrar nuevas y mejores armas. En muchos sentidos, los suplementos son los medios tecnológicamente más avanzados que tenemos al alcance para mantenernos en forma. En el próximo capítulo descubriremos otras muchas virtudes de estos suplementos antienvejecimiento, antiinflamatorios y capaces de metabolizar las materias grasas para ayudar al organismo a mantener la máxima efectividad en la larga etapa que tenemos por delante.

7. Más salud si cabe

SUPLEMENTOS PARA LUCHAR CONTRA EL ENVEJECIMIENTO Y LA INFLAMACIÓN Y METABOLIZAR LAS GRASAS

No pretendo alcanzar la inmortalidad con mi obra...
Quiero llegar a ella sin morirme.

WOODY ALLEN

Los que sigan el programa de 28 días del capítulo 9 estarán incluyendo en su dieta el arco iris de los alimentos, los superalimentos y las hierbas aromáticas y especias que se describen en los últimos capítulos y se habrán situado en la vía adecuada para conseguir y mantener los beneficios que nos brinda. Ahora bien, quienes deseen ir un poco más allá y sacar el máximo partido tienen al alcance unos suplementos antienvejecimiento, antiinflamatorios y capaces de quemar las grasas que les ayudarán a disfrutar de una salud y un aspecto óptimos.

Los alimentos y suplementos recomendados se han seleccionado por una serie de razones, entre ellas, su capacidad de reducir los efectos negativos de azúcares y féculas, proporcionar un aporte nutritivo óptimo, mejorar la capacidad congnoscitiva y mantener una piel tersa y radiante. Trabajan también en sinergia con los antioxidantes tópicos, a fin de evitar los estragos innecesarios provocados por el tiempo. Quienes hayan leído *Cómo prolongar la juventud* o *The Wrinkle Cure* sabrán que la piedra angular de mi programa de suplementos incluye el ácido alfa lipoico (AAL), la vitamina C éster y el dimetilaminoetanol (DMAE), todo lo cual sigo recomendando. Necesitamos por lo general vitaminas esenciales, minerales y otros nutrientes para mantenernos jóvenes y sanos. En este capítulo, además de ofrecer una lista completa de nutrientes para la piel y el cuerpo, que recomiendo tomar todos los días, pasaremos revista a las virtudes de algunos de estos viejos amigos y presentaremos otro suplementos nuevo con unas propiedades extraordinarias en el campo de la lucha contra el envejecimiento.

He escogido algunos suplementos entre los muchos existentes porque son los que ofrecen una protección eficaz contra los efectos de la inflamación, en particular los producidos por los azúcares y las féculas en la dieta.

Se han dividido los suplementos en cuatro categorías:

1. *Suplementos antiglicación.*
   Ácido alfa lipoico
   Benfotiamina
   Carnosina

2. *Metabolizadores de las grasas y estimulantes de la energía*
   Ácido linoleico conjugado
   Polinicotinato de cromo
   Ácido alfa lipoico
   Acetil-L-carnitina (ALC)
   Fumarato de L-carnitina
   Ácidos grasos esenciales (AGE)
   CoQ10

3. *Antienvejecimiento, estimulantes de la energía, antioxidantes y antiinflamatorios*
   Ácido alfa lipoico
   Acetil-L-carnitina
   CoQ10
   Vitamina C
   Vitamina E
   Ácidos grasos esenciales
   DMAE

Calcio
Magnesio
Manganeso

3. *Cicatrización y prevención de arrugas*
Péptidos tímicos
Cobre

Por supuesto, muchos de los suplementos del siguiente listado ejercen actividades importantes fuera de su propia categoría.

En el gráfico siguiente presentamos una sinopsis de cada uno de los suplementos sobre la base de la investigación actual, pero reflejando al mismo tiempo los resultados obtenidos siguiendo la experiencia de mis pacientes, así como la mía.

LA TRIPLE CORONA: LOS AGENTES ANTIGLICACIÓN

Si queremos mantener una piel luminosa y un sistema orgánico que funcione adecuadamente tenemos que empezar por eliminar los alimentos con un alto índice glicémico, que provocan repentinas subidas de los niveles de azúcar (glucosa) en la sangre.

Los alimentos con alto índice glicémico provocan perjuicios mediante un proceso que sigue tres etapas silenciosas, pero al mismo tiempo nefastas: en primer lugar llevan (1) a la subida de los niveles de azúcar, lo que (2) incrementa la insulina y la inflamación causantes de la glicación (la unión de las moléculas de azúcar con las proteínas), proceso que a su vez (3) crea radicales libres denominados *productos finales de la glicación avanzada,* todo lo cual interviene en al aumento de la glicación celular.

Como hemos visto en el caso de Brett, en el capítulo 3, cuando los alimentos se convierten rápidamente en azúcar en el torrente sanguíneo, como en el caso de los azúcares y los hidratos de carbono con alto contenido glicémico, provocan lo que denominamos glicación. La glicación puede producirse también en la piel, donde modifica el colágeno, acelera el proceso de envejecimiento y, por consiguiente, intensifica las arrugas. Cuando la glicación se produce en la piel, las moléculas de azúcar

IMPORTANTES SUPLEMENTOS ANTIENVEJECIMIENTO Y SUS PROPIEDADES

	ANTIGLICA-CIÓN	ANTIINFLA-MATORIO	ANTIOXI-DANTE	QUEMA DE GRASA/ CONTROL DE PESO	ESTIMULANTE DE LA ENERGÍA CELULAR	VIRTUDES PARA COMBATIR EL ENVEJECIMIENTO
Ácido alfa lipoico	X	X	X	X	X	Protección y energía celular
Acetil-L-carnitina	X		X	X	X	Energía celular, metabolización de las grasas
Benfotiamina	X	X			X	Antiglicación
L-carnitina				X	X	Energía celular
Carnosina	X	X		X	X	Antiglicación, protección de las proteínas celulares
Ácido linoleico conjugado (ALC)		X		X	X	Efectos anticarcinógenos y antiobesidad
CoQ10		X	X	X	X	Efectos antioxidantes y estimulantes de la energía
DMAE		X				Estabilización de las membranas celulares
Ácido gamma linoleico (AGL)		X				Efectos antiinflamatorios
Ácidos grasos Omega-3		X		X	X	Efectos beneficiosos para el cerebro y el corazón
Vitamina C (en especial en forma de éster)		X	X		X	Efectos antioxidantes
Vitamina /tocotrienoles	X	X	X			Efectos antioxidantes para el corazón y la piel
Péptidos tímicos		X				Beneficios para el sistema nervioso y endocrino

se adhieren a las fibras de colágeno, donde desencadenan una serie de reacciones químicas espontáneas. De ello se deriva la formación de unos puentes irreversibles entre las moléculas de colágeno adyacentes y la pérdida de elasticidad de la que hablábamos en el capítulo 1.

En efecto, la glicación y la oxidación forman un círculo vicioso en la medida en que la glicación puede dar como resultado los daños que vemos en los radicales libres, y en cuanto las proteínas se han glicado siguen produciendo continuamente radicales libres. Los productos finales de la glicación avanzada, de los que hablaba hace un momento, producen también unos radicales libres que activan de forma específica el péptido proinflamatorio TNF-a, los niveles de tejido de los cuales normalmente son elevados en las personas mayores y en quienes padecen Alzheimer, y esto se cree que podría estimular la degeneración de los nervios y del cerebro.

Más vale prevenir que curar, y eso puede conseguirse evitando los azúcares y las féculas proinflamatorios. Por desgracia, nuestro cerebro está programado para experimentar placer en el consumo de hidratos de carbono refinados por la elevación del índice de serotonina que provocan. Peor aún: se trata de unos alimentos de los que prácticamente no podemos escapar, pues sus cantos de sirena nos bombardean desde todos los frentes, de los restaurantes a los supermercados, pasando por todo tipo de medios de comunicación. Por fortuna, sin embargo, los peligros de estos alimentos empiezan a calar en nuestra conciencia colectiva; ya era hora, pues nos invade una epidemia de obesidad y diabetes sin precedentes. Vivimos en una cultura que promueve la obsesión por mantener un aspecto joven, delgado y atractivo por todos los medios posibles. Y existe una forma sana de conseguirlo: seguir los consejos de *La promesa de la eterna juventud*, que nos ayudará a mantener el buen funcionamiento del cerebro, un nivel de energía óptimo y una piel tersa y radiante.

Por todo lo expuesto, es lógico empezar a combatir la glicación con la ayuda de tres suplementos de gran eficacia: la benfotiamina, la carnosina y el ácido alfa lipoico.

La benfotiamina: una variante de la vitamina B_1 para combatir la glicación

Uno de los mejores medios de defensa nutricional contra los efectos devastadores de la glicación en la piel y el cuerpo nos llega en una de las formas de la vitamina B_1 (tiamina), liposoluble y muy fácil de absorber, denominada *benfotiamina*. La benfotiamina se obtuvo en Japón a finales de los cincuenta, como tratamiento contra la neuropatía (daños en los nervios) en los alcohólicos, así como para combatir la ciática y otras dolorosas enfermedades nerviosas.

La benfotiamina es un derivado sintético de la vitamina B_1 que ha demostrado sus efectos positivos en el tratamiento de una serie de dolencias neurológicas y vasculares. Parece poseer también virtudes contra el envejecimiento y de protección de las células contra los nefastos productos metabólicos finales.

La benfotiamina es uno de los nutrientes más efectivos contra la glicación que existen en el mercado, pues bloquea tres importantes vías de acceso bioquímico, por medio de las cuales la hiperglicemia (índice elevado de azúcar en la sangre) causa su deterioro proinflamatorio, entre el que cabe citar la formación de los AGE.

Además de bloquear las vías de acceso inflamatorias, la benfotiamina estimula la actividad de una enzima llamada transquetolasa, que (como el ácido alfa lipoico) evita la activación del compuesto celular proinflamatorio NF-kappa B. Convierte los nefastos metabolitos de glucosa (productos derivados de la composición de la glucosa) en substancias inofensivas.

Si bien la vitamina B_1 (hidrosoluble) contribuye en la reducción de los daños provocados por un elevado índice de azúcar en la sangre, la benfotiamina (soluble en grasa) resulta más eficaz, incluso en dosis más reducidas. Encontraremos benfotiamina en uno de los diez superalimentos que hemos visto en el capítulo 4 y también en los de la familia de los *Allium* (ajo, cebolla, chalote y puerro), otras virtudes de estas hortalizas de sabor picante fáciles de encontrar y de utilizar en la preparación de alimentos.

La benfotiamina es además un suplemento que no entraña peligro alguno. La tiamina estándar (vitamina B_1) no produce efectos secundarios, ni siquiera en dosis altas (unos cientos de miligramos al día), y las pruebas de laboratorio indican que la benfotiamina es aún más segura.

Para más información sobre la benfotiamina podemos leer estudios sobre ella, hacer pedidos sobre los productos que la contienen o visitar los sitios web: www.nvperriconemd.com, www.benfotiamine.org y www.benfotiamine.net.

** Aporte diario recomendado: no establecido.
** Nuestra recomendación: 300 mg diarios (150 mg en desayuno y cena).

La carnosina (B-alanil-L-histidina)

La carnosina es un dipéptido natural presente en grandes concentraciones en el cerebro humano, en los tejidos musculares y en el cristalino del ojo. Un estudio realizado en 2001 por el doctor en medicina y profesor John W. Baynes, pionero en la investigación sobre la glicación, demostraba que la carnosina y otros conocidos inhibidores de la glicación —como la aminoguanidina, medicamento que se expende en la farmacia— funcionan básicamente por formación de quelatos (unión) con el cobre en el cuerpo. Un estudio demostró que el cobre en el organismo, si bien resulta esencial en pequeñas cantidades, también estimula la oxidación y la glicación.

La carnosina es al mismo tiempo un antioxidante especial. Mientras la gran mayoría de antioxidantes contribuye en la protección de nuestras células contra los radicales libres, la carnosina posee la curiosa capacidad de reparar o retirar las proteínas dañadas o «plegadas de forma anómala». Este plegamiento defectuoso se produce de forma normal en las células y aumenta cuando nuestra alimentación, higiene o estilo de vida suponen un peligro. Los expertos en funciones proteínicas consideran que los pliegues anómalos de las proteínas podrían ser los responsables directos o indirectos de la mitad de las enfermedades humanas. La enfermedad de Alzheimer y la de las vacas locas son dos conocidos ejemplos sobre enfermedades vinculadas al deterioro proteínico. La sorprendente lista de efectos antienvejecimiento de la carnosina en el cerebro refuerza la idea de la relación entre cerebro y belleza.

He aquí algunos de los efectos antienvejecimiento de la carnosina:

- Protege los antioxidantes celulares superóxido dismutasa (SOD) y catalasa, el ADN celular y algunas moléculas clave —como el beta amiloide— contra la glicación. (El beta amiloide glicado constituye la «placa» de tejido cerebral que al parecer causa o fomenta la enfermedad de Alzheimer.)
- Se une al exceso de cobre y zinc del cerebro. La formación de quelatos cobre-zinc disuelve las placas de la enfermedad de Alzheimer.
- Protege la excitotoxicidad: la hiperactividad perniciosa del neurotransmisor glutamato en gran parte responsable de los devastadores

efectos de la placa del cerebro en la enfermedad de Alzheimer, así como la muerte de las células y los nervios en este órgano.

- Impide que las proteínas deterioradas perjudiquen a las sanas; facilita el reciclaje de las dañadas.
- Fortalece y equilibra las funciones inmunitarias y la transmisión nerviosa.
- Acelera el proceso cicatrizante y la recuperación cuando existe fatiga muscular.
- Ayuda a reducir la tensión sanguínea, disminuyendo así el nerviosismo y la hiperactividad y facilitando el sueño.
- Protege las células nerviosas (neuronas) contra el deterioro y la muerte, lo que la convierte en un prometedor tratamiento para las personas que han sufrido un ataque de apoplejía.

** Aporte diario recomendado: no establecido.
** Nuestra recomendación: entre 250 y 1.000 mg diarios en distintas dosis. Existe cierta controversia sobre la dosis más eficaz; los científicos se encuentran divididos, pues unos defienden la máxima de las citadas y otros la mínima.

El ácido alfa lipoico

He aquí algo que nos dará una idea del poder de este «antioxidante universal»: el ácido alfa lipoico es cuatrocientas veces más eficaz que las vitaminas C y E combinadas. El AAL contribuye, de hecho, en la reducción de la glicación y facilita el traspaso del azúcar de la sangra a las células, al tiempo que estimula la absorción de la glucosa. Profundizaremos en sus propiedades más adelante, en este capítulo.

** Aporte diario recomendado: no establecido.
** Nuestra recomendación: 200 mg diarios (100 mg en desayuno y cena).

METABOLIZADORES DE LAS GRASAS Y ESTIMULADORES DE ENERGÍA

El ALC (ácido linoleico conjugado) y el polinicotinato de cromo han demostrado ser unos suplementos prometedores en la composición orgánica.

El ALC: una promesa en el campo de la fusión de las grasas

Si bien determinados nutrientes intervienen en el metabolismo de las grasas —entre ellos la carnitina, el cromo y los ácidos grasos esenciales—, la utilización de estos factores metabólicos nunca ha arrojado unos claros efectos positivos en estudios clínicos sobre el control del peso corporal.

Sin embargo, hace unos años unos científicos universitarios que investigaban sobre los componentes grasos de la leche descubrieron un compuesto con un interesante potencial para la mejora de la composición del organismo, que reducía los riesgos de contraer diabetes y determinados tipos de cáncer. Este nutriente desconocido hasta entonces —próximo a un grupo de isómeros del ácido linoleico, denominados en conjunto ácido linoleico conjugado, substancia presente en la carne roja, la de ave y los lácteos— se sometió a una serie de ensayos clínicos muy controlados. La mayoría de estudios llevados a cabo con personas obesas dieron como resultado un desplazamiento substancial de grasa hacia la musculatura, unos cambios insólitos si se comparan con los producidos por otros suplementos destinados al control del peso corporal.

Hasta hoy, la mayoría de estudios llevados a cabo con animales y también con seres humanos han demostrado los efectos positivos del ALC en el organismo. A pesar de que en la mayor parte de pruebas concluyentes las personas que participaron en ellas no perdieron peso, sus cuerpos experimentaron un cambio, pues un 9 % de sus tejidos grasos se transformaron en músculo sin efectuar otro cambio en la dieta. Nadie sabe a ciencia cierta de qué forma actúa el ALC para fortalecer la composición del organismo, pero es probable que equilibre los péptidos y las prostaglandinas, con lo que podría optimizarse el crecimiento muscular y la pérdida de grasa. Otros investigadores creen que el ALC está implicado directamente en el metabolismo de las grasas y ayuda al organismo a quemar las reservas de éstas. Otra teoría mantiene que el ALC neutraliza los efectos negativos de los corticoesteroides como el cortisol, que descompone la proteína muscular y favorece la acumulación de grasa.

El ALC tiene también importantes efectos antidiabetes y anticancerígenos. Estas virtudes anticancerígenas podrían deberse a un efecto antioxidante o a la interacción entre el ALC y determinados carcinógenos. Distintos estudios han confirmado que el ALC normalizaba los mecanismos de control del azúcar en la sangre en animales prediabéticos. En este sentido, los efectos del ALC son suficientemente significativos para llevar a un equipo de investigadores a afirmar: «los efectos del ALC en cuanto a la tolerancia a la glucosa y a la homeostasis de la glucosa indican que el ALC alimentario podría constituir una importante terapia para la prevención y el tratamiento de la diabetes en adultos». En un ensayo clínico posterior controlado con placebo, los adultos diabéticos que habían tomado ALC durante ocho semanas habían experimentado una reducción de sus niveles de azúcar en la sangre, sus niveles de leptina —hormona relacionada con el aumento de peso— y además habían adelgazado.

** Aporte diario recomendado: no establecido.
** Nuestra recomendación: 1.000 mg entre tres y cuatro veces al día. Dado que las diferentes formas de ALC producen efectos distintos, es importante elegir suplementos de ALC que contengan «isómeros mezclados». (Para ver mis recomendaciones al respecto, consultar la guía de recursos.) Aviso para los vegetarianos: los suplementos de ALC se elaboran a partir de aceite vegetal.

Polinicotinato de plomo

En estudios relacionados con seres humanos se ha descubierto que el cromo reduce el porcentaje de grasa corporal y aumenta la masa muscular, manteniendo al mismo tiempo unos niveles de colesterol sanos cuando éstos presentan de entrada valores normales. Además, el cromo contribuye en el mantenimiento de unos niveles de azúcar saludables.

** Aporte diario recomendado: 120 mcg.
** Nuestra recomendación: 200 mcg.

Suplementos adicionales

Existen otros suplementos que actúan como agentes metabólicos en las grasas y aumentan la energía celular. He obtenido excelentes resultados con pacientes que deseaban perder peso añadiendo a su alimentación cotidiana los siguientes suplementos:

- Ácido alfa lipoico (AAL): entre 250 y 500 mg diarios.
- CoQ10: entre 60 y 120 mg diarios.
- Acetil-L-carnitina: entre 500 y 1.000 mg diarios (en ayunas).

- L-carnitina: 500 mg tres veces al día.
- DMAE: 75 mg dos veces al día.
- L-tirosina: 500 mg dos veces al día.
- Omega-3 en forma de aceite de pescado que contenga DHA y EPA: entre 100 y 150 mg dos o tres veces al día.
- Omega 6: 450 mg dos veces al día.

LAS ESTRELLAS EN EL CAMPO DEL ANTIENVEJECIMIENTO

Los siguientes suplementos han demostrado ser indispensables en cualquier programa antienvejecimiento realmente eficaz.

El ácido alfa lipoico

Además de evitar la glicación, el ácido alfa lipoico tiene un papel básico en el sistema de defensa antioxidante del cuerpo, en la producción de energía en las células y en la protección y la reparación del colágeno dañado. Veamos algunas de sus virtudes en la lucha contra el envejecimiento:

- El AAL es básico en diferentes etapas del ciclo de Krebs, un proceso que permite que las células se aprovisionen de energía.
- El AAL es un extraordinario antioxidante, capaz de neutralizar una amplia gama de radicales libres, tanto en porciones acuosas (agua) como en porciones lípidas (grasas) de la célula. Además, el AAL posee la notable capacidad de reciclar otros importantes antioxidantes, como las vitaminas C y E, el gutation y el CoQ10.
- El AAL es, por otra parte, el único antioxidante capaz de elevar el nivel de glutatión celular, un tripéptido antioxidante de gran importancia para la salud y la longevidad. Aparte de ser el principal antioxidante hidrosoluble del organismo, este agente de desintoxicación resulta esencial para el buen funcionamiento del sistema inmunitario. Las personas que sufren enfermedades crónicas, como el sida, cáncer y otras de carácter autoinmune, en general presentan un nivel de glutatión muy limitado. Los glóbulos blancos son especialmente sensibles a los cambios en los niveles de glutatión, hasta el punto de que la variación más sutil podría tener importantes efectos en la respuesta inmune.

- El AAL tiene unos efectos beneficiosos en la prevención y el tratamiento de la diabetes. Para convertir los hidratos de carbono de los
  alimentos en energía en las mitocondrias celulares hace falta el AAL.
- Por fin, pero no por ello el punto menos importante, el AAL frena la
  producción de factores metabólicos potencialmente proinflamatorios, denominados factores de transcripcción nuclear (FTN), en concreto, la proteína activadora 1 y el factor nuclear kappa B. Al envejecer, los daños acumulativos causados por los radicales libres
  facilitan el paso de los FTN a su condición de proinflamatorios, y
  esto provoca una debilitación de la inmunidad y promueve enfermedades como el cáncer y otras degenerativas. El AAL ayuda también
  a controlar la inflamación al evitar que los FTN pasen a su condición proinflamatoria.

** Aporte diario recomendado: sin establecer.
** Nuestra recomendación: 200 mg diarios en dos dosis de 100 mg, en desayuno y cena.

El acetil-L-carnitina

El acetil-L-carnitina tiene una función básica en la producción de energía
celular. El ALC mejora la producción de energía en el interior de las células del cerebro y se considera un agente neuroprotector por sus efectos
antioxidantes y estabilizadores en las membranas. El acetil-L-carnitina se
distingue de la L-carnitina en que puede cruzar la barrera sangre-cerebro y,
por consiguiente, contribuir en el rejuvenecimiento de las células del este
órgano de una forma más eficaz que la L-carnitina. Recomiendo, pues,
tomar tanto acetil-L-carnitina como L-carnitina todos los días.

Este factor nutricional, que a veces se pasa por alto, presente en la
carne de vacuno, cerdo y pollo, provoca también el aumento de los niveles
de CoQ10 y de glutatión. Por otra parte, el ALC restaura los receptores de
cortisol y protege así las células nerviosas contra los estragos del estrés.
Sabemos que el estrés es una de las principales causas del envejecimiento
del cerebro, así como de las arrugas y de la falta de tersura en la piel.

** Aporte diario recomendado: sin establecer.
** Nuestra recomendación: 500 mg diarios de acetil-L-carnitina y 500 mg de fumarato
de L-carnitina tres veces al día.

La coenzima Q10 (CoQ10, ubiquinona)

El antioxidante denominado *coenzima Q10* ejerce dos funciones de
vital importancia: transporta los electrones implicados en la producción
de energía y protege las células contra los radicales libres que se producen durante el metabolismo. Así pues, la CoQ10 nos protege contra la
acción de los radicales libres en el interior de nuestras mitocondrias y
tiene un papel crucial en su buen funcionamiento y en la capacidad de
generar la energía que nos hace falta. El corazón, el cerebro y los músculos son al parecer los más afectados por el descenso de los niveles de
CoQ10 que se relacionan con el envejecimiento; por otro lado, los estudios llevados a cabo con ratones han demostrado que los suplementos
de CoQ10 prolongaban la esperanza de vida de estos animales.

Unos ensayos recientes indican que la CoQ10 interrumpe la reacción en cadena que transforma los ácidos grasos esenciales en radicales
libres. Reduce asimismo los niveles de lípidos peróxidos en la sangre
(marcador clave de los efectos del estrés oxidante en el cuerpo) y provoca un aumento de los niveles de vitamina E y C en la sangre.

** Aporte diario recomendado: sin establecer.
** Nuestra recomendación: 100 mg diarios. (Ciertos estudios han demostrado que dosis de
entre 100 y 200 mg no provocaban efectos secundarios.) Puesto que la coenzima Q10 debe
disolverse en lípidos para su óptima absorción en el flujo sanguíneo, hay que consumir alimentos grasos o con suplementos de ácidos grasos esenciales. Recomiendo personalmente la Q10
pensada para su disolución en un medio acuoso, a fin de obtener unos niveles de suero superiores y unos resultados terapéuticos mejores. Consultar la guía de recursos para información
sobre mis recomendaciones.

Vitamina C éster: una vitamina C superior

Sin vitamina C, no podríamos desarrollarnos, ni siquiera sobrevivir.
Mientras la mayoría de animales sigue produciendo su propia vitamina C,
los seres humanos, los primates (simios, monos y lémures) y las coba-
yas han perdido esta capacidad. Por todo ello es imprescindible tomar
alimentos ricos en vitamina C, y como protección, también suplementos de esta vitamina.

La vitamina C (ácido ascórbico) tiene también su importancia por ser
vital en la producción de colágeno, porque ayuda a proteger las vitaminas

liposulubles A y E, y los ácidos grasos, contra la oxidación, y reduce la inflamación en el conjunto del organismo.

Algunas regiones del cerebro —en especial el *nucleus accumbens* (vital para el control del movimiento) y el *hippocampus* (básico para la memoria)— contienen unas altas concentraciones de vitamina C, que descienden a medida que la persona se hace mayor. Cuando estas disminuciones van acompañadas de un descenso de los índices de glutatión, los radicales libres inundan el organismo y provocan una acumulación de grasa (lípidos) que queda perjudicada por la oxidación en células y tejidos.

La vitamina C «normal» (ácido ascórbico), que encontramos en alimentos y en casi todos los suplementos, es hidrosoluble y no puede proteger las membranas celulares ni mantener unos niveles adecuados en la piel ante el estrés oxidante, ya sea producido por causas internas o por la luz del sol. (Hay que tener en cuenta además que el ácido ascórbico que encontramos en la mayoría de productos tópicos para el cuidado de la piel se degrada con gran rapidez.)

Afortunadamente, existe otra forma de vitamina C denominada *palmitato de ascorbil,* o *vitamina C éster* (es decir, moléculas de ácido ascórbico vinculadas entre sí por un ácido graso procedente del aceite de palma), que explota todo el potencial de este nutriente esencial en su papel de agente contra el envejecimiento; su actividad en las células humanas es superior a la del ácido ascórbico, incluso en dosis más reducidas. Puesto que el palmitato de ascorbil puede situarse en la membrana de las células grasas, es capaz de regenerar continuamente las reservas de vitamina E utilizadas en la lucha contra los radicales libres. El palmitato de ascorbil estimula también el crecimiento de las células (fibroblastos) que facilitan la producción de colágeno y de elastina en la piel humana. Así pues, la vitamina C éster es realmente superior a la vitamina C.

Nota: No hay que confundir la vitamina C éster (palmitato de ascorbil) con un producto a base de vitamina C llamado «ascorbato mineral», que no es liposoluble y nunca ha demostrado ser superior a la vitamina C normal. En preparaciones tópicas buscaremos productos que tengan vitamina C éster y no ácido ascórbico. Como suplemento recomiendo las dos formas de vitamina C para una protección completa de las células.

** Aporte diario recomendado: 60 mg.
** Nuestra recomendación: 1.000 mg de vitamina C (como ácido ascórbico) y 500 mg de vitamina C éster (palmitato de ascorbil).

La vitamina E con tocotrienoles: antiinflamatoria y antioxidante

A diferencia de las demás vitaminas, constituidas por una sola molécula, la vitamina E está compuesta por ocho compuestos fenólicos: cuatro tocoferoles y cuatro tocotrienoles. De estas cuatro formas naturales de la vitamina E, sólo el alfa tocoferol está presente en la sangre humana, lo que nos indica que se trata probablemente del miembro más importante de la familia de vitaminas E para la supervivencia humana, al tiempo que explica por qué es el único compuesto de la vitamina E que encontramos en la mayoría de suplementos. Se ha demostrado que los suplementos que contienen una mezcla de tocoferoles y tocotrienoles son superiores al resto.

La vitamina E es el principal antioxidante encargado de proteger los tejidos adiposos contra los daños causados por los radicales libres. Por consiguiente, es importante, y vale la pena insistir en ello, proteger las delicadas membranas celulares y frenar la inflamación a escala celular.

La vitamina E es un elemento importante de mi programa tópico antienvejecimiento, pues protege de forma eficaz la piel de los efectos nocivos del sol y el estrés oxidante que conlleva. Los tocotrienoles de la vitamina E poseen una especial afinidad con la piel y ofrecen una protección superior contra los rayos solares y otros factores ambientales de estrés.

** Aporte diario recomendado: 30 UI.
** Nuestra recomendación: entre 400 y 800 UI de vitamina E que contengan una mezcla de tocoferoles y tocotrienoles.

Ácidos grasos esenciales: Omega-3S y AGL

Entre el gran número de grasas esenciales para la salud humana, sólo hay dos que el cuerpo humano no puede elaborar y debe obtener a través de la alimentación. Los dos nutrientes son los ácidos grasos esenciales (AGE). El AGE omega-6, llamado *ácido linoleico* (AL), se encuentra en considerables cantidades en los aceites de cocina. El otro ácido linoleico es un AGE omega-3. Entre sus funciones, cada tipo de AGE es crítico para la inmunidad, las funciones cerebrales y la estructura e integridad de las membranas celulares. Estas últimas son un elemento clave del sistema de defensa de nuestro organismo, pues un aumento de permeabilidad en ellas —consecuencia a veces de una alimentación pobre en AGE— puede tener resultados devastadores sobre éste, al permitir que los radicales libres y las toxinas se abran camino hasta las células, donde pueden provocar estragos y llevar al debilitamiento de la inmunidad y a la aceleración del envejecimiento. El endurecimiento de las membranas celulares quita flexibilidad, lo cual reduce el aporte de nutrientes y reduce la sensibilidad de una serie de importantes receptores hormonales e insulínicos.

Los AGE nutren también la piel, el pelo, las membranas mucosas, los nervios y las glándulas y protegen contra las enfermedades cardiovasculares. El alimento a base de polisacáridos que recomiendo debe su extraordinario poder en cuanto a embellecimiento de la piel al hecho de ser precisamente una de las formas, de gran riqueza, y además biodisponible, de estos ácidos grasos esenciales. Los ácidos grasos son los componentes básicos de la grasa en el organismo humano y en los alimentos, así como una importante fuente de energía.

Los AGE son también los precursores de las prostaglandinas, un compuesto parecido a las hormonas que regula constantemente una serie de funciones orgánicas. Dirigen la tensión sanguínea, el tono de los músculos lisos (involuntarios) en los vasos sanguíneos y también el carácter «pegajoso» de las plaquetas sanguíneas. Los AGE transportan asimismo la energía que necesitan nuestros tejidos más activos y estimulan el crecimiento. En un aporte equivalente al 12-15 % de nuestro total calórico aumentan también el índice metabólico, un efecto que lleva al organismo a quemar más grasas, lo que facilita la eliminación del peso excesivo.

Los ácidos grasos esenciales omega-3

Por desgracia, las dietas modernas, por lo que se refiere a los AGE, son de lo más desequilibradas: un exceso de ácidos grasos esenciales omega-6 y pocos ácidos grasos esenciales omega-3. Durante el último siglo, la relación entre ácidos grasos omega-6 y omega-3 en nuestra alimentación ha pasado de 3-1 y 5-1 (la relación imperante en las células humanas) a una relación de un desequilibrio alarmante: 15-1. Esto prepara el terreno para un aumento de los coágulos sanguíneos, del estrechamiento en los vasos sanguíneos, de la presión arterial y un problema de inflamación crónica. Incluso el gobierno de Estados Unidos recomendó hace poco a sus ciudadanos que consumieran más ácidos grasos esenciales omega-3.

Las mejores fuentes de AGE omega-3 son los pescados grasos, como el salmón y la caballa. El aceite de pescado contiene también una importante cantidad de AGE omega-3, presente en dos formas —EPA (ácido eicosapentanoico) y DHA (dososaexanoico)— que el organismo puede usar sin modificar. (La leche materna tiene un alto contenido en omega-3 DHA, clave para la formación de un cerebro saludable en los bebés.)

Por ello soy un partidario incondicional del salmón criado en libertad, pues, a diferencia del de pisicifactoría, es un alimento que posee una cantidad superior de EPA y DHA, con una relación entre ácidos grasos esenciales omega-3 y omega-6 que se acerca al ideal nutricional. Encontramos también cantidades importantes de omega-3 en los frutos secos, las semillas (en especial las del lino) y en las hortalizas de hoja verde oscura.

** Aporte diario recomendado: no establecido.

** Nuestra recomendación: incluso en el caso de tomar pescado unas cuantas veces por semana recomiendo la ingestión de suplementos a base de aceite de pescado para asegurar una cantidad adecuada de DHA (una fracción de omega-3 importante para la mejora de las funciones cerebrales y cardiovasculares. Recomiendo entre 2 y 4 cápsulas de aceite de pescado (ver la guía de recursos) al día, con aproximadamente 250 mg de DHA y 150 mg de EPA.

El ácido gamma linoleico

El ácido gamma linoleico es un ácido graso esencial que nos reporta grandes beneficios. No se encuentra en los alimentos, con excepción de las semillas de borraja, las grosellas negras y el aceite de semillas de prímula. En circunstancias normales, el organismo produce todos los AGL que necesita a partir del ácido linoleico; sin embargo, acusamos déficit de AGL cuando consumimos grandes cantidades de azúcar, de ácidos transgrasos (margarina, aceites hidrogenados), carne roja y lácteos. Por ello, teniendo en cuenta los importantes efectos antiinflamatorios del AGL, recomiendo tomarlo en forma de suplemento.

** Aporte diario recomendado: sin establecer.
** Nuestra recomendación: entre 250 y 1.000 mg.

El DMAE

El DMAE, o dimetilaminoetanol, es una substancia nutritiva con importantes propiedades antinflamatorias que encontramos en el pescado que se cría en libertad, las anchoas y sardinas. Aparte de sus virtudes antiinflamatorias, el DMAE tiene una importante función en la producción de neurotransmisores, en especial el acetilcolina, básico a la hora de establecer la comunicación entre un nervio y otro y entre nervios y músculos. Para que los músculos puedan contraerse, el acetilcolina debe mandarles un mensaje desde los nervios.

Se ha demostrado que los suplementos de DMAE estimulan las funciones cognitivas al mejorar la memoria y la capacidad de resolución de problemas. También se ha hecho patente que contribuían en la solución de otras carencias, como la falta de atención. Además, el DMAE tiene efectos sobre el tono muscular, gracias a la síntesis del acetilcolina procedente del DMAE. Una excelente noticia, pues nos proporciona la vía para mejorar nuestro aspecto, frenando al tiempo la pérdida de tersura de la piel, relacionada con el envejecimiento.

** Aporte diario recomendado: sin establecer.
** Nuestra recomendación: entre 50 y 100 mg diarios.

El calcio y el magnesio: la pareja ideal en el paraíso de la alimentación

El debate sobre los suplementos antienvejecimiento no sería completo sin estos minerales esenciales, importantes por un sinfín de razones, aparte de su contribución en la formación y la protección de los huesos y dientes. En efecto, son básicos en el control de la inflamación celular; ningún programa nutritivo antienvejecimiento podría considerarse completo sin estos dos minerales. Desgraciadamente, hoy en día la alimentación suele presentar bajos contenidos en magnesio y calcio y en cambio es rica en fructosa, un azúcar que altera en el organismo el equilibrio del calcio, del magnesio, del fósforo y de otros minerales. Vamos a examinar más de cerca esta pareja inseparable, cuya interacción es vital para conservar la salud de los huesos, los nervios y mucho más.

El calcio

El calcio es conocido sobre todo por su función en el mantenimiento de la solidez y densidad de los huesos. Aunque también resulta básico para otras muchas funciones físicas, como la regulación de la inflamación, los coágulos sanguíneos, la conductividad nerviosa, la contracción muscular, la actividad enzimática y la función de las membranas celulares. Puesto que estos procesos son esenciales para la salud, el organismo tiene que controlar de cerca el volumen de calcio que contiene la sangre. Si su aporte en la dieta es excesivamente bajo, el organismo tendrá que recurrir a las reservas de calcio que mantiene en los huesos para seguir con unas concentraciones normales en la sangre, lo que a la larga puede llevarle a la osteoporosis.

Nuestras madres nos han dicho que hay que tomar leche para mantener los huesos fuertes, pero existen otros alimentos —o suplementos— que pueden ser igual de útiles. Recomiendo encarecidamente tomar suplementos de calcio en todas las etapas de la vida, pero especialmente en la adolescencia y la vejez. Para que sea del todo eficaz, el calcio debe tomarse junto con la vitamina D y el magnesio. Y continúa aún el debate sobre cuál es la forma más adecuada para ello. Las que se presentan en «quelato», como el citrato, el aspartato o el maleato de calcio son de absorción algo más fácil, aunque suelen resultar algo más costosas que el carbonato de calcio, la forma estándar presente en la mayoría de suplementos. Una buena elección es la del carbonato cálcico, siempre que no se tenga un sistema digestivo excesivamente débil. En este caso, se optará por la versión en quelato o bien se aumentará el aporte de carbonato cálcico a fin de compensar el bajo nivel de absorción.

Entre otras fuentes alimentarias no inflamatorias encontramos el yogur, el kéfir, las sardinas, el salmón (en conserva, con espinas), las espinacas, las hortalizas (el repollo, la col rizada, los nabos), las algas (la roja, la marrón y otras), el tofu, los frutos secos y las semillas.

** Aporte diario recomendado: 1.000 mg.
** Nuestra recomendación: 1.200 mg diarios.

El magnesio

Las funciones que ejerce el magnesio en la salud humana son tan distintas que prácticamente todos los sistemas orgánicos —cardioviascular, digestivo, neuroendocrino y cerebral, por ejemplo— lo necesitan para funcionar adecuadamente, al igual que nuestros músculos, los riñones y el hígado. Los suplementos de magnesio también ayudan a mejorar la memoria, la capacidad de aprendizaje, la atención y la resistencia frente al estrés.

El magnesio, que fortalece también los huesos, se acumula en la superficie de éstos para que el cuerpo lo pueda utilizar en caso de deficiencia alimenticia. Por desgracia, la dieta moderna contiene en general poco magnesio, y la población de Estados Unidos, por ejemplo, presenta una ligera carencia en cuanto a este mineral. Una mujer consume en general unos 200 mg de magnesio al día, aunque el aporte diario recomendado es de entre 300 y 400 mg al día, y algunos médicos, entre los que me incluyo, recomiendan una ingestión de 500 mg diarios.

El magnesio y el calcio trabajan en conjunción para regular el tono muscular y nervioso. También sirve de «obstrucción de entrada» en una serie de células nerviosas, a fin de evitar el acceso de un volumen excesivo de calcio y conseguir así que los nervios se mantengan relajados. Esto explica por qué la deficiencia de magnesio puede generar tensión muscular, dolor, espasmos, calambres y fatiga. Por otro lado, existen distintas formas de energía que nuestras células musculares no pueden almacenar si no tienen acceso a una cantidad adecuada de magnesio. Por sus efectos en el músculo cardíaco, la carencia de magnesio puede producir arritmia, contracciones irregulares y un aumento de la frecuencia cardíaca.

Finalmente, centenares de enzimas encargadas de acelerar las reacciones químicas corporales necesitan magnesio para facilitar el metabolismo de las proteínas, de los hidratos de carbono y de las grasas y permitir un funcionamiento correcto de los genes.

** Aporte diario recomendado: 400 mg.
** Nuestra recomendación: Entre la mitad de la dosis diaria de calcio y un volumen equivalente a ésta: 600-1.200 mg diarios.

El manganeso

El manganeso se ocupa de un gran número de funciones, entre las cuales encontramos muchísimas reacciones enzimáticas. En el campo de la lucha contra el envejecimiento, el manganeso tiene una gran importancia como componente del superóxido dismutasa (MnSOD), dependiente del manganeso, substancia que combate los radicales libres que atacan las mitocondrias. En realidad, esta importante enzima antioxidante sólo se encuentra en el interior de las mitocondrias.

Es interesante constatar que las mejores fuentes de manganeso son los alimentos arco iris, de los que hemos hablado en el capítulo 3 (en especial las espinacas, las verduras y las frutas del bosque); los superalimentos que hemos visto en el capítulo 4 (sobre todo las legumbres, el ajo, las cebollas, los puerros, las semillas, los frutos secos y el trigo sarraceno); y las especias que se han explicado en el capítulo 5 (en particular el clavo, la canela, el tomillo, la pimienta, el orégano y la menta).

** Aporte diario recomendado: no establecido.
** Nuestra recomendación: 5 mg diarios. (Entre 3 y 5 mg de manganeso al día como suplemento pueden provocar un importante descenso del azúcar en la sangre en personas que sufren diabetes y dependen de la insulina. En este caso debe consultarse al médico su ingestión.

LAS ARRUGAS SON MINÚSCULAS HERIDAS: LA REPARACIÓN CUTÁNEA POR MEDIO DE LA ALIMENTACIÓN

Al plantearnos que básicamente una arruga puede considerarse como una herida en la piel volvemos de nuevo la vista hacia los milagrosos péptidos tímicos, por su incomparable capacidad de colaboración cuando se trata de curar estas heridas.

Los péptidos tímicos

Los péptidos tímicos funcionan por medio de la estimulación del colágeno y la elastina, lo que permite a la parte inferior de la piel, llamada *dermis,* formarse de nuevo y remodelarse. Las investigaciones llevadas a cabo sobre los péptidos tímicos me llevaron a crear un suplemento especial a base de estos compuestos, una ayuda importante en todo régimen de suplementos nutricionales y un medio extraordinario para curar y rejuvenecer la piel, del interior hacia el exterior. Lo más indicado sería tomar estos suplementos de péptidos tímicos y aplicarse con regularidad un producto tópico, tema que trataremos más a fondo en el capítulo siguiente.

Hoy en día sabemos que la piel posee numerosos receptores de péptidos tímicos; por consiguiente sabemos también que si combinamos con acierto los péptidos en unos niveles terapéuticos, en forma de suplementos y de productos tópicos, ejerceremos un efecto positivo en la piel de distintas formas. Por ejemplo con:

- Un aumento de la producción de elastina.
- Un aumento de la producción de colágeno, que implica una remodelación de la piel.
- Una disminución de la inflamación.
- Un aumento del desarrollo de los vasos sanguíneos que colaborará en la nutrición de la piel.
- Un aumento de la hormona del crecimiento y de los factores de crecimiento en la piel, que conllevará la producción y la reparación de las células cutáneas.

No hace falta tomar todos los días el suplemento a base de estos péptidos tímicos que yo mismo he elaborado. Durante las dos primeras semanas del programa de 28 días, recomiendo tomar un comprimido a la hora de desayunar y otro en la comida. Quince días después puede reducirse la dosis a un comprimido al día o uno cada dos días.

Los aliados adicionales en la curación de las heridas

Como dermatólogo, sé que cualquier herida en la piel exige la presencia en el organismo de un nivel adecuado de vitaminas, minerales y proteínas. Las vitaminas B_5 y C, el cobre, el zinc, el magnesio y el manganeso son los principales nutrientes que necesita el organismo para reparar los tejidos dañados, ya se trate de heridas graves o de las indeseables arrugas.

Las vitaminas ejercen una función específica en la reparación de la piel, pero al mismo tiempo controlan los minerales implicados. El hierro, por ejemplo, es perjudicial en el proceso de curación de heridas, y las vitaminas B_5 (pantoteno) y C disminuyen el volumen de hierro en el punto de las heridas. El cobre, el magnesio y el manganeso facilitan la curación. Las vitaminas B_5 y C incrementan los niveles de estos minerales cuando hace falta. La vitamina B_5 acelera la curación, lleva a un aumento del número de células reparadoras e incrementa la distancia sobre la que éstas pueden desplazarse. Posteriormente, entra en escena la vitamina C y se alía con el cobre para crear un colágeno más resistente.

El cobre es muy importante para reparar las heridas, pues crea unos vínculos adecuados entre el colágeno y la elastina (elementos que proporcionan la estructura a los huesos, tendones y piel), que proporciona elasticidad y solidez a las proteínas de estos tejidos conjuntivos. El organismo necesita también cobre para elaborar un importante antioxidante denominado superóxido dismutasa con cobre y zinc, un compuesto clave para la curación de las heridas. El SOD en concreto estimula el crecimiento de nuevos tejidos, aumenta la producción de colágeno y reduce la hinchazón, a fin de que el proceso de curación resulte más rápido y eficaz.

En los primeros estadios de una herida, las células inmunes se precipitan hacia el punto concreto y emiten radicales libres para neutralizar las bacterias invasoras y disolver los tejidos muertos o perjudicados. Estos radicales libres tienen que ser neutralizados en cuanto han realizado el trabajo, pues podrían dañar otras células del organismo. Es entonces cuando entran en escena el SOD y otros antioxidantes. Son ellos los que regulan las reacciones de los radicales libres creados por las células inmunes y fomentan el proceso de reparación. Como consecuencia, las heridas pueden agotar las reservas corporales de SOD, vitaminas C y E y otros antioxidantes, por tanto, es importante restaurarlas por medio del consumo de los alimentos y suplementos adecuados.

Habría que asegurar que nuestro programa alimentario incluyera estas vitaminas y minerales importantes, así como las proteínas necesarias. Esto nos ayudará, al envejecer, a evitar daños adicionales en la piel y en los órganos y a reparar los ya existentes. En el capítulo 8 examinaremos con atención cómo las nuevas terapias tópicas a base de neuropéptidos, que contienen hasta cuarenta péptidos distintos, pueden rejuvenecer y reparar la piel de una forma insólita hasta ahora.

Tercera etapa

Los productos tópicos

8. Los neuropéptidos y la piel

LA «SUPERAUTOPISTA DE LA INFORMACIÓN» QUE NOS LLEVARÁ AL REJUVENECIMIENTO

La diferencia entre la palabra exacta y la palabra casi exacta es la misma que existe entre luz y gusano de luz.

MARK TWAIN

Es la confianza en nuestro cuerpo, en nuestra mente y nuestro espíritu la que nos permite buscar nuevas aventuras, nuevas direcciones para formarnos, nuevas lecciones que aprender, y todo esto es la vida.

OPRAH WINFREY, «Oprah Magazine», mayo de 2004

Tal como sugiere de una forma tan sucinta Mark Twain, existe una gran diferencia entre la luz y un gusano de luz. En mi opinión, la nueva generación de terapias a base de productos tópicos con múltiples neuropéptidos (la luz) se encuentra también a años luz de la gran mayoría de tratamientos tópicos (los gusanos de luz) que se presentan hoy en el mercado.

Hasta ahora, nos hemos centrado en las distintas formas de mantener un cuerpo sano y una apariencia agradable trabajando desde dentro hacia fuera. Es así como hay que actuar, pues ahí es donde se inicia la inflamación causante de los problemas. Pero esto no significa que debamos olvidar nuestro exterior a la espera que todo venga del interior. Al fin y al cabo, la piel es el órgano que sufre más exposición. Todos los días es maltratada por todo tipo de partículas de

polvo, suciedad, humo procedente del exterior, contaminación auto-
movilística, productos químicos tóxicos, así como por los perjudiciales rayos del sol.

Si deseamos tener un aspecto joven y sentirnos también jóvenes
durante mucho tiempo tendremos que empezar a pensar en la calidad de
los alimentos que ingerimos y acabar con la calidad de los productos
que aplicamos a nuestra piel.

En este capítulo descubriremos dos puntos clave en el campo del
cuidado de la piel que nos interesará aplicar si lo que deseamos es:

- Mantener el aspecto fresco y sonrosado de la juventud y la salud.
- Reactivar una piel apagada, falta de vida.
- Minimizar las manchas y rojeces cutáneas.
- Reducir la hinchazón de alrededor de los ojos.
- Reducir las ojeras.
- Disminuir la aparición de arrugas y surcos.
- Proteger la piel contra el daño causado por los radicales libres.
- Disminuir la falta de tersura y tono.

EL CASO DE ARIEL

En un viaje que hice hace poco a Los Ángeles me topé con Ariel,
una antigua vecina que se había trasladado a California.

—¡Doctor Perricone, no podía usted aparecer en mejor momento! Precisamente me estaba planteando unas intervenciones quirúrgicas importantes y quisiera saber su opinión al respecto —me
dijo; a pesar de que no había cumplido aún los cuarenta y cinco,
en su cara y cuello se veía una serie de señales de la edad—. Quisiera empezar por una restauración por láser para ver si existe una
forma de unificar el tono del cutis y hacer desaparecer un poco
esas patas de gallo —siguió—. Luego quisiera probar el Botox
contra las arrugas de la frente.

Ariel tenía un cutis del típico tono de melocotón y crema que
suelen presentar las rubias y pelirrojas. En aquellos momentos,
sin embargo, independientemente de lo que tuviera costumbre de

aplicarse —o de no aplicarse— al rostro, se veía en él un tono rojizo, típico de la irritación. Parecía tener la piel muy seca y mate. Sospeché que seguía una dieta con un bajísimo contenido en grasas y proteínas. Aparte de estar delgadísima, su rostro había perdido todo aquel contorno juvenil que sólo una sana capa de grasa subcutánea puede proporcionar. Además, la piel de su barbilla y de alrededor de la boca presentaba unas arrugas que la hacían parecer mucho mayor.

Expliqué a Ariel que había ayudado a muchos de mis pacientes a eliminar arrugas, a mejorar el tono desigual en el rostro y a solucionar otros problemas que en general se relacionan con el envejecimiento, pero que lo había hecho sin recurrir a productos químicos o procedimientos agresivos. Le sugerí que, antes de optar por soluciones más radicales, probara mi planteamiento aunque sólo fuera durante tres días. Si los resultados la convencían, la animaría a abordar mi programa de 28 días.

A menudo planteo la pregunta siguiente a mis pacientes preocupados por el envejecimiento, la salud y la belleza:

P: ¿Qué tienen en común un niño, una persona que ha llevado a cabo un lífting nutritivo de tres días y alguien que se ha enamorado?

R: Todos tienen ese rostro radiante que proporciona la regulación de los neuropéptidos.

Determinados neuropéptidos controlan la corriente sanguínea y nos proporcionan ese brillo sonrosado que vemos en los niños y los enamorados. Cuando estamos enfermos, mal alimentados, deshidratados o deprimidos, nuestro rostro se ve mate, cetrino, grisáceo.

Si bien no puedo prometer a todo el mundo que el Programa Perricone le ayudará a encontrar el amor, sí puedo asegurar que quien lo siga reencontrará aquel típico resplandor que llamará la atención de todos.

Expliqué a Ariel que esta luminosa belleza tiene que surgir del interior, y empezar con la dieta. Los alimentos adecuados nos ayudan a regular la producción de neuropéptidos y a reducir la inflamación. Es algo muy importante, pues cuando envejecemos, la producción de estos importantes neuropéptidos, al igual que la de las hormonas, los neurotransmisores y la velocidad en la renovación

celular, disminuyen con el aumento de la inflamación producida
por los elementos químicos.

Si seguía el principio de los alimentos arco iris y el programa
de 28 días, Ariel iba a comer salmón de Alaska criado en libertad,
un alimento excelente para el cerebro, cuyos nutrientes actúan en
la piel, aumentando su resplandor y tono. Comería también
importantes cantidades de frutas y legumbres multicolores,
como el melón cantalupo y los arándanos. Tomaría mucha agua y
también dos ensaladas al día, aliñadas con aceite de oliva y zumo
de limón. En los tentempiés disfrutaría de todo tipo de frutos
secos crudos, sin sal, como por ejemplo las nueces y las almendras. Y abandonaría el café.

Me di cuenta de que Ariel se asustaba al oír hablar de los frutos secos (¿no llevan un montón de grasa?) y del aceite de oliva
(¿y qué hay del aliño *light*?).

Las grasas adecuadas ahuecan la piel; sin ellas, uno envejece
prematuramente, y las señales de este envejecimiento prematuro
se manifiestan en primer lugar en el rostro. Expliqué a Ariel que
un bollo, una magdalena de régimen o la típica galleta de arroz no
sólo aceleraban el envejecimiento, sino que además impedían que
el organismo quemara las grasas. Le comenté también que veía
que tenía la zona de alrededor de la boca y la barbilla con un
aspecto «acartonado».

—Con los alimentos adecuados, los suplementos alimentarios
y unos preparados tópicos, creo que conseguiremos devolver la
tersura a esta piel, Ariel. ¿Estás dispuesta a probar el plan que te
propongo?

Le entregué una cajita de suplementos que contenía todos los
nutrientes necesarios divididos en paquetes individuales, para
más comodidad. Le dije también que probara el último suplemento a base de péptidos que había elaborado, así como el alimento
funcional PEP, de que le mandé tomar una cucharadita mezclada
con un poco de agua tibia al levantarse. Los suplementos a base
de péptidos y los alimentos se han elaborado para trabajar en
sinergia con los tratamientos tópicos más innovadores que he creado después de más de veinte años de investigaciones: la terapia
tópica a base de neuropéptidos.

Teníamos con Ariel una importante tarea de rejuvenecimiento, y por ello le aconsejé utilizar tres productos. Después de limpiarse el cutis con un crema limpiadora antiinflamatoria, tenía que aplicarse en el rostro y en el cuello un preparado a base de péptidos: un líquido claro que iba a saturar su piel con una mezcla de péptidos y dimetilaminoetanol (DMAE, otro antiinflamatorio). En segundo lugar, tendría que aplicarse un conformador facial a base de péptidos. Y como tercera y última etapa, la aplicación de una crema de contorno también elaborada con péptidos. Esta última etapa era algo crucial para Ariel, pues tenía que levantar y dar firmeza a la zona del cuello y recuperar la tersura de la zona de alrededor de la boca y la barbilla.

Ariel era la mejor candidata para probar la incomparable fuerza de la fórmula tópica a base de neuropéptidos.

VOLVAMOS AL VÍNCULO ENTRE CEREBRO Y BELLEZA

Tal como hemos visto en el capítulo 1, los neuropéptidos son minúsculas cadenas de aminoácidos, presentes en nuestro cuerpo de forma natural, que actúan como mensajeros y controlan una serie de funciones biológicas. Los neuropéptidos ejercen una actividad importante en el cerebro, aunque trabajan también en la piel. Esto explica que en nuestra fase de desarrollo embrionaria, las capas de las células que se encargan de la formación del cerebro pasan seguidamente a la de la piel. En efecto, existe un vínculo directo entre el cerebro y la acción de los nervios en la piel, de donde surge la relación entre cerebro y belleza.

Para simplificarlo diremos que lo que es terapéutico y activo en el ámbito cerebral es también terapéutico y activo en el ámbito cutáneo.

Estos neuropéptidos naturales, carentes de toxicidad, ejercen un papel importante en la belleza y el aspecto de la piel. Al envejecer, los niveles de neuropéptidos naturales disminuyen. Tenemos dos formas de reponer las reservas de neuropéptidos y de reforzar su actividad: a través de los alimentos que consumimos y ahora, mediante la aplicación diaria de neuropéptidos en la piel para conservar un aspecto joven y frenar las señales del envejecimiento prematuro.

Ariel aceptó sin reservas. Más tarde me confió que había tenido la impresión de encontrarse en una encrucijada. Si no hacía algo inmediatamente por recuperar un aspecto más joven y sano, las cosas empezarían a ir de mal en peor.

—Tengo que decirle, doctor Perricone, que he comido cantidades industriales de salmón, ¡y me ha encantado! —me dijo cinco semanas después—. Tal como me mandó, he bebido agua, he dejado el café y los refrescos light, y los he substituido por té verde. También me he dedicado a poner todo tipo de hierbas aromáticas en la ensalada y aceite de oliva, además de frutas y hortalizas con todas las gradaciones de colores. Y encima de no ganar peso, he conseguido la energía que me hacía falta e incluso he vuelto al gimnasio. Evidentemente, he tomado los suplementos mañana y noche.

La piel de Ariel se veía realmente radiante. Los alimentos y suplementos antiinflamatorios, combinados con los efectos rejuvenecedores de los péptidos polisacáridos le habían reparado y restaurado la piel de dentro hacia fuera. No quedaba en su cara ningún rastro de aquel aspecto demacrado y ojeroso que había visto yo en nuestro reencuentro. Una de las cosas que me alegró más fue ver que alrededor de los labios y la barbilla su piel tenía un aspecto más terso y firme.

—No me lo podía creer, pero desde la primera aplicación de los péptidos tópicos aparecieron los resultados —añadió—. Es lo que me motivó a seguir con el programa. En un momento determinado creí que iba a tener un accidente en la autopista, pues no podía dejar de admirar mi rostro por el retrovisor.

LO QUE NO SE VE: TODO ES CUESTIÓN DE INFLAMACIÓN

Los neuropéptidos son unos poderosos mensajeros que transmiten su mensaje a todas las células del cuerpo. Gracias a sus sorprendentes y extraordinarias propiedades pueden ayudarnos a recuperar de forma natural la salud y la belleza de la piel.

Nuestra piel es la primera línea de defensa contra una serie de elementos estresantes ambientales, incluso los relacionados con el tiempo atmosférico (como la temperatura, la humedad o la falta de ésta, el viento, el calor, el frío y el sol), así como una serie de bacterias y productos químicos que hoy en día encontramos por todas partes.

En lo que se refiere a los productos químicos, hay que tener en cuenta una serie de hechos. Existen más de setenta y cinco mil elementos químicos tóxicos clasificados por la EPA como potencialmente o definitivamente peligrosos para la salud humana. Y en Estados Unidos se están probando nuevos elementos, a un ritmo de más de seis mil a la semana. Las dioxinas, una de las substancias más mortíferas que se conocen, se están aplicando en los cafetales de Costa Rica. El mercurio, además de desprenderse lentamente de los empastes dentales, se encuentra también en el pescado, los productos de belleza, la tierra, los pesticidas, los carretes de película, pinturas y plásticos. Podemos encontrar además arsénico en el café, en ciertos tipos de arroz, de sal y en la niebla tóxica. El cadmio está presente en el humo del tabaco, el café, la gasolina, los utensilios de cocina de acero y las conducciones metálicas. El monóxido de carbono, evidentemente, procede de los tubos de escape de los automóviles, del humo del tabaco y de la niebla tóxica. Encontramos plomo en tintes, gasolina, pinturas, cañerías, cerámica, insecticidas, humo del tabaco, productos textiles y limaduras metálicas. Muchos de estos elementos químicos están también presentes en el agua que bebemos, los alimentos que comemos ¡y el aire que respiramos! El enorme aumento de los productos químicos en nuestro medio, en la comida y en los medicamentos ha reducido la capacidad de nuestro organismo de eliminar las toxinas.

Y cuantas más toxinas retiene el organismo, mayor es el peligro de inflamación en el interior o en la superficie de la piel.

En los capítulos de este libro y en mis obras anteriores, *The Wrinkle Cure* y *Cómo prolongar la juventud,* he tratado repetidamente la relación existente entre inflamación, envejecimiento y enfermedad. Es decir, la inflamación constituye la base del envejecimiento y también de una serie de enfermedades degenerativas, como el Alzheimer, las dolencias cardíacas, el cáncer, la artritis y las enfermedades autoinmunes. Los mismos factores que producen estas enfermedades afectan también a nuestra piel, desencadenando en ella problemas como el acné, los eccemas y herpes, y son también los que provocan la aparición de las arrugas.

Podríamos ilustrar la cuestión planteándonos las consecuencias de un paseo al mediodía de un soleado día de verano.

Cuando en el reloj dan las doce, abandonamos el desorden de nuestro escritorio y la pantalla del ordenador con un profundo suspiro, decididos a olvidar durante una hora el estresante trabajo. Salimos a tomar el sol, inspiramos el cálido aire del verano y experimentamos el enorme placer que nos brinda el sol de mediodía.

Mientras disfrutamos de una temperatura casi tropical, el sol está metido de lleno en la producción de todo un espectro de radiaciones electromagnéticas, que van de los rayos invisibles, como los ultravioleta e infrarrojos, a la porción más visible de su luz. Nuestra piel empieza a absorber los rayos, empapándose de la citada radiación, que ejerce de inmediato una tensión sobre las células cutáneas. Es algo que ocurre siempre que la luz del sol entra en contacto con nuestra piel: desencadena la producción de los radicales libres, que han perdido uno de sus electrones en la órbita exterior. Los electrones, al igual que las personas, suelen desplazarse por parejas. Los radicales libres pretenden también emparejarse y lo hacen robando un electrón de las moléculas de nuestra piel. Algo que desencadena un efecto dominó, en el que un radical libre creará a su vez otro, y éste, otro más y así sucesivamente. Es un fenómeno de nefastas consecuencias para nuestras células, pues aumenta la presencia de unos elementos químicos proinflamatorios, que generan aún más radicales libres.

Afortunadamente, nuestras células poseen un sistema de defensa constituido por antioxidantes (como las vitaminas C y E y CoQ10), que proporcionan un electrón a los radicales libres, a fin de que puedan formar la pareja y evitar así la destrucción de las células cutáneas. No obstante, nuestras reservas de antioxidantes se agotan con rapidez cuando la piel está expuesta a la radiación solar. Una hora de exposición en nuestro paseo del mediodía será suficiente para agotar aproximadamente un 80 % de las reservas de vitamina C de la piel.

Además, estas vitaminas no pueden protegernos del todo contra las consecuencias inflamatorias de la luz solar. La parte externa de la célula, que recibe el nombre de membrana plasmática, es muy vulnerable a los ataques perpetrados por los radicales libres inducidos por el sol. Esto tiene como consecuencia la liberación de un ácido graso denominado *ácido araquidónico,* que se transforma con rapidez en elementos inflamatorios de gran vigor.

Estos radicales libres estimulan asimismo la producción en nuestras células de un compuesto al que llamamos factor nuclear kappa B

(FNkB), que por su parte lleva a la producción de unos compuestos perjudiciales que favorecen el desarrollo de microlesiones. Mientras seguimos nuestro paseo bajo el sol, la luz activa otro mensajero en la célula, el AP-1. Éste da a las células cutáneas la orden de producir más enzimas, las cuales van a descomponer el colágeno, y esto provocará la aparición de nuevas microlesiones y —el lector ya lo ha adivinado— unas visibles arrugas. Hay que comprender que los radicales libres en sí provocan muy poco perjuicio en la piel. En cambio, desencadenan una respuesta inflamatoria y accionan una cadena de reacciones químicas que pueden durar horas, días o meses. ¿Cuál es su resultado? Daños en importantes partes de las células, como las mitocondrias, que se encargan, como hemos visto, de producir energía. Al no poseer la energía suficiente para repararse a sí mismas, las células se descomponen.

Y quien crea que tiene que tomar el sol en la playa para desencadenar esos nefastos efectos, por desgracia, se equivoca. Todo el proceso, que empieza con un inofensivo paseo bajo el sol del mediodía y acaba con la activación de unas enzimas, cuya misión es la de digerir el colágeno, se lleva a cabo en unos cinco minutos. Una vez más, la inflamación es el denominador común de estas pequeñas heridas dérmicas que se convierten en visibles arrugas. La comprensión de este proceso nos llevará a decidir una serie de intervenciones terapéuticas para minimizar o prevenir la inflamación y las arrugas, que son consecuencia de ella.

EL ÁCIDO ALFA LIPOICO COMO TABLA DE SALVACIÓN

El ácido alfa lipoico (AAL), presente en las mitocondrias corporales, es el antioxidante universal, por ser a la vez soluble en grasa y en agua. Esto significa que la piel puede absorberlo a través de todas sus capas y que no sólo neutraliza los radicales libres en las membranas plasmáticas, sino también en el interior acuoso de la célula. Para ilustrar su efectividad como antioxidante diremos que es cuatrocientas veces más potente que las vitaminas C y E combinadas. El AAL estimula la producción de energía al ayudar a las mitocondrias a convertir la nutrición en energía. Tanto si se toma el AAL como suplemento o se aplica en forma de loción, se disfruta de sus propiedades antioxidantes y se aumenta el metabolismo celular.

Es importante también puntualizar que el ácido alfa lipoico inhibe mejor la activación del FBkB que cualquier otro antioxidante. Impide la producción de enzimas que dañan las fibras de colágeno y permite conservar la tersura en la piel. Es también eficaz en la prevención de la glicación, los nefastos efectos de las moléculas de azúcar en las fibras de colágeno.

El AAL ejerce a la vez un importante efecto en el factor de transcripción AP-1. Como hemos mencionado, el AP-1 se activa con el estrés oxidante creado durante el paseo bajo el sol, desencadena la producción de enzimas que digieren el colágeno, crea microlesiones y éstas generan las arrugas.

Sin embargo, cuando es el ácido alfa lipoico el que activa el AP-1, aquél recibe la señal de digerir el colágeno «dañado», lo que tiene como consecuencia la eliminación y la desaparición de las arrugas.

Las propiedades antiglicación y antiarrugas del ácido alfa lipoico se examinan a fondo en el capítulo 7, dedicado a los suplementos. Puesto que no existe una buena fuente alimenticia de AAL, la mejor forma de sacar partido de sus beneficios es la ingestión de suplementos y la utilización de productos de aplicación tópica. Recomiendo utilizar diariamente un producto a base de AAL todas las mañanas antes de aplicarse la crema hidratante y el maquillaje.

¿DÓNDE ENCONTRAR PRODUCTOS QUE CONTENGAN ÁCIDO ALFA LIPOICO?

El mercado nos proporciona hoy en día una serie de productos cosméticos con alfa lipoico. He aquí un listado de algunos lugares web en los que pueden encontrarse:

- N. V. Perricone, M.D., Ltd., Flagship Store, 791 Madison Avenue, Nueva York: www.nvperriconemd.com
- Nordstrom: www.nordstrom.com
- Sephora: www.sephora.com
- Neiman Marcus: www.neimanmarcus.com
- Saks: www.saksfifthavenue.com

UNA REVOLUCIÓN PARA EL REJUVENECIMIENTO DE LA PIEL: LOS PRODUCTOS TÓPICOS A BASE DE PÉPTIDOS

Tal vez el mayor descubrimiento de los últimos años en el campo del cuidado y rejuvenecimiento de la piel sea el desarrollo de una gama de productos tópicos a base de péptidos.

Se han podido elaborar estos productos gracias al descubrimiento de que los péptidos y los neuropéptidos producidos por el timo estimulan la producción de colágeno y elastina, dos substancias que contribuyen en gran medida a la curación de las heridas. Si consideramos las arrugas como heridas microscópicas, veremos que es lógico que los péptidos tímicos contribuyan en la «curación» de las heridas y otras señales de envejecimiento.

LA FRACCIÓN CINCO

Si bien los científicos han conseguido aislar un gran número de péptidos biológicamente activos en la glándula del timo, los primeros estudios en este campo se llevaron a cabo con un extracto del timo denominado *fracción cinco*. La fracción cinco contiene más de cuarenta péptidos distintos, que ejercen en general una intensa actividad biológica.

La fracción cinco contiene un péptido clave llamado timosina beta 4. Esta molécula, por su función curativa en las heridas, tiene su importancia en la juventud y la belleza de la piel. Al envejecer, nuestro organismo tiene cada vez más problemas a la hora de curar las heridas, dificultad que experimentan también los diabéticos y todas las personas postradas en cama. Para que una herida cicatrice, el organismo debe pasar por una serie de etapas. Curiosamente, la primera y más importante es la de crear inflamación. La inflamación lleva a un aumento del flujo sanguíneo hacia la parte dañada y a la producción de distintos factores de crecimiento que favorecen la cicatrización. De modo que de entrada observamos el aumento de la inflamación, seguido por un incremento del flujo sanguíneo (o una disminución de éste, caso de sangrar con profusión), y luego el proceso denominado *angiogénesis* (desarrollo de nuevos vasos sanguíneos), para acabar con la migración hacia la zona de unas células cutáneas denominadas *fibroblastos*. Los fibroblastos sintetizan posteriormente el colágeno que ha de contribuir en la remodelación del tejido dañado.

La timosina beta 4, además de estimular la producción de colágeno y de elastina, ejerce una función clave en una serie de etapas del proceso, ya sea en el desarrollo de nuevos vasos sanguíneos, en la modulación de la respuesta inflamatoria o la migración de las células cutáneas hacia el lugar de la herida. La timosina beta 4 puede ejercer también la función de agente antiinflamatorio y proteger los tejidos vulnerables contra los efectos de una inflamación descontrolada.

EL MILAGRO DE LOS NEUROPÉPTIDOS Y LA PIEL

En el marco de unos ensayos clínicos realizados sobre distintas preparaciones tópicas a base de neuropéptidos, los investigadores observaron unos efectos inmediatos tras su aplicación. Unos minutos después de aplicar una crema tópica que contenga una serie de neuropéptidos y también de DMAE, poderoso antiinflamatorio que actúa en el ámbito de la piel y del cerebro, observamos:

- Un perceptible aumento de la luminosidad en la piel. Es el resultado de la importante actividad antiinflamatoria del compuesto, pero también de sus efectos en la circulación sanguínea y el metabolismo celular.
- Un incremento de la firmeza, dado que los neuropéptidos contribuyen en la formación del colágeno y la elastina.
- Una mejora en la elasticidad, el tono y la textura de la piel.
- Una disminución de las arrugas y surcos.
- Una reducción de las finas venas y capilares.
- Un aumento de la regeneración y la hidratación en la piel.

Al envejecer, el índice de renovación de nuestra piel se vuelve menor, se pierde el grosor dérmico al reducirse el colágeno y la elastina y se experimenta una disminución en los vasos sanguíneos que transporten los nutrientes hasta las células cutáneas, todo lo que puede mejorarse con la aplicación de productos tópicos a base de péptidos.

Recomiendo la aplicación diaria de estos preparados en el rostro y el cuello. Pueden usarse junto con las cremas hidratantes o antisolares.

Los resultados que se obtienen con la aplicación de las cremas a base de neuropéptidos son lo más impresionante que he visto en mis veinte años de investigación. Las fórmulas tópicas a base de neuropéptidos que yo mismo he creado contienen múltiples péptidos aplicados de una forma concreta que permite que las moléculas penetren en la piel, donde activarán los receptores para conseguir los máximos beneficios.

¿DÓNDE ENCONTRAR LOS PRODUCTOS TÓPICOS A BASE DE NEUROPÉPTIDOS?

El mercado presenta una serie de productos a base de péptidos; sin embargo, no respondo de muchos de ellos, puesto que yo mismo no los he probado. Presentaré, pues, una corta lista de lugares que ofrecen productos a base de neuropéptidos en Internet. Hay que leer con atención sus etiquetas y tener en cuenta que *pentapéptidos* es algo completamente distinto a *neuropéptidos,* y que éstos, por su parte, tienen que estar sintetizados sobre una base individual. Encontraremos productos a base de neuropéptidos en los siguientes lugares.

- N. V. Perricone, M.D., Ltd., Flagship Store, 791 Madison Avenue, Nueva York: www.nvperriconemd.com
- Nordstrom: www.nordstrom.com
- Sephora: www.sephora.com
- Neiman Marcus: www.neimanmarcus.com
- Saks: www.saksfifthavenue.com

La investigación sobre los péptidos y los neuropéptidos, si bien lleva ya un tiempo, se encuentra aún en sus inicios. Se trata de un campo científico que atrae las mentes más destacadas y por ello cada día proporciona nuevos descubrimiento sobre la función de estos elementos y las diferentes formas de utilizarlos. Con el programa de 28 días que se incluye en el capitulo siguiente ofrecemos una planificación simple, en tres etapas, que incluye alimentos, suplementos y tratamientos tópicos antiinflamatorios, a fin de aprovechar sus extraordinarias virtudes en nuestra vida cotidiana.

Tercera parte

EL PROGRAMA DE 28 DÍAS DEL DOCTOR PERRICONE

Conocemos ya los elementos clave del programa: el arco iris de los alimentos, los superalimentos, las plantas aromáticas y las especias, los polisacáridos y los suplementos. Cada uno de ellos es básico. Si le añadimos el ejercicio físico, aspecto en el que nos extenderemos en el próximo capítulo, dispondremos de todos los ingredientes para un sistema de vida nuevo y más sano. Descubriremos también las bases científicas del programa y sabremos por qué cada uno de estos elementos es tan importante para el éxito.

Si consideramos demasiado difícil abordar todos los cambios a la vez, no hace falta que lo hagamos. Empecemos eliminando gradualmente los malos hábitos (el café, el tabaco, la falta de sueño) y sustituyéndolos por otros buenos (incluir más pescado en la dieta, tomar uno o dos de los suplementos recomendados, aplicarse una crema tópica a base de neuropéptidos). Podemos probar también algunas de las recetas que se presentan en el apéndice A. Son muy saludables, y encima, deliciosas. En cuanto hayamos dado los primeros pasos en los pequeños cambios, encontraremos que cada vez es más fácil seguir el programa. Notaremos un espectacular aumento de energía durante el día. Dormiremos más por la noche. En unos días nos sentiremos mejor, tendremos mejor aspecto, y ello nos animará a marcarnos el objetivo de convertir el programa de 28 días en un estilo de vida.

9. El programa de 28 días del doctor Perricone

Cuando presento a mis pacientes y lectores *La promesa de la eterna juventud,* me veo compensado por el veo en ellos desde el principio. Puesto que consiguen unos resultados espectaculares en tan poco tiempo —en tan sólo tres días—, se animan a seguir con el programa e integrarlo en su vida.

Todos los días aprendo algo nuevo sobre la interacción entre los alimentos que consumimos y el ritmo al que envejecemos. En este capítulo he puesto el énfasis en mi menú sencillo y equilibrado y en un plan de suplementos que nos reportarán una serie de ventajas:

- Evitar las oscilaciones en los niveles de azúcar.
- Aumentar la belleza y la salud de la piel y los órganos internos.
- Mejorar la memoria y las funciones cerebrales.
- Mantener el bienestar emocional en unos niveles óptimos.
- Revitalizar todo el organismo.
- Optimizar el funcionamiento del sistema inmunitario.

He colocado en primer lugar de la lista el importantísimo mantra del mantenimiento del equilibrio en los niveles de azúcar porque si comemos o bebemos algo que provoca un rápido aumento del azúcar en la sangre, desencadenamos unas reacciones químicas en cadena que crearán inflamación. Al aprender a suprimir los péptidos proinflamatorios y estimular al mismo tiempo los antiinflamatorios por medio de la dieta y los suplementos, disponemos de una herramienta clave para conseguir el objetivo.

En este programa nos marcamos la meta de mantener la salud. En cuanto han pasado los 28 días, uno ya no puede volver a sus malos hábitos. Mejor dicho, nadie querrá hacerlo. De entrada, todos habrán comprobado que hacía años que no tenían una piel tan bonita. Se verán inundados de energía y vitalidad juvenil. Y probablemente también habrán perdido un exceso de grasa.

En efecto, la pérdida de peso es una de las ventajas a menudo inesperada, aunque siempre bien recibida, que nos reporta seguir los principios alimentarios de *La promesa de la eterna juventud*. Muchos hombres y mujeres descubren (con frecuencia por primera vez) que pueden perder peso y ganar energía sin sacrificios, sin pasar hambre o privaciones.

¿Cuál es el secreto? Mantener en equilibrio los niveles de azúcar en la sangre, al tiempo que se estimula el metabolismo. Los repentinos ascensos en los niveles de azúcar en la sangre —provocados por la ingestión de alimentos que contienen féculas, como la pasta, las patatas, los pasteles, dulces, refrescos y zumos— nos impiden quemar grasas, pues colocan un «pestillo» en el mecanismo que tienen las células para encargarse de ello. Por otro lado, las calorías vacías presentes en este tipo de alimentos nos incitan a comer más en cuanto baja el nivel de azúcar en la sangre, algo que se produce al cabo de un período de tiempo muy reducido. Cuando consumimos alimentos con un bajo índice glicémico, de grasas y de proteínas de calidad, no experimentamos súbitos aumentos de azúcar en la sangre y, por consiguiente, evitamos los excesos en la comida y reducimos el ansia de comer. Además, cuando uno pasa largos períodos sin comer, su metabolismo se semiparaliza para conservar las reservas de grasa y la energía. Así, el hecho de saltarse una comida puede tener los efectos opuestos a los deseados para aquellos que desean perder unos cuantos (o más de unos cuantos) kilos.

Conseguir y mantener un peso adecuado y saludable no es sólo una cuestión estética. El exceso de grasa tiene consecuencias directas sobre el vínculo entre belleza y cerebro. El timo, por ejemplo, influye en la producción de hormonas del estrés. Cuando aumenta el número de estas hormonas, uno intenta calmarse con alimentos que le proporcionan una energía y un bienestar momentáneos: los azúcares y las féculas. Tras el aumento inicial de la serotonina (la hormona del «bienestar»), bajan los citados niveles y se inicia un círculo vicioso de deseo de alimentos proinflamatorios, que engordan y arrugan la piel. Los alimentos y suplementos del programa de 28 días ayudan también a reducir los efectos perjudiciales de las hormonas del estrés, como el cortisol, responsables de la acumulación de grasa corporal, en especial en la zona abdominal. Además, estas opciones alimentarias antiinflamatorias reducen el ansia de tomar alimentos vacíos que nos llevan al peligroso ciclo del aumento y el descenso en la insulina. Las personas obesas tienen un riesgo mayor de contraer una serie de enfermedades, como la diabetes, la hipertensión, las dolencias cardíacas y la apoplejía. Hoy en día sabemos que cada célula adiposa fabrica unos agentes químicos inflamatorios que de ahí circulan por todo el cuerpo y aumentan el riesgo de sufrir enfermedades relacionadas con el envejecimiento.

Otro factor importante para quienes deseen controlar el peso es el consumo de alimentos ricos en fibras. Las fibras nos reportan grandes ventajas, y una de ellas, de gran importancia, es su capacidad de frenar la absorción de los alimentos y mantener así en equilibrio los índices de azúcar en la sangre. Es algo que hemos tenido especialmente en cuenta en la confección del programa de 28 días y la explicación de por qué contiene tantas recetas con alimentos ricos en fibras solubles e insolubles, como la cebada, la avena, las lentejas y las judías, así como abundantes raciones de frutas y verduras frescas.

EL EJERCICIO PARA LA SALUD

El ejercicio es también un factor importante para la regulación de los neuropéptidos. En los años ochenta, se descubrió que el neuropéptido beta endorfina reducía significativamente el dolor y al parecer fomentaba una sensación de euforia y alegría, al tiempo que reducía los síntomas de la depresión y la ansiedad. Este fenómeno se denomina *colocón del corredor,* puesto que esta beta endorfina se sintetiza en las actividá-

des de tipo aeróbico, en especial la carrera. Sin duda es una de las razones que explican que el ejercicio físico pueda reducir tanto el estrés: por
lo visto estimula la producción de unos neuropéptidos que contribuyen
a proporcionarnos sensación de bienestar, al contrario de lo que ocurre
con la substancia P (por ejemplo), que despierta sensaciones de depresión y ansiedad.

De todas formas, el ejercicio aeróbico no es el único que nos reporta
beneficios para la salud. El programa de *La promesa de la eterna juventud* recomienda combinar tres tipos de ejercicios:

1. Resistencia con pesas.
2. Ejercicios cardiovasculares y aeróbicos.
3. Flexibilidad.

Para conseguir beneficios óptimos, el plan debería incorporarlos todos.
Podemos ir alternando entre ellos para mantener el interés y el desafío.

1. El ejercicio con pesas o el levantamiento de pesas constituye una
   excelente forma de desarrollar y fortalecer los músculos. Este tipo de
   ejercicios favorece la fuerza por medio del entrenamiento progresivo:
   se va incrementando la resistencia o el peso a medida que van desarrollándose los músculos. Lo crean o no, es algo que también forma parte
   del vínculo entre cerebro y belleza. En los ejercicios de resistencia se
   libera la hormona del crecimiento y se reduce el estrés y el índice de
   cortisol que le acompaña. Antes de abordar un programa de entrenamiento con pesas (si es la primera vez que nos lo planteamos), consul-
   taremos al médico o a un preparador profesional para evitar lesiones y
   asegurar que realizamos los ejercicios de forma adecuada.
2. Los ejercicios cardiovasculares y aeróbicos, como la carrera, el pati-
   naje en línea, el kickboxing, la bicicleta, la escalada y la natación,
   mejoran mucho la resistencia y el aguante, así como los niveles de
   energía y la sensación de bienestar. Los ejercicios aeróbicos son el
   entrenamiento con pesas para el corazón, el músculo que bombea la
   sangre en todo el cuerpo. Este músculo se fortalece con el ejercicio
   aeróbico, que le permite llevar más oxígeno al cuerpo. Investigaciones
   recientes demuestran que no hace falta ser un atleta de alto nivel para
   sacar provecho de los ejercicios aeróbicos; todo lo que necesitamos

son tres sesiones de ejercicios aeróbicos de entre veinte y treinta minutos cada semana. Cabe insistir también en que, si no seguimos algún tipo de ejercicios, no debemos iniciar ningún programa que aumente el ritmo cardíaco, a menos que lo hayamos consultado con el médico.

3. Por fin, hay que incorporar ejercicios que mejoren la flexibilidad del cuerpo. Existen ciertas disciplinas que combinan las ventajas de los ejercicios cardiovasculares o aeróbicos con la flexibilidad, como las artes marciales, el kikboxing, la danza, la gimnasia y la natación.

Pilates

Los ejercicios Pilates constituyen un medio extraordinario para el aumento de la fuerza y la flexibilidad sin ganar masa muscular. Éste es el detalle que ha conseguido que se popularizara tanto este método entre los bailarines. En efecto, entre los primeros adeptos al método Pilates encontramos a dos célebres pioneros del mundo de la danza moderna: Martha Graham y George Balanchine.

El método Pilates fue creado en la década de 1920 por el célebre preparador físico y fundador del Pilates Studio, Joseph H. Pilates. Se trata de una serie de movimientos controlados en los que se implica el cuerpo y la mente, se llevan a cabo en aparatos especialmente concebidos para tal fin y los supervisa un preparador que ha seguido cursos intensivos en la especialidad. Para más información puede consultarse el lugar web: www.pilates-studio.com.

Según este excelente lugar, el método Pilates:

* Proporciona al cuerpo la preparación física que fomenta la armonía y el equilibrio físico.
* Resulta eficaz para las personas de todas las edades y condición física.
* Proporciona un entrenamiento revitalizante y vigorizante.
* Puede personalizarse en sesiones individuales de preparación.
* Es apropiado sea cual fuere el estado de forma de la persona.
* Se puede integrar en un programa de ejercicios de rehabilitación y de terapia física.
* No tiene contraindicaciones para embarazadas, pues enseña a respirar y a mantener la postura adecuada, a mejorar la concentración y a recuperar la línea y el tono corporales después del parto.

Consejos para el Programa Perricone de 28 días

- En cada comida o refrigerio, tomar siempre primero las proteínas. Las mejores fuentes de éstas son los pescados de aguas frías, como el salmón y el fletán.
- Usar plantas aromáticas frescas y secas, así como especias a discreción: orégano, jengibre, cayena, albahaca, mejorana, cúrcuma, ajo, canela. Todos estos alimentos poseen efectos antienvejecimiento, que van desde los antioxidantes y antiinflamatorios a la regulación del azúcar en la sangre.
- Quien desee sumergirse en los últimos descubrimientos en materia de antienvejecimiento debe pensar en la cocina antigua. Los auténticos alimentos mediterráneos, indios, de Oriente Próximo y el Extremo Oriente proporcionan sorprendentes efectos en este campo. Ello incluye desde unos sencillos curris a base de cúrcuma, a una amplia gama de platos preparados con lentejas y suficientes plantas aromáticas y especias para transformar nuestras comidas en un puntal antioxidante. Evitaremos los platos que lleven nata o la típica mantequilla semifluida de la cocina india y nos centraremos en los ingredientes más sencillos y saludables. Hay que incluir en todas las comidas y tentempiés proteínas de calidad.
- No olvidemos las fibras. Escojamos los hidratos de carbono con alto contenido en fibra. Una serie de estudios han demostrado que la fibra —en alimentos como manzanas, cebada, judías, lentejas y otras legumbres, frutas y verduras, las gachas, de las de antes, y el salvado de avena— reducen el nivel de colesterol. Son alimentos que, al digerirse despacio, no provocan un súbito aumento de azúcar en la sangre. Una alimentación rica en fibras es indispensable para controlar el aumento de peso no deseado.
- Tomar entre ocho y diez vasos de agua al día. El aumento del aporte de fibra puede provocar problemas de estreñimiento si no se toma el líquido necesario.
- Escogeremos pollo y pavo ecológico, criado al aire libre, pues tiene mejor sabor y evitamos comer carne procesada o de animales que han tomado antibióticos.
- Elegiremos los huevos procedentes de gallinas que no sean de granja, que hayan seguido una alimentación rica en omega-3, como por

ejemplo en semillas de lino. Hoy en día es fácil encontrar este tipo de huevos y resultan mucho más sanos que los convencionales.

* Compraremos productos ecológicos. Los pesticidas pueden dejar residuos tóxicos en todos los vegetales y éstos pueden dañar nuestros sistemas orgánicos.

* Escogeremos salmón que se ha criado en libertad en lugar del de piscifactoría.

* Además de consumir generosas raciones de salmón, incluiremos también anchoas y sardinas en la dieta: este pescado de pequeño tamaño tiene un sinfín de virtudes que pueden mejorar nuestra salud y nuestra belleza. Constituyen una importante fuente de ácidos grasos esenciales omega-3 y normalmente están menos contaminados que los de mayor tamaño, pues se encuentran en los últimos eslabones de la cadena alimenticia. Las anchoas y sardinas contienen asimismo DMAE, substancia que ayuda a conservar el tono y la firmeza de la piel. Una buena solución para introducir las anchoas en la dieta será la de añadirlas en forma de pasta (o machacar unas cuantas) en los aliños de las ensaladas. Es algo delicioso, además de un ingrediente básico de la célebre ensalada César. Sin embargo, recuerde: ¡nada de picatostes!

* Saltearemos los alimentos a fuego suave, evitando que se doren. El dorado del frito es el resultado de la glicación, en el que las proteínas han creado entrecruzamientos. Un estudio publicado por la revista *Proceedings of the National Academy of Sciences* revelaba que el consumo de alimentos cocinados a altas temperaturas podría acelerar el ritmo del envejecimiento. Según este estudio, la ingestión de alimentos cocinados de esta forma provoca inflamación crónica y la formación de los productos finales de la glicación (llamados adecuadamente AGE). Para más información consultar el capítulo 7.

* Recomiendo tomar todos los días un yogur o kéfir con açaí y frutas del bosque (arándanos, moras, frambuesas o fresas) o bien una cucharada de extracto de granada, una vez al día, en el desayuno o en algún tentempié. Una forma extraordinaria de añadir proteínas, calcio, potasio, fósforo, vitaminas B_6 y B_{12}, niacina y ácido fólico a nuestra dieta, además de aprovechar sus importantes propiedades antioxidantes y probióticas (cuyos efectos en la flora intestinal contribuyen a frenar el proceso del envejecimiento) del açaí y de las frutas del bosque.

- Guarnecer generosamente los platos con cebollino y chalote picado, así como otros miembros de la familia de las cebollas para sacar el máximo partido de sus extraordinarios aromas e importantes efectos beneficiosos para la salud.
- No hay que olvidar los brotes frescos. Los de brécol contienen una considerable cantidad de antioxidantes. De todos modos, los brotes, ya sean de alfalfa o girasol, de lentejas o rábano, proporcionan sus sanas virtudes y sabor a las ensaladas, a los platos saltedados, a los rollitos e incluso a las sopas y estofados. Encontraremos brotes germinados en tiendas de alimentación natural y supermercados especializados.
- Cuando se escojan lechugas para ensalada se tendrá en cuenta que cuanto más oscura la hoja, mejor. Podemos elegir entre lechuga romana, mezcla de brotes, mesclum, roqueta, col rizada, espinacas, escarola, col de la China u hortalizas por el estilo. Evitaremos la lechuga iceberg.
- Añadir restos de verduras cocidas a las ensaladas. El brécol cocido, por ejemplo, resulta delicioso frío, aliñado con aceite de oliva virgen extra y zumo de limón recién exprimido.
- Los frutos secos y las semillas son también un buen complemento para ensaladas y salteados.
- Si deseamos conseguir una piel tersa y radiante, evitaremos las dietas con bajo contenido en grasas o sin ellas. Después del agua, la grasa es la substancia que más abunda en nuestro organismo. Las grasas de origen animal y vegetal proporcionan una fuente de energía a la dieta y son también los componentes básicos para la creación de las membranas celulares, las hormonas y las prostaglandinas. Además, transportan importantes vitaminas liposolubles, como las A, D, E i K. Las grasas de los alimentos posibilitan la conversión del caroteno en vitamina A, así como otros muchos procesos. Más del 70 % de nuestras células cerebrales y nerviosas están compuestas por grasa, elemento indispensable en estos tejidos elásticos y resistentes a los impactos. Cada membrana celular de nuestro cuerpo está compuesta por un 30 % de grasa como mínimo. El colesterol y las grasas saturadas ejercen también un papel esencial en el crecimiento de bebés y niños. Éstos necesitan la grasa para la formación de la mielina, membrana especial que protege los nervios, básica para un desarrollo normal del sistema nervioso central y el cerebro.

La grasa que contiene la leche materna responde a estas necesidades del bebé. Encontramos grasas saludables en pescados como el salmón, en los frutos secos y semillas, el yogur, el kéfir y el aceite de oliva.

- El requesón es también un alimento excelente, aunque las marcas que encontramos en los supermercados contienen ingredientes poco deseables, que van desde los conservantes (sorbato de potasio y goma de guar), carragenina, elementos de relleno y estabilizantes. Intentaremos adquirir este queso en establecimientos de alimentación natural y así no contendrá más que leche pasteurizada de primera, nata y sal. A ser posible, elegiremos marcas que elaboren el producto con leche de vacas no tratadas con hormonas o antibióticos.

EL PROGRAMA DE 28 DÍAS DEL DOCTOR PERRICONE

Antes de empezar el programa, he aquí algo que el lector debe saber. Ni que decir tiene que hay que consultar al médico antes de emprender un cambio en la alimentación o en el campo del ejercicio físico. Abordemos de entrada los elementos básicos de *La promesa de la eterna juventud:* es importante empezar el día con una generosa dosis de péptidos; por ello aconsejo tomar a primera hora un alimento a base de polisacáridos, como el PEP o bien un suplemento a base de seta maitake. Luego, inmediatamente después de la ducha, aplicar sobre el rostro y el cuello una crema a base de neuropéptidos (ver capítulo 8). Con eso empezaremos bien el día y conservaremos un aspecto sano y agradable hasta la noche.

Al haber optado por una alimentación más saludable, nuestro cuerpo recibe a diario mayor cantidad de vitaminas y nutrientes. Así y todo, aconsejo un suplemento para mejorar la posibilidad de equilibrar las hormonas, estimular la producción de péptidos y mejorar los resultados obtenidos al combinar todas las partes del Programa Perricone de 28 días. Independientemente de los productos que hayamos escogido, hay que verificar que contengan las vitaminas A, C y E, ácido alfa lipoico, ácidos grasos esenciales, toda la gama de vitaminas B y minerales y en particular calcio y magnesio (consultar la guía de recursos).

Podemos tomar los suplementos por separado o en forma de preparado multivitamínico. Al adquirir los suplementos, leeremos con detención sus etiquetas para informarnos de los ingredientes que contienen y también de su posología. Existe también otra opción: tomar los suplementos preparadas de antemano, como los productos Total Skin y Body Packed, que yo mismo he creado, y que incluyen lo que considero la mezcla óptima de suplementos para un programa antiinflamatorio y antienvejecimiento.

Posología para los comprimidos a base de neuropéptidos. Un comprimido a la hora de desayunar y otro a la hora de comer durante doce días. A partir de entonces, un comprimido al día o cada dos días.

Consumo y posología del maitake. Encontramos la fracción D y la fracción SX en forma de comprimidos o extractos. Hay que seguir las instrucciones de la etiqueta o consultar con un profesional de la salud. El maitake fracción D contiene un polisacárido único que apoya la función de las células inmunitarias. La posología habitual es de dos comprimidos al día, que se toman entre las comidas. El maitake fracción D está especialmente indicado para las personas que desean mejorar su sistema inmunitario.

El maitake fracción SX es el primer suplemento que se centra específicamente en el síndrome X en el marco del régimen alimenticio, con el objetivo de mantener los niveles de azúcar en la sangre y de presión arterial. Quien desee una mejor protección del sistema inmunitario puede optar por maitake fracción D y quien esté más preocupado por el síndrome X elegirá maitake fracción SX.

PRIMERA SEMANA

Hay que recordar que cada comida o refrigerio debería contener tres nutrientes importantes:

- Proteínas.
- Hidratos de carbono con bajo contenido glicémico.
- Grasas esenciales.

Las personas muy activas o de mayor tamaño y que, por tanto, poseen mayor masa muscular, deben tomar mayores cantidades de proteínas. Ya sea una comida o un tentempié, siempre puede sustituirse la fuente de proteínas que se sugiere por una lata de salmón que no sea de piscifactoría. Vea la guía de recursos para consultar las diferentes fuentes del salmón.

Día 1. Lunes

Empezaremos el día con una cucharadita de alimento funcional en polvo a base de péptidos diluida en 180 ml de agua o un comprimido de maitake fracción D o SX.

Ejercicios del día.

Después de limpiar la piel, aplicar una crema a base de neuropéptidos en el rostro y en el cuello.

Desayuno
- 1 huevo pasado por agua
- 60 g de requesón con una cucharada de semillas de lino molidas
- 30-60 g (medir antes de poner al fuego) de avena en copos con 1/2 cucharadita de canela
- 60 g de frutas del bosque
- 250 ml de té verde o agua

Suplementos: régimen suplemento diario, 2 cápsulas de aceite de pescado noruego de calidad extra.

Comida
- 175 g de ensalada de pollo o tofu al jengibre (receta en el Apéndice A)
- 1 kiwi
- 250 ml de agua

Suplementos: régimen de suplemento diario, 2 cápsulas de aceite de pescado noruego de calidad extra.

Merienda
- 180 ml de yogur natural o kéfir mezclado con 1 porción de açaí
- 3 almendras
- 250 ml de agua

Cena
- Filetes de salmón rebozados con avellanas sobre un fondo de ensalada tibia (ver la receta en el Apéndice A)
- 1 trozo de melón cantalupo de 5 cm

- 250 ml de agua
- 2 cápsulas de aceite de pescado noruego extra

Resopón
- 1 huevo duro
- 1 manzana
- 3 nueces
- 250 ml de agua

Día 2. Martes

Empezaremos el día con una cucharadita de alimento funcional en polvo a base de péptidos diluida en 180 ml de agua o un comprimido de maitake fracción D o SX.

Después de limpiar la piel, aplicar una crema a base de neuropéptidos en el rostro y en el cuello.

Desayuno
- 1 tortilla de 2 huevos enteros y 2 claras, con hierbas aromáticas frescas
- Yogur o kéfir: 180 ml de yogur natural, 1 cucharadita de semillas de lino molidas, 60 g de frutas del bosque y 1 porción de açaí
- 250 ml de té verde o agua

Suplementos: régimen de suplemento diario, 2 cápsulas de aceite de pescado noruego de calidad extra.

Comida
- Ensalada griega con pollo asado, salmón, gambas o tofu (ver receta en el Apéndice A)
- 1 manzana
- 250 ml de agua

Suplementos: régimen de suplemento diario, 2 cápsulas de aceite de pescado noruego de calidad extra.

Merienda
- 60 g de requesón con una cucharada de semillas de lino molidas
- 1 pera
- 250 ml de agua

Cena
- 1 sopa de lentejas y salchicha de pavo (ver receta en el Apéndice A)
- 250 g de ensalada de hojas oscuras con 175-250 g de pollo asado, aliñado con aceite de oliva y zumo de limón y 125 g de brotes
- 250 ml de agua
- 2 cápsulas de aceite de pescado noruego extra

Resopón
- 60-120 g de pechuga de pavo o de pollo asado en lonchas
- 1 cucharada de semillas de calabaza crudas
- 1 trozo de melón de arrope
- 250 ml de agua

Día 3. Miércoles

Empezaremos el día con una cucharadita de alimento funcional en polvo a base de péptidos diluida en 180 ml de agua o un comprimido de maitake fracción D o SX.

Ejercicios del día.

Después de limpiar la piel, aplicar una crema a base de neuropépti-dos en el rostro y en el cuello.

Desayuno
- 120-240 g de salmón asado o ahumado
- 125 g de avena hervida con 1/2 cucharadita de canela y 1 cucharada de frutas del bosque
- 250 ml de té verde o agua

Suplementos: régimen de suplemento diario, 2 cápsulas de aceite de pescado noruego de calidad extra.

Comida
- Cóctel de gambas (ver receta en el Apéndice A)
- 1/2 aguacate
- 1 manzana
- 250 ml de agua

Suplementos: régimen de suplemento diario, 2 cápsulas de aceite de pescado noruego de calidad extra.

Merienda
- 180 ml de yogur natural con 1 porción de açaí
- 1 cucharada de semillas de girasol
- 250 ml de agua

Cena
- Pollo con almendras
- 125 g de macedonia con frutas del bosque, kiwi y pera
- 250 ml de agua
- 2 cápsulas de aceite de pescado noruego extra

Resopón
- 60 g de humus (ver receta en el Apéndice A)
- 1 brote de apio
- 250 ml de agua

Día 4. Jueves

- Empezaremos el día con una cucharadita de alimento funcional en polvo a base de péptidos diluida en 180 ml de agua o un comprimido de maitake fracción D o SX.
- Ejercicios del día.
- Después de limpiar la piel, aplicar una crema a base de neuropéptidos en el rostro y en el cuello.

Desayuno
- Tortilla de queso feta: 2 huevos enteros, 2 claras, 30 g de feta en migas y 1/4 de cucharadita de eneldo seco fresco

- 1 rodaja de cantalupo de 5 cm
- 250 ml de té verde o agua

Suplementos: régimen de suplemento diario, 2 cápsulas de aceite de pescado noruego de calidad extra.

Comida
- Cóctel de cangrejo o bogavante (ver receta en el Apéndice A)
- Ensalada verde aliñada con aceite de oliva virgen extra y zumo de limón
- 1 pera
- 250 ml de agua

Suplementos: régimen de suplemento diario, 2 cápsulas de aceite de pescado noruego de calidad extra.

Merienda
- Batido de kéfir: mezclar en la batidora 180 ml de kéfir sin azúcar, 60 g de frutas del bosque, 1 cucharadita de semillas de lino molidas y 1 porción de açaí
- 250 ml de agua

Cena
- Pollo o tofu al curri (ver receta en el Apéndice A) acompañado por 125 g de cebada hervida
- Ensalada de pepino fresca y cremosa (ver receta en el Apéndice A)
- 250 ml de agua
- 2 cápsulas de aceite de pescado noruego extra

Resopón
- 60-120 g de pechuga de pavo
- 60 g de cerezas
- 3 almendras
- 250 ml de agua

Día 5. Viernes

Empezaremos el día con una cucharadita de alimento funcional en
polvo a base de péptidos diluida en 180 ml de agua o un comprimido de
maitake fracción D o SX.

Ejercicios del día.

Después de limpiar la piel, aplicar una crema a base de neuropéptidos en el rostro y en el cuello.

Desayuno
- 1 huevo pasado por agua
- 2 lonchas de embutido de pavo
- Yogur o kéfir: mezclar en la batidora 180 ml de yogur o kéfir, 60 g
  de frutas del bosque mezcladas y una porción de açaí
- 250 ml de té verde o agua.

Suplementos: régimen de suplemento diario, 2 cápsulas de aceite de
pescado noruego de calidad extra.

Comida
- Rollito de ensalada de pollo, pavo o tofu (ver receta en el Apéndice A)
- 250 ml de agua

Suplementos: régimen de suplemento diario, 2 cápsulas de aceite de
pescado noruego de calidad extra.

Merienda
- 1 huevo duro
- 3 tomates cherry
- 3 aceitunas
- 250 ml de agua

Cena
- Salmón teriyaki (puede sustituirse por pechuga de pollo o tofu; ver
  receta en el Apéndice A)
- 125 g de espárragos al vapor
- 125 g de lentejas

- 250 ml de agua
- 2 cápsulas de aceite de pescado noruego extra

Resopón
- 60 g de requesón
- 1 cucharada de semillas de calabaza picadas
- 250 ml de agua

Día 6. Sábado

Empezaremos el día con una cucharadita de alimento funcional en polvo a base de péptidos diluida en 180 ml de agua o un comprimido de maitake fracción D o SX.

Ejercicios del día.

Después de limpiar la piel, aplicar una crema a base de neuropéptidos en el rostro y en el cuello.

Desayuno
- 2 lonchas de beicon de lomo de cerdo o embutido de pavo
- 60 g de requesón
- 125 g de cereales con alforfón (ver receta en el Apéndice A)
- 1 kiwi
- 250 g de té verde o agua

Suplementos: régimen de suplemento diario, 2 cápsulas de aceite de pescado noruego de calidad extra.

Comida
- 125 g de humus (ver receta en el Apéndice A)
- 120-180 g de pollo, salmón o tofu
- 2 brotes de apio
- 1 manzana

Suplementos: régimen de suplemento diario, 2 cápsulas de aceite de pescado noruego de calidad extra.

Merienda
- Yogur: mezclar en la batidora 180 ml de yogur natural y una ración de açaí
- 3 nueces
- 250 ml de agua

Cena
- Pollo asado estilo indio (ver receta en el Apéndice A)
- 125 g de cebada cocida (ver receta en el Apéndice A)
- 1 raja de cantalupo de 5 cm
- 250 ml de agua
- 2 cápsulas de aceite de pescado noruego extra

Resopón
- 30-60 g de pavo o pechuga de pollo en lonchas
- 60 g de semillas de calabaza
- 60 g de cerezas
- 250 ml de agua

Día 7. Domingo

Empezaremos el día con una cucharadita de alimento funcional en polvo a base de péptidos diluida en 180 ml de agua o un comprimido de maitake fracción D o SX.

Ejercicios del día.

Después de limpiar la piel, aplicar una crema a base de neuropépti-dos en el rostro y en el cuello.

Desayuno
- 150-300 g de salmón asado o ahumado
- 30-60 g (medir antes de la cocción) de copos de avena con media cucharadita de canela
- 1 kiwi
- 250 ml de té verde o agua

Suplementos: régimen de suplemento diario, 2 cápsulas de aceite de pescado noruego de calidad extra.

Comida
- Hamburguesa de pavo (ver receta en el Apéndice A)
- Ensalada verde aliñada con aceite de oliva virgen extra y zumo de limón
- 125 g de frutas del bosque
- 250 ml de agua

Suplementos: régimen de suplemento diario, 2 cápsulas de aceite de pescado noruego de calidad extra.

Merienda
- 60 g de requesón con 1 cucharada de semillas de lino molidas
- 1 manzana
- 250 ml de agua

Cena
- Delicias de fletán con pimientos rojos y puerros pochados (ver receta en el Apéndice A)
- 125 g de alforfón pilaf (ver receta en el Apéndice A)
- 250 ml de agua
- 2 cápsulas de aceite de pescado noruego extra

Resopón
- 30-60 g de pechuga de pavo o pollo en lonchas
- 3 aceitunas
- 3 fresas
- 250 ml de agua

Segunda semana

Día 8. Lunes

Empezaremos el día con una cucharadita de alimento funcional en polvo a base de péptidos diluida en 180 ml de agua o un comprimido de maitake fracción D o SX.

Ejercicios del día.

Después de limpiar la piel, aplicar una crema a base de neuropéptidos en el rostro y en el cuello.

Desayuno
- Tortilla de 2 huevos enteros, 2 claras, finas hierbas y cebollinos o chalotes picados
- Batido de yogur o kéfir: mezclar en la batidora 180 ml de yogur sin azúcar o kéfir, 60 ml de frutas del bosque, 1 cucharadita de semillas de lino molidas y 1 porción de açaí
- 250 ml de té verde o agua

Suplementos: régimen de suplemento diario, 2 cápsulas de aceite de pescado noruego de calidad extra.

Comida
- Cóctel de gambas, cangrejo o bogavante (ver receta en el Apéndice A)
- Ensalada verde aliñada con aceite de oliva extra virgen y zumo de limón y 1/2 aguacate como guarnición
- 1 pera
- 250 ml de agua

Suplementos: régimen de suplemento diario, 2 cápsulas de aceite de pescado noruego de calidad extra.

Merienda
- 60 g de requesón con 1 cucharada de semillas de girasol o calabaza picadas
- 1 manzana
- 250 ml de agua

Cena
- Pollo al limón (ver receta en el Apéndice A)
- Avena pilaf con aroma de azafrán y perejil (ver la receta en el apéndice A)
- Macedonia de frutas con finas rajas de melón, kiwi y manzana
- 250 ml de agua
- 2 cápsulas de aceite de pescado noruego extra

Resopón
- 30-60 g de pechuga de pavo o pollo en lonchas
- 3 almendras
- 60 g de arándanos
- 250 ml de agua

Día 9. Martes

Empezaremos el día con una cucharadita de alimento funcional en polvo a base de péptidos diluida en 180 ml de agua o un comprimido de maitake fracción D o SX.

Ejercicios del día.

Después de limpiar la piel, aplicar una crema a base de neuropéptidos en el rostro y en el cuello.

Desayuno
- Tortilla de 2 huevos enteros y 2 claras con 125 g de cebolla y champiñón salteado
- 1 raja de 5 cm de melón de miel
- 250 ml de té verde o agua

Suplementos: régimen de suplemento diario, 2 cápsulas de aceite de pescado noruego de calidad extra.

Comida
- Suculenta sopa de pollo (ver receta en el Apéndice A)
- 1 pera
- 250 ml de agua

Suplementos: régimen de suplemento diario, 2 cápsulas de aceite de pescado noruego de calidad extra.

Merienda
- 30-60 g de pechuga de pavo
- 3 nueces
- 1 manzana
- 250 ml de agua

Cena
- Bacalao fresco al horno con salsa de tomate y albahaca (ver receta en el Apéndice A)
- Espinacas con ajo y jengibre (ver receta en el Apéndice A)
- 125 g de cebada al horno (ver receta en el Apéndice A)
- 60 g de frutas del bosque
- 250 ml de agua
- 2 cápsulas de aceite de pescado noruego extra

Resopón
- 60 g de requesón con 1 cucharada de semillas de lino molidas
- 60 g de cerezas
- 250 ml de agua

Día 10. Miércoles

Empezaremos el día con una cucharadita de alimento funcional en polvo a base de péptidos diluida en 180 ml de agua o un comprimido de maitake fracción D o SX.

Ejercicios del día.

Después de limpiar la piel, aplicar una crema a base de neuropéptidos en el rostro y en el cuello.

Desayuno
- 90-180 g de salmón al horno o ahumado
- Batido de yogur o kéfir: mezclar en la batidora 180 ml de yogur o kéfir, 60 g de frutas del bosque y 1 porción de açaí

- 3 nueces de macadamia
- 250 ml de té verde o agua

Suplementos: régimen de suplemento diario, 2 cápsulas de aceite de pescado noruego de calidad extra.

Comida
- Rollito de ensalada de pollo, pavo o tofu (ver receta en el Apéndice A)
- Generosa ensalada verde con tomate en rodajas
- 1 trozo de melón cantalupo de 5 cm
- 250 ml de agua

Suplementos: régimen de suplemento diario, 2 cápsulas de aceite de pescado noruego de calidad extra.

Merienda
- 125 g de humus (ver receta en el Apéndice A)
- 2 brotes de apio
- 3 almendras
- 250 ml de agua

Cena
- Gambas al curri (ver receta en el Apéndice A)
- 125 g de avena o cebada integral hervida, al estilo del arroz integral
- 250 g de ensalada verde con 1/2 aguacate aliñada con aceite de oliva virgen extra y zumo de limón
- 250 ml de agua
- 2 cápsulas de pescado noruego extra

Resopón
- 30-60 g de pechuga de pollo o pavo en lonchas
- 60 g de semillas de calabaza
- 1 manzana
- 250 ml de agua

Día 11. Jueves

Empezaremos el día con una cucharadita de alimento funcional en polvo a base de péptidos diluida en 180 ml de agua o un comprimido de maitake fracción D o SX.

Ejercicios del día.

Después de limpiar la piel, aplicar una crema a base de neuropéptidos en el rostro y en el cuello.

Desayuno
- Tortilla de 2 huevos y 2 claras, finas hierbas y 30 g de queso feta
- 30-60 g (medir antes de la cocción) de copos de avena al estilo antiguo con una cucharada de semillas de calabaza picadas
- 1 kiwi
- 250 ml de té verde o agua

Suplementos: régimen de suplemento diario, 2 cápsulas de aceite de pescado noruego extra.

Comida
- Hamburguesa de salmón sobre un fondo de ensalada (ver receta en el Apéndice A)
- 1 manzana
- 250 ml de agua

Suplementos: régimen de suplemento diario, 2 cápsulas de aceite de pescado noruego de calidad extra.

Merienda
- Batido de yogur o kéfir: mezclar en la batidora 180 ml de yogur o kéfir sin azúcar, 60 g de frutas del bosque, 1 cucharada de semillas de lino molidas y 1 porción de açaí
- 250 ml de té verde o agua

Cena
- Chile de pavo o tofu con dos tipos de judías (ver la receta en el Apéndice A)

- Ensalada verde aliñada con aceite de oliva virgen extra y zumo de limón
- 1 pera
- 250 ml de agua
- 2 cápsulas de aceite de pescado noruego extra

Resopón
- 60 g de requesón con 1 cucharadita de semillas de lino
- 60 g de frutas del bosque
- 250 ml de agua

Día 12. Viernes

Empezaremos el día con una cucharadita de alimento funcional en polvo a base de péptidos diluida en 180 ml de agua o un comprimido de maitake fracción D o SX.

Ejercicios del día.

Después de limpiar la piel, aplicar una crema a base de neuropéptidos en el rostro y en el cuello.

Desayuno
- 2 trozos de salchicha de pavo o tofu
- 2 huevos pasados por agua
- 125 g de cebada hervida con una cucharada de yogur y 60 g de frutas del bosque
- 250 ml de té verde o agua

Suplementos: régimen de suplemento diario, 2 cápsulas de aceite de pescado noruego de calidad extra.

Comida
- Sopa de pavo mediterránea (ver receta en el Apéndice A)
- 3 nueces
- 1 trozo de melón cantalupo de 5 cm

Suplementos: régimen de suplemento diario, 2 cápsulas de aceite de pescado noruego de calidad extra.

Merienda

- Batido de yogur o kéfir: mezclar en la batidora 180 ml de yogur o kéfir sin azúcar, 60 g de frutas del bosque, 1 cucharada de semillas de lino molidas y 1 porción de açaí
- 250 ml de agua

Cena

- Pescado de invierno en sabrosa y sencilla salsa (ver receta en el Apéndice A)
- Ensalada verde aliñada con aceite de oliva virgen extra y zumo de limón
- 250 ml de agua
- 2 cápsulas de aceite de pescado noruego extra

Resopón

- 1 huevo duro
- 3 tomates cherry
- 3 nueces de macadamia
- 250 ml de agua

Día 13. Sábado

Empezaremos el día con una cucharadita de alimento funcional en polvo a base de péptidos diluida en 180 ml de agua o un comprimido de maitake fracción D o SX. Ejercicios del día.

Después de limpiar la piel, aplicar una crema a base de neuropéptidos en el rostro y en el cuello.

Desayuno

- Tortilla con dos huevos enteros y 2 claras, finas hierbas y cebollino o chalote picados
- Batido de yogur o kéfir: mezclar en la batidora 180 ml de yogur o kéfir sin azúcar, 60 g de frutas del bosque, 1 cucharadita de semillas de lino y 1 ración de açaí
- 3 almendras
- 250 ml de té verde o agua

Suplementos: régimen de suplemento diario, 2 cápsulas de aceite de pescado noruego de calidad extra.

Comida
- Ensalada de salmón (ver receta en el Apéndice A)
- 1 trozo de melón cantalupo de 5 cm
- 250 ml de agua

Suplementos: régimen de suplemento diario, 2 cápsulas de aceite de pescado noruego de calidad extra.

Merienda
- 1 huevo duro
- 1 manzana
- 3 nueces
- 250 ml de agua

Cena
- Pimientos rellenos estilo mediterráneo (ver la receta en el Apéndice A)
- Ensalada verde aliñada con aceite de oliva virgen extra y zumo de limón
- 250 ml de agua
- 2 cápsulas de aceite de pescado noruego extra

Resopón
- 60 g de requesón con 1 cucharada de semillas de calabaza o bien de girasol
- 1 kiwi
- 250 ml de agua

Día 14. Domingo

Empezaremos el día con una cucharadita de alimento funcional en polvo a base de péptidos diluida en 180 ml de agua o un comprimido de maitake fracción D o SX.

Ejercicio del día: relajación.

Después de limpiar la piel, aplicar una crema a base de neuropéptidos en el rostro y en el cuello.

Desayuno
- 2 lonchas de embutido de pavo
- 2 huevos pasados por agua
- 125 g de cereales de alforfón (ver receta en el Apéndice A)
- 250 ml de té verde o agua

Suplementos: régimen de suplemento diario, 2 cápsulas de aceite de pescado noruego de calidad extra.

Comida
- Ensalada César con pollo o gambas asados (ver receta en Apéndice A)
- 1 trozo de melón cantalupo de 5 cm

Suplementos: régimen de suplemento diario, 2 cápsulas de aceite de
pescado noruego de calidad extra.

Merienda
- Batido de yogur o kéfir: mezclar en la batidora 180 ml de yogur o
  kéfir, 60 g de frutas del bosque, 1 cucharadita de semillas de lino
  molidas y 1 porción de açaí
- 250 ml de agua

Cena
- Ensalada de pollo y nueces con judías y alcachofas (ver receta en el
  Apéndice A)
- 1 pera
- 250 ml de agua
- 2 cápsulas de aceite de pescado noruego extra

Resopón
- 30 g de pechuga de pavo en lonchas
- 3 aceitunas
- 3 tomates cherry
- 250 ml de agua

TERCERA SEMANA

Día 15. Lunes

Empezaremos el día con una cucharadita de alimento funcional en polvo a base de péptidos diluida en 180 ml de agua o un comprimido de maitake fracción D o SX.

Ejercicios del día.

Después de limpiar la piel, aplicar una crema a base de neuropépti-dos en el rostro y en el cuello.

Desayuno
- 1 huevo pasado por agua
- 60 g de requesón con una cucharada semillas de lino molidas
- 30-60 g de copos de avena con 1/2 cucharadita de canela
- 60 g de frutas del bosque
- 250 ml de té verde o agua

Suplementos: régimen de suplemento diario, 2 cápsulas de aceite de pescado noruego de calidad extra.

Comida
- 180 g de ensalada de pollo o tofu al jengibre (receta en el Apéndice A)
- 1 kiwi
- 250 ml de agua

Suplementos: régimen de suplemento diario, 2 cápsulas de aceite de pescado noruego de calidad extra.

Merienda
- 180 ml de yogur natural o kéfir mezclados con una bolsita de pulpa de açaí
- 3 almendras
- 250 ml de agua

Cena

- Filetes de salmón con costra de avellanas sobre una base de ensalada tibia
- 1 trozo de melón cantalupo de 5 cm
- 250 ml de agua
- 2 cápsulas de aceite de pescado noruego extra

Resopón

- 1 huevo duro
- 1 manzana
- 3 nueces
- 250 ml de agua

Día 16. Martes

Empezaremos el día con una cucharadita de alimento funcional en polvo a base de péptidos diluida en 180 ml de agua o un comprimido de maitake fracción D o SX.

Después de limpiar la piel, aplicar una crema a base de neuropéptidos en el rostro y en el cuello.

Desayuno

- Tortilla de 2 huevos enteros, 2 claras y finas hierbas
- Batido de yogur o kéfir: 180 ml de yogur natural o kéfir, 1 cucharada de semillas de lino molidas, 60 g de frutas del bosque y 1 porción de açaí
- 250 ml de té verde o agua

Suplementos: régimen de suplemento diario, 2 cápsulas de aceite de pescado noruego de calidad extra.

Comida

- Ensalada griega con pollo, salmón, gambas o tofu asados (ver receta en el Apéndice A)
- 1 manzana
- 250 ml de agua

Suplementos: régimen de suplemento diario, 2 cápsulas de aceite de pescado noruego de calidad extra.

Merienda
- 60 g de requesón con 1 cucharada de semillas de lino molidas
- 1 pera
- 250 ml de agua

Cena
- 1 plato de sopa de lentejas con salchicha de pavo (ver receta en el Apéndice A)
- 125 g de ensalada verde con 30-60 g de pollo asado, aliñada con aceite de oliva, zumo de limón y 60 g de brotes
- 250 ml de agua
  2 cápsulas de aceite de pescado noruego extra

Resopón
- 30-60 g de pechuga de pavo o pollo asados en lonchas
- 1 cucharada de semillas crudas de calabaza
- 1 trozo de melón de miel de 5 cm
- 250 ml de agua

Día 17. Miércoles

Empezaremos el día con una cucharadita de alimento funcional en polvo a base de péptidos diluida en 180 ml de agua o un comprimido de maitake fracción D o SX.

Ejercicios del día.

Después de limpiar la piel, aplicar una crema a base de neuropéptidos en el rostro y en el cuello.

Desayuno
- 120-240 g de salmón asado o ahumado
- 125 g de cebada cocida con 1/2 cucharadita de canela y 1 cucharada de frutas del bosque
- 250 ml de té verde o agua

Suplementos: régimen de suplemento diario, 2 cápsulas de aceite de pescado noruego de calidad extra.

Comida
- Cóctel de gambas (ver receta en el Apéndice A)
- 1/2 aguacate
- 1 manzana
- 250 ml de agua

Suplementos: régimen de suplemento diario, 2 cápsulas de aceite de pescado noruego de calidad extra.

Merienda
- 180 ml de yogur natural mezclado con 1 sobre de açaí
- 1 cucharada de semillas de girasol
- 250 ml de agua

Cena
- Pollo con almendras (ver receta en el Apéndice A)
- 125 g de macedonia con frutas del bosque, kiwi y pera
- 250 ml de agua
- 2 cápsula de aceite de pescado noruego extra

Resopón
- 60 g de humus (ver receta en el Apéndice A)
- 1 brote de apio
- 250 ml de agua

Día 18. Jueves

Empezaremos el día con una cucharadita de alimento funcional en polvo a base de péptidos diluida en 180 ml de agua o un comprimido de maitake fracción D o SX.

Ejercicios del día.

Después de limpiar la piel, aplicar una crema a base de neuropéptidos en el rostro y en el cuello.

Desayuno

- Tortilla con 2 huevos enteros, 2 claras, 15 g de queso feta en migas y 14 de cucharadita de eneldo seco o fresco
- 1 trozo de melón cantalupo de 5 cm
- 250 ml de té verde o agua

Suplementos: régimen de suplemento diario, 2 cápsulas de aceite de pescado noruego de calidad extra.

Comida
- Cóctel de cangrejo o bogavante (ver receta en el Apéndice A)
- Ensalada verde aliñada con aceite de oliva virgen extra y zumo de limón
- 1 pera
- 250 ml de agua

Suplementos: régimen de suplemento diario, 2 cápsulas de aceite de pescado noruego de calidad extra.

Merienda
- Batido de kéfir: mezclar en la batidora 180 ml de kéfir sin azúcar, 60 g de frutas del bosque, 1 cucharada de semillas de lino molidas y 1 porción de açaí
- 250 ml de agua

Cena
- Pollo o tofu al curri (ver receta en el Apéndice A) servido con 125 g de cebada cocida
- Fresca y cremosa ensalada de pepino (ver receta en el Apéndice A)
- 250 ml de agua
- 2 cápsulas de aceite de pescado noruego extra

Resopón
- 30-60 g de pechuga de pavo o pollo en lonchas
- 60 g de cerezas
- 3 almendras
- 250 ml de agua

Día 19. Viernes

Empezaremos el día con una cucharadita de alimento funcional en polvo a base de péptidos diluida en 180 ml de agua o un comprimido de maitake fracción D o SX.

Ejercicios del día.

Después de limpiar la piel, aplicar una crema a base de neuropépti-dos en el rostro y en el cuello.

Desayuno

- 1 huevo duro
- 2 lonchas de embutido de pavo
- Batido de yogur o kéfir: mezclar en la batidora 180 ml de yogur o kéfir, 60 g de frutas del bosque y 1 porción de açaí
- 250 ml de té verde o agua

Suplementos: régimen de suplemento diario, 2 cápsulas de aceite de pescado noruego de calidad extra.

Comida

- Rollito de ensalada de pollo, pavo o tofu (ver receta en el Apéndice A)
- 250 ml de agua

Suplementos: régimen de suplemento diario, 2 cápsulas de aceite de pescado noruego de calidad extra.

Merienda

- 1 huevo duro
- 3 tomates cherry
- 3 aceitunas
- 250 ml de agua

Cena

- Salmón teriyaki (puede sustituirse por pechuga pollo o tofu; ver receta en el Apéndice A)
- 125 g de espárragos al vapor

- 125 g de lentejas
- 250 ml de agua
- 2 cápsulas de aceite de pescado noruego extra

Resopón
- 60 g de requesón
- 1 cucharada de semillas de calabaza picadas
- 250 ml de agua

Día 20. Sábado

Empezaremos el día con una cucharadita de alimento funcional en polvo a base de péptidos diluida en 180 ml de agua o un comprimido de maitake fracción D o SX.

Ejercicios del día.

Después de limpiar la piel, aplicar una crema a base de neuropéptidos en el rostro y en el cuello.

Desayuno
- 2 lonchas de beicon de lomo o embutido de pavo
- 60 g de requesón
- 125 g de cereales de alforfón (ver receta en el Apéndice A)
- 1 kiwi
- 250 ml de té verde o agua

Suplementos: régimen de suplemento diario, 2 cápsulas de aceite de pescado noruego de calidad extra.

Comida
- 125 g de humus (ver receta en el Apéndice A)
- 120-180 g de pollo, salmón o tofu asados
- 2 brotes de apio
- 1 manzana

Suplementos: régimen de suplemento diario, 2 cápsulas de aceite de pescado noruego de calidad extra.

Merienda

- Batido de yogur: mezclar en la batidora 180 ml de yogur y 1 porción de açaí
- 250 ml de agua

Cena
- Pollo asado estilo india (ver receta en el Apéndice A)
- 125 g de cebada cocida (ver receta en el Apéndice A)
- 1 trozo de melón cantalupo de 5 cm
- 250 ml de agua
- 2 cápsulas de aceite de pescado noruego extra

Resopón
- 30-60 g de pechuga de pavo o pollo en lonchas
- 60 g de semillas de calabaza
- 125 g de cerezas
- 250 ml de agua

Día 21. Domingo

Empezaremos el día con una cucharadita de alimento funcional en polvo a base de péptidos diluida en 180 ml de agua o un comprimido de maitake fracción D o SX.

Ejercicio del día: relajación.

Después de limpiar la piel, aplicar una crema a base de neuropépti-dos en el rostro y en el cuello.

Desayuno
- 90-180 g de salmón asado ahumado
- 30-60 g (medir antes de cocer) de copos de avena con 1/2 cucharadi-ta de canela
- 1 kiwi
- 250 ml de té verde o agua

Suplementos: régimen de suplemento diario, 2 cápsulas de aceite de pescado noruego de calidad extra.

Comida

- Hamburguesa de pavo (ver receta en el Apéndice A)
- Ensalada verde aliñada con aceite de oliva virgen extra y zumo de limón
- 125 g de frutas del bosque
- 250 ml de agua

Suplementos: régimen de suplemento diario, 2 cápsulas de aceite de pescado noruego de calidad extra.

Merienda
- 60 g de requesón con 1 cucharada de semillas de lino molidas
- 1 manzana
- 250 ml de agua

Cena
- Delicias de fletán con pimientos rojos y puerros (ver receta en el Apéndice A)
- 125 g de alforfón pilaf (ver receta en el Apéndice A)
- 250 ml de agua
- 2 cápsulas de aceite de pescado noruego extra

Resopón
- 30-60 g de pechuga de pavo o pollo en lonchas
- 3 aceitunas
- 3 fresas
- 250 ml de agua

CUARTA SEMANA

Día 22. Lunes

Empezaremos el día con una cucharadita de alimento funcional en polvo a base de péptidos diluida en 180 ml de agua o un comprimido de maitake fracción D o SX.

Ejercicios del día.

Después de limpiar la piel, aplicar una crema a base de neuropépti-dos en el rostro y en el cuello.

Desayuno
- Tortilla de 2 huevos enteros, 2 claras y chalote o cebollino picados
- Batido de yogur o kéfir: mezclar en la batidora 180 ml de kéfir o yogur sin azúcar, 60 g de frutas del bosque, 1 cucharadita de semi-llas de lino molidas y 1 porción de açaí
- 250 ml de té verde o agua

Suplementos: régimen de suplemento diario, 2 cápsulas de aceite de pescado noruego de calidad extra.

Comida
- Cóctel de gambas, cangrejo o bogavante (ver receta en el Apéndice A)
- Ensalada verde aliñada con aceite de oliva virgen extra o zumo de limón con 1/2 aguacate como guarnición
- 1 pera
- 250 ml de agua

Suplementos: régimen de suplemento diario, 2 cápsulas de aceite de pescado noruego de calidad extra.

Merienda
- 60 g de requesón con 1 cucharada de semillas de girasol o calabaza picadas
- 1 manzana
- 250 ml de agua

Cena
- Pollo al limón (ver receta en el Apéndice A)
- Avena pilaf con aroma de azafrán y perejil (ver la receta en el apéndice A).
- Macedonia de fruta con finas rajas de melón, kiwi o manzana
- 250 ml de agua
- 2 cápsulas de aceite de pescado noruego extra

Resopón
- 30-60 g de pavo o pollo en lonchas
- 3 almendras
- 60 g de arándanos
- 250 ml de agua

Día 23. Martes

Empezaremos el día con una cucharadita de alimento funcional en polvo a base de péptidos diluida en 180 ml de agua o un comprimido de maitake fracción D o SX.

Ejercicios del día.

Después de limpiar la piel, aplicar una crema a base de neuropéptidos en el rostro y en el cuello.

Desayuno
- Tortilla de 2 huevos enteros, 2 claras y 125 g de cebolla y champiñón salteados
- 1 trozo de melón de miel de 5 cm
- 250 de té verde o agua

Suplementos: régimen de suplemento diario, 2 cápsulas de aceite de pescado noruego de calidad extra.

Comida
- Suculenta sopa de pollo (ver receta en el Apéndice A)
- 1 pera
- 250 ml de agua

Suplementos: régimen de suplemento diario, 2 cápsulas de aceite de pescado noruego de calidad extra.

Merienda
* 30-60 g de pechuga de pavo
* 3 nueces
* 1 manzana
* 250 ml de agua

Cena
* Bacalao fresco al horno con salsa de tomate y albahaca (ver receta en el Apéndice A)
* Espinacas con ajo y jengibre (ver receta en el Apéndice A)
* 125 g de cebada cocina (ver receta en el Apéndice A)
* 60 g de frutas del bosque
* 250 ml de agua
* 2 cápsulas de aceite de pescado noruego extra

Resopón
* 60 g de requesón con 1 cucharada de semillas de lino picadas
* 60 g de cerezas
* 250 ml de agua

Día 24. Miércoles

Empezaremos el día con una cucharadita de alimento funcional en polvo a base de péptidos diluida en 180 ml de agua o un comprimido de maitake fracción D o SX.

Ejercicios del día.

Después de limpiar la piel, aplicar una crema a base de neuropéptidos en el rostro y en el cuello.

Desayuno
* 90-180 g de salmón asado o ahumado
* Batido de yogur o kéfir: mezclar en la batidora 180 ml de yogur o kéfir, 60 g de frutas del bosque y 1 porción de açaí

- 3 nueces de macadamia
- 250 ml de té verde o agua

Suplementos: régimen de suplemento diario, 2 cápsulas de aceite de pescado noruego de calidad extra.

Comida
- Rollito de ensalada de pollo, pavo o tofu (ver receta en el Apéndice A)
- Gran ensalada verde con tomate a rodajas
- 1 trozo de melón cantalupo de 5 cm
- 250 ml de agua

Suplementos: régimen de suplemento diario, 2 cápsulas de aceite de pescado noruego de calidad extra.

Merienda
- 125 g de humus (ver receta en el Apéndice A)
- 2 brotes de apio
- 3 almendras
- 250 ml de agua

Cena
- Gambas al curri (ver receta en el Apéndice A)
- 125 g de avena o cebada integrales cocidas (de la misma forma que el arroz integral)
- 250 g de ensalada con lechuga y 1/2 aguacate aliñada con aceite de oliva virgen extra y zumo de limón
- 250 ml de agua
- 2 cápsulas de aceite de pescado noruego extra

Resopón
- 30-60 de pechuga de pollo o pavo en lonchas
- 60 g de semillas de calabaza
- 1 manzana
- 250 ml de agua

Día 25. Jueves

Empezaremos el día con una cucharadita de alimento funcional en polvo a base de péptidos diluida en 180 ml de agua o un comprimido de maitake fracción D o SX.

Ejercicios del día.

Después de limpiar la piel, aplicar una crema a base de neuropéptidos en el rostro y en el cuello.

Desayuno
- Tortilla con 2 huevos, 2 claras, finas hierbas y 30 g de queso feta
- 30-60 g (pesados antes de la cocción) de copos de avena con 1 cucharada de semillas de calabaza picadas
- 1 kiwi
- 250 ml de té verde o agua

Suplementos: régimen de suplemento diario, 2 cápsulas de aceite de pescado noruego de calidad extra.

Comida
- Hamburguesa de salmón sobre un fondo de ensalada (ver receta en el apéndice A)
- 1 manzana
- 250 ml de agua

Suplementos: régimen de suplemento diario, 2 cápsulas de aceite de pescado noruego de calidad extra.

Merienda
- Batido de yogur o kéfir: mezclar en la batidora 180 ml de yogur o kéfir sin azúcar, 60 ml de frutas del bosque, 1 cucharadita de semillas de lino y 1 porción de açaí
- 250 ml de té verde o agua

Cena
- Chile de pavo o tofu con dos tipos de judías (ver receta en Apéndice A)
- Ensalada verde aliñada con aceite de oliva virgen y zumo de limón

- 1 pera
- 250 ml de agua
- 2 cápsulas de aceite de pescado noruego extra

Resopón
- 60 g de requesón con una cucharada de semillas de lino
- 60 g de frutas del bosque
- 250 ml de agua

Día 26. Viernes

Empezaremos el día con una cucharadita de alimento funcional en polvo a base de péptidos diluida en 180 ml de agua o un comprimido de maitake fracción D o SX.

Ejercicios del día.

Después de limpiar la piel, aplicar una crema a base de neuropépti-dos en el rostro y en el cuello.

Desayuno
- 2 salchichas de pavo o tofu
- 2 huevos pasados por agua
- 125 g de cebada cocida con 1 cucharada de yogur y 30 g de frutas del bosque
- 250 ml de té verde o agua

Suplementos: régimen de suplemento diario, 2 cápsulas de aceite de pescado noruego de calidad extra.

Comida
- Sopa de pavo mediterránea (ver receta en el Apéndice A)
- 3 nueces
- 1 raja de 5 cm de melón cantalupo

Suplementos: régimen de suplemento diario, 2 cápsulas de aceite de pescado noruego de calidad extra.

Merienda

- Batido de yogur o kéfir: mezclar en la batidora 180 ml de yogur sin azúcar o kéfir, 60 ml de frutas del bosque, y 1 cucharadita de semillas de lino molidas y 1 porción de açaí
- 250 ml de agua

Cena

- Pescado de invierno con una salsa sencilla (ver receta en Apéndice A)
- Ensalada verde aliñada con aceite de oliva virgen y zumo de limón
- 250 ml de agua
- 2 cápsulas de aceite de pescado noruego extra

Resopón

- 1 huevo duro
- 3 tomates cherry
- 3 nueces de macadamia
- 250 ml de agua

Día 27. Sábado

Empezaremos el día con una cucharadita de alimento funcional en polvo a base de péptidos diluida en 180 ml de agua o un comprimido de maitake fracción D o SX.

Ejercicios del día.

Después de limpiar la piel, aplicar una crema a base de neuropéptidos en el rostro y en el cuello.

Desayuno

- 1 tortilla de 2 huevos enteros y 2 claras, con hierbas aromáticas frescas y chalote o cebollino picado
- Yogur o kéfir: 180 ml de yogur natural, 1 cucharadita de semillas de lino molidas, 60 g de frutas del bosque y 1 porción de açaí
- 3 almendras
- 250 ml de té verde o agua

Suplementos: régimen de suplemento diario, 2 cápsulas de aceite de pescado noruego de calidad extra.

Comida

- Ensalada de salmón (ver receta en el Apéndice A)
- 1 trozo de melón cantalupo de 5 cm
- 250 ml de agua

Suplementos: régimen de suplemento diario, 2 cápsulas de aceite de pescado noruego de calidad extra.

Merienda

- 1 huevo duro
- 1 manzana
- 3 nueces
- 250 ml de agua

Cena

- Pimientos rellenos estilo mediterráneo (ver receta en el Apéndice A)
- Ensalada verde con aceite de oliva virgen extra y zumo de limón
- 250 ml de agua
- 2 cápsulas de aceite de pescado noruego extra

Resopón

- 60 g de requesón con 1 cucharada de semillas de calabaza o girasol
- 1 kiwi
- 250 ml de agua

Día 28. Domingo

Empezaremos el día con una cucharadita de alimento funcional en polvo a base de péptidos diluida en 180 ml de agua o un comprimido de maitake fracción D o SX.

Ejercicios del día: relajación.

Después de limpiar la piel, aplicar una crema a base de neuropéptidos en el rostro y en el cuello.

Desayuno

- 2 lonchas de embutido de pavo
- 2 huevos pasados por agua

- 60 g de cereales de alforfón (ver receta en el Apéndice A)
- 250 ml de té verde o agua

Suplementos: régimen de suplemento diario, 2 cápsulas de aceite de pescado noruego de calidad extra.

Comida
- Ensalada César con pollo o gambas asados (ver receta en Apéndice A)
- 1 trozo de melón cantalupo de 5 cm

Suplementos: régimen de suplemento diario, 2 cápsulas de aceite de pescado noruego de calidad extra.

Merienda
- Yogur o kéfir: 180 ml de yogur natural, 1 cucharadita de semillas de lino molidas, 60 g de frutas del bosque y 1 porción de açaí
- 250 ml de agua

Cena
- Ensalada de pollo y nueces con judías y alcachofas (ver receta en el Apéndice A)
- 1 pera
- 250 ml de agua
- 2 cápsulas de aceite de pescado noruego extra

Resopón
- 30 g de pechuga de pavo en lonchas
- 3 aceitunas
- 3 tomates cherry
- 250 ml de agua

Espero que el lector siga mi programa y compruebe que le ayuda a cambiar su vida. Mis pacientes me explican que lo han conseguido, y estoy convencido de que quien lo pruebe opinará lo mismo. Ésta es una senda hacia una vida nueva y mejor; avancemos por ella con alegría y disfrutemos de las recompensas que nos brinda.

Apéndice A

LAS RECETAS DEL PROGRAMA PERRICONE DE 28 DÍAS

Estas recetas contienen muchos de los alimentos arco iris, superalimentos y plantas aromáticas y especias que hemos presentado en los capítulos 3, 4 y 5. Se han elaborado con intención de proporcionar los nutrientes y los antioxidantes necesarios. Son deliciosas y fáciles de preparar.

DESAYUNO

Cereales con alforfón (2 raciones)

- 1/2 litro de agua
- 120 g de alforfón en copos
- 1 manzana sin corazón, troceada
- 30 g de semillas de girasol
- 1 cucharadita de canela
- 60 ml de yogur

Llevaremos el agua a ebullición, le añadiremos el alforfón y, cuando hierva, lo removeremos bien. Le agregaremos la manzana, las semillas y la canela. Dejamos la mezcla a fuego lento, sin tapar, durante 20 minutos o hasta que los cereales estén hechos. Lo serviremos caliente con el yogur por encima.

COMIDA

Humus (2 $^1/_2$ tazas)

Constituye una pasta extraordinaria, que puede comerse con brotes de apio u otras hortalizas. Resulta delicioso en la comida o en la merienda, y contiene proteínas, fibras, antioxidantes y calcio. Receta adaptada a partir del libro The Whole Food Bible.

- 185 g de garbanzos hervidos o en lata y 125 ml del agua de cocción de las judías (si no se tiene a mano, puede utilizarse agua)
- 3 dientes de ajo pelados
- 30 g de tahine (pasta de semillas de sésamo que puede encontrarse en establecimientos de alimentación natural o la sección de productos naturales de los supermercados)
- 2 cucharadas de aceite de oliva virgen extra
- Zumo de 1 limón
- 1 cucharadita de sal marina
- Hojas de lechuga
- Cayena o paprika

Ponemos los garbanzos y el ajo en una batidora y convertimos la mezcla en puré.

Le añadimos entre una cuarta parte y la mitad de líquido o el agua que se ha reservado (según la consistencia que se desee), el tahine, el aceite de oliva, el zumo de limón y la sal. Seguimos batiendo hasta que los ingredientes se hayan mezclado bien y la pasta tenga una consistencia suave y untuosa. Se dejará como mínimo un par de horas en el frigorífico.

Lo serviremos sobre un fondo de lechuga, adornado con un poco de cayena o paprika.

Rollito de ensalada de pollo, pavo o tofu (2 raciones)

Para el rollo

- 180 g de pechuga de pollo o pavo cocida y cortada en dados o bien de tofu troceado
- 1/2 brote de apio picado
- 1 manzana pequeña sin corazón, troceada
- 4 nueces picadas
- 1 cucharadita de zumo de limón recién exprimido
- 60 g de brotes de alfalfa o brécol
- 2 hojas de col grandes, limpias

Mezclaremos todos los ingredientes (salvo las hojas de col) en un pequeño cuenco. Dividiremos la mezcla en dos partes, que extenderemos por encima de cada una de las hojas de col. Enrollaremos luego la col y doblaremos bien sus extremos como si se tratara de un rollito de primavera.

Para la salsa

- 250 ml de yogur
- 1 cucharada de zumo de limón
- 1 cucharadita de perejil recién picado
- 1 cucharadita de eneldo fresco o seco picado

Mezclaremos el yogur, el zumo de limón y las hierbas y lo serviremos como acompañamiento.

Hamburguesas de salmón sobre un fondo de ensalada (3 hamburguesas)

Una receta para una comida o una cena rápida y deliciosa

- 1 lata de salmón que no sea de piscifactoría
- 3 chalotes, picados
- 1 cucharada de jengibre fresco recién rayado
- 1 clara de huevo grande
- 1 cucharada de salsa de soja

- 1 cucharada de aceite de oliva
- 250 g de lechuga

Escurriremos el salmón y, en un cuenco grande de cristal o cerámica, lo mezclaremos con el chalote y el jengibre.

Batiremos la clara del huevo con la salsa de soja en un cuenco más pequeño y añadiremos la mezcla al salmón; formaremos luego 3 bolitas de unos 2 cm de grosor.

Podremos aceite de oliva en una sartén de unos 30 cm y lo calentaremos a fuego medio.

Incorporaremos las bolitas de salmón aplanadas en forma de hamburguesas y las voltearemos para que se doren por los dos lados; deben permanecer en el fuego entre 6 y 7 minutos.

Colocaremos las hojas de lechuga en los platos, las hamburguesas por encima, y serviremos el plato inmediatamente.

Ensalada de salmón (2 raciones)

- 450 g de salmón cocido, troceado, o en lata del mismo peso, escurrido
- Zumo de 1 limón grande
- 120 g de judías blancas hervidas o en lata, escurridas
- 80 ml de aceite de oliva virgen extra
- Hojas de estragón frescas, picadas
- 120 g de tomates cherry cortados por la mitad
- 30 g de chalote picado
- 30 g de albahaca fresca, picada
- 30 g de perejil fresco, picado
- Sal y pimienta negra recién molida
- 500 g de lechuga romana cortada muy fina

Se mezcla con suavidad el salmón con el zumo de limón, las judías y el aceite de oliva. Se le añaden los ingredientes que quedan y se sigue removiendo hasta que la salsa esté bien distribuida.

Ensalada de pollo o tofu al jengibre (2 raciones)

Adaptada a partir del libro The Whole Food Bible.

- 240 g de pechuga de pollo o tofu firme picados
- 30 g de cebolla roja picada
- 1/2 brote de apio
- 1 cucharadita de semillas de girasol
- 1/2 de cucharadita de jengibre fresco picado
- 1/2 cucharadas de aceite de oliva virgen extra
- 2 cucharadas de zumo de limón recién exprimido
- Lechuga romana

Mezclaremos todos los ingredientes hasta que queden recubiertos por el aceite y el limón. Serviremos la mezcla sobre un fondo de lechuga.

Hamburguesas de pavo (4 hamburguesas o 1 pastel)

Esta receta puede servir tanto para hacer hamburguesas como para cocer en un molde, a modo de pastel de carne. Adaptada del libro The Whole Food Bible.

- 750 g de carne de pavo de cría ecológica
- 30 g de cebolla picada
- 90 g de copos de avena (pasados por la picadora hasta que queden como migas de pan)
- 1 huevo
- 30 g de apio picado
- 60 ml de leche, leche de soja o caldo
- 1 cucharadita de sal marina
- 1 diente de ajo picado
- 3 cucharadas de perejil fresco picado

Mezclaremos bien todos los ingredientes. Formaremos unas bolitas aplanadas de 2,5 cm de grosor, que se colocarán en una sartén con un poco de aceite. Freiremos las hamburguesas a fuego medio unos 5 minutos, hasta que estén doradas y crujientes.

Les daremos la vuelta para que se frían por el otro lado, 5 minutos más, hasta que se doren, el termómetro que introduzcamos en su centro marque 75° C, y el material haya perdido el tono rosado. Se servirán calientes.

Si lo que preparamos es un pastel de pescado, precalentaremos el horno a 175° C. Introduciremos la mezcla en un molde de 20 x 10 cm, ligeramente untado. Lo dejaremos unos 45 minutos en el horno o hasta que la pasta empiece a soltarse de las paredes del molde.

Cóctel de gambas, cangrejo o bogavante

Hoy en día, los mejores supermercados venden gambas, cangrejo o bogavante cocidos, lo que hace que este delicioso plato sea aún más fácil de preparar.

Dispondremos 4 o 6 gambas grandes o 120 o 180 g de carne de cangrejo o bogavante, en trocitos, en un pequeño cuenco. Adornaremos el plato con gajos de limón y lo serviremos con salsa de cóctel.

Para la salsa de cóctel
- 175 g de ketchup (preferiblemente que no contenga azúcar)
- 1 cucharada de zumo de limón recién exprimido
- 3 cucharadas de rábano picante en bote
- 1/2 cucharadita de Tabasco

Mezclar todos los ingredientes con un tenedor. Servir fresca.

Sopa de pavo mediterránea (4 raciones)

- 1 cucharada de aceite de oliva
- 1 pimiento verde o rojo cortado en dados
- 1 cebolla picada
- 2 brotes de apio picados
- 3 dientes de ajo grandes picados
- 1 cucharada de albahaca seca
- 2 cucharaditas de semillas de hinojo
- 1/2 cucharadita de pimentón

- 1,5 litros de caldo de pollo con poca sal
- 1 lata (850 ml) de tomate maduro, picado y escurrido
- 1 lata (450 g) de judías blancas
- 600 g de carne de pavo cocida, en dados
- Queso parmesano o romano rayado
- Sal y pimienta

En una sartén grande calentaremos el aceite a fuego medio. Le añadiremos el pimiento, la cebolla, el apio, la albahaca, el hinojo, las semillas y el pimentón. Se saltea la mezcla durante unos 10 minutos o hasta que haya quedado tierna.

Se le añade el caldo y los tomates. Cubrimos la sartén y la dejamos a fuego lento 10 minutos.

Le agregamos las judías y el pavo y dejamos calentar el conjunto alrededor de 1 minuto.

Adornaremos cada recipiente de sopa que sirvamos con 1 cucharada de queso y le añadiremos sal y pimienta al gusto.

Suculenta sopa de pollo (4 raciones)

- 1,5 l de caldo de pollo con poca sal
- 120 g de avena o cebada integrales crudas
- 2 cucharadas de tomillo fresco picado o 2 cucharaditas de seco
- 1 cucharada de aceite de oliva
- 1 cebolla picada
- 2 brotes de apio picados
- 2 chalotes en finas rodajas
- 3 dientes de ajo grandes picados
- 700 g de pechuga de pollo cocida y en dados
- Sal y pimienta
- Perejil fresco picado

En una olla grande llevaremos el caldo de pollo a ebullición. Le añadiremos la avena o cebada y el tomillo. Dejaremos que hierva de nuevo.

Reduciremos el fuego y dejaremos la sopa, sin tapar, a fuego lento hasta que los cereales estén tiernos, dándole una vuelta de vez en cuando, unos 30 minutos.

En una sartén grande se calentará una cucharada de aceite de oliva, donde se salteará la cebolla, el apio, el chalote y el ajo a fuego medio, hasta que todo quede traslúcido. Se añadirán las hortalizas a la olla del caldo.

Incorporaremos el pollo a la mezcla y lo dejaremos a fuego lento hasta que el conjunto esté caliente, agregándole más caldo si hace falta. Salpimentamos la sopa y la espolvoreamos con perejil antes de servirla.

Ensalada griega con pollo, salmón, gambas o tofu asados (2 abundantes raciones)

- 2 cucharadas de aceite de oliva virgen extra
- 2 cucharaditas de zumo de limón recién exprimido
- 1 diente de ajo picado
- 120 g de hojas de espinaca muy tiernas o de lechuga romana muy troceada
- 1 pimiento verde pequeño picado
- 1/2 pepino picado
- 1/2 cebolla roja en juliana
- 120 g de tomates cherry partidos por la mitad
- 40 g de aceitunas griegas o kalamata
- 2 cucharaditas de orégano fresco muy picado
- 3 cucharadas de perejil fresco picado
- 180 de queso feta, troceado
- 60 g de garbanzos
- Pimienta negra recién molida al gusto
- 240-360 g de pollo, salmón, gambas o tofu asados

Se batirá el aceite de oliva con el zumo de limón y el ajo en un pequeño cuenco, que se reservará.

En un gran cuenco de madera mezclaremos el resto de ingredientes para añadirles luego el aliño de forma que todo quede empapado.

Ensalada César con pollo o gambas asados (2 raciones)

- 240 g de lechuga romana en trocitos
- 1 diente de ajo grande picado

- 60 ml de aceite de oliva virgen extra
- Sal y pimienta recién molida al gusto
- 1/2 cucharadita de salsa Worcestershire
- Zumo de 1 limón
- 30 g de queso pecorino romano rallado
- 240-360 g de pechuga de pollo, en tiras o 8 gambas, asadas

Se lava y seca la lechuga.

Con una cuchara de madera, aplastaremos el ajo en un gran cuenco, también de madera. Le añadiremos la lechuga y el aceite de oliva y mezclaremos hasta que ésta se haya empapado. Añadiremos los aliños, la salsa Worcestershire y el zumo de limón y seguiremos moviendo. Se esparce por encima el queso rallado y se mueve ligeramente para que se distribuya bien.

Colocaremos el pollo o las gambas por encima.

CENA

PESCADO

Delicias de fletán con pimientos y puerros pochados (4 raciones generosas)

Un plato fácil de preparar, pero tan suculento que cualquiera creería que uno ha pasado horas en la cocina. Puede sustituirse el fletán por bacalao, lenguado u otro pescado de carne prieta. Podemos utilizar la plancha o la parrilla. Como acompañamiento prepararemos cereales, cebada o avena, para absorber el adobo. Adaptación del libro The Whole Food Bible.

- 700 g de fletán
- 2 pimientos rojos sin semillas cortados en juliana
- 3 puerros medianos (sólo la parte blanca), lavados y escurridos, en finas rodajas

Para el adobo
- 3 cucharadas de aceite de oliva virgen extra
- 2 cucharadas de tamari con bajo contenido en sodio (salsa de soja que puede encontrarse en establecimientos de alimentación sana)
- 2 cucharaditas de zumo de limón recién exprimido
- 2 cucharadas de vino blanco seco
- 2 dientes de ajo picados
- 2 trozos (de unos 3 cm de diámetro) de jengibre fresco, pelado y picado

Limpiaremos bien el fletán y lo secaremos un poco. Mezclaremos los ingredientes del adobo y los colocaremos encima del pescado en un plato de cristal o cerámica. Dejaremos el adobo una hora en el frigorífico, dándole la vuelta unas cuantas veces.

Se preparará la parrilla (si utilizamos carbón o leña en lugar de plancha) 45 minutos antes de la cocción o se calentará la plancha 15 minutos antes de comenzar.

Sacaremos el pescado y pasaremos el adobo a una sartén grande, al fuego. Le añadiremos los pimientos rojos y el puerro, freiremos el conjunto a fuego medio unos 15 minutos o hasta que las hortalizas estén tiernas. No tienen que dorarse.

Cuando la sartén lleve 5 minutos en el fuego, se pondrá el fletán al fuego. Se dejará 4 o 5 minutos por cada cara, hasta que su carne quede opaca y se desmenuce fácilmente.

Colocaremos el pescado en los platos para servir y lo acompañaremos con los pimientos rojos y el puerro pochados.

Gambas al curri (4 raciones)

Receta que combina el curri, el jengibre y el ajo para crear un delicioso plato. Se sirve acompañado por avena o cebada integrales hervidas como el arroz integral. Adaptación del libro The Whole Food Bible.

- 700 g de gambas sin cáscara ni nervio
- Zumo de 1 lima
- 3 cucharadas de aceite de oliva
- 3 cebollas pequeñas troceadas

- 2 dientes de ajo picados
- 2 trozos (de alrededor de 3 cm de diámetro) de jengibre fresco, pelado y picado
- 1-2 cucharadas de curri en polvo, al gusto
- 3 tomates grandes picados y 250 ml de zumo de tomate o 1 lata de tomate de 1kg

Se rociarán las gambas (o pollo o tofu) con el zumo de lima y se reservarán. Calentaremos el aceite en una sartén grande. Le añadiremos las cebollas, el ajo y el jengibre. Dejaremos la mezcla a fuego medio, moviéndola a menudo hasta que la cebolla quede translúcida, unos 5 minutos. No debe dorarse.

Agregaremos el curri en polvo, movemos bien y seguimos con la mezcla en el fuego 3 minutos más, sin dejar de remover. Incorporamos los tomates y el zumo. Movemos, tapamos y dejamos a fuego lento 15 minutos, dándole algunas vueltas de vez en cuando.

Se destapará el recipiente y se le añadirán las gambas. Removeremos bien y lo dejamos 3-5 minutos al fuego, hasta que el marisco adquiera un tono rosado. Servimos inmediatamente.

Salmón teriyaki (4 raciones)

La salsa teriyaki de esta receta puede utilizarse también con pollo o tofu. Si usamos pinchos de madera, los dejaremos antes en remojo en agua para que no se quemen. Adaptación del libro The Whole Food Bible.

Para la salsa teriyaki
- 60 ml de tamari bajo en sodio
- 60 ml de jerez seco
- 1 cucharada de aceite de sésamo
- 1 cucharada de jengibre recién rallado
- 2 dientes de ajo machacados

Para el pescado
- 900 g de filetes de salmón que no sea de piscifactoría
- Limón en gajos

Mezclaremos los ingredientes de la salsa.

Colocaremos el pescado en una fuente de cerámica, le añadiremos el adobo y lo dejaremos 2 horas en el frigorífico.

Se prepararán las brasas o la plancha. Sacaremos el pescado del adobo y lo colocaremos en otra fuente. Se asará, a la brasa o a la plancha, durante 3 o 4 minutos. Le daremos la vuelta y repetiremos la operación en el otro lado. Evitaremos una cocción excesiva.

El adobo restante puede calentarse de nuevo y servirse con el pescado. Puede adornarse con los gajos de limón.

Filetes de salmón con costra de avellanas sobre base de ensalada tibia (4 raciones)

Pueden sustituirse las avellanas por semillas de girasol o almendras. Adaptación del libro The Whole Food Bible.

- 60 g de avellanas
- 30 g de perejil fresco picado
- 1 cucharada de corteza de limón ecológico rallada (se escogerán limones de cultivo ecológico para evitar los fungicidas que pueden quedar en la corteza de los que han sido tratados)
- 1 pizca de sal marina y 1 de pimienta recién molida
- 4 filetes de salmón sin piel, de 180 g cada uno
- 2 cucharadas de aceite de oliva
- 500 g de ensalada verde de cultivo ecológico (rúcula, mezcla de lechugas, espinacas, etc.)
- Gajos de limón

Molemos las avellanas en un molinillo de café o un robot, evitando que se haga una pasta. Mezclaremos en un plato estos frutos secos molidos con el perejil, la ralladura de limón, la sal y la pimienta.

Secamos el salmón y lo rebozamos por ambos lados con la mezcla.

Calentaremos el aceite en una sartén grande a fuego medio. Añadimos el salmón y lo dejamos 5 minutos por cada lado hasta que esté hecho.

Colocaremos 120 g de ensalada en cada plato y el salmón encima. Decoramos con los gajos de limón y serviremos de inmediato.

Pescado de invierno en sabrosa y sencilla salsa (4 raciones)

Este guiso de pescado al estilo mediterráneo contiene mucho tomate y ajo. Puede prepararse con diferentes tipos de pescado, aunque personalmente me inclino por el salmón que no sea de piscifactoría. Se acompaña con una crujiente ensalada verde. Adaptada del libro The Whole Food Bible.

- 1 lata (850 g) de tomate en lata con su jugo
- 2 cucharadas de aceite de oliva virgen extra
- 2 cebollas picadas
- 5 dientes de ajo picados
- 500 ml de vino blanco seco (en cuanto hierve el vino, se evapora casi todo su contenido en alcohol).
- 3 cucharadas de albahaca, orégano y tomillo frescos, picados
- 1 litro de agua
- 1/2 litro de caldo de pescado o jugo de almejas
- Unas briznas de azafrán
- 1 lata (400 g) de judías blancas de cultivo ecológico
- 900 g de salmón, fletán, bacalao fresco o brosmio, cortados en dados
- Sal marina y pimienta recién molida al gusto
- Una pizca de cayena

Escurriremos y picaremos el tomate, reservaremos el jugo.

Calentaremos en una olla el aceite de oliva y saltearemos ligeramente la cebolla y el ajo a fuego medio hasta que queden translúcidos. No deben dorarse. Se le añadirá el vino, el tomate, el jugo del tomate y las plantas aromáticas y se seguirá salteando 5 minutos más.

Verteremos encima el caldo o jugo de almejas y lo llevaremos a ebullición. Le agregaremos el azafrán y dejaremos la mezcla de 5 a 8 minutos a fuego lento. Se incorporarán las judías y el pescado, se tapará la olla y se dejará 10 minutos más al fuego. Salpimentar, añadir la cayena al gusto y servir.

Bacalao fresco al horno con salsa de tomate y albahaca (4 raciones)

Esta receta no podría ser más sencilla ni más apetitosa. Un poco de cebada cocida constituye una guarnición excelente si se acompaña además con una crujiente ensalada verde. Adaptada del libro The Whole Food Bible.

- 2 cucharadas de aceite de oliva virgen extra
- 900 g de bacalao fresco en 4 trozos

Para la salsa
- 60 g de albahaca fresca picada
- 3 dientes de ajo grande picados
- 1/2 cucharadita de sal marina
- 1/4 de cucharadita de pimienta molida
- 1/8 de cucharadita de cayena
- 2 cucharadas de aceite de oliva virgen extra
- 2 cucharadas de vinagre de vino tinto
- 250 g de tomates maduros picados

Se precalentará el horno a 200° C.

Untaremos una cazuela para el horno con 2 cucharadas de aceite de oliva. Colocaremos el pescado encima.

Pondremos la albahaca, el ajo, la sal, la pimienta, la cayena, 2 cucharadas de aceite de oliva y el vinagre en la batidora. Batiremos durante 10 segundos. Le añadiremos los tomates y seguiremos batiendo hasta que queden picados, aunque no hechos puré.

Colocaremos la salsa obtenida sobre el pescado, taparemos el recipiente y lo dejaremos 15-20 minutos en el horno o hasta que la carne se vea opaca y se desmenuce fácilmente.

Carne de ave

Pollo al limón (4 raciones generosas)

Adaptada del libro The Whole Food Bible.

- 1 cucharadita de sal marina
- 1/4 de cucharadita de pimienta molida
- 60 g de semillas de girasol o nueces molidas
- 900 g de pechugas de pollo de cría ecológica partidas por la mitad, sin piel ni huesos, aplanadas, con un grosor de 0,5 cm
- 3 cucharadas de aceite de oliva
- 60 ml de vino blanco seco
- 60 ml de zumo de limón
- 1 cucharada de mantequilla
- 2 cucharadas de perejil fresco picado
- 1 limón en finas rodajas

Mezclaremos la sal y la pimienta con las semillas o nueces molidas. Rebozaremos las pechugas con la mezcla, sacudiendo luego el exceso.

En una sartén grande, se calentará el aceite a fuego medio. Freiremos las pechugas hasta que se doren un poco, 3 minutos por cada lado. Las sacaremos de la sartén las colocaremos sobre papel de cocina, girándolas para que éste absorba el exceso de aceite.

Mezclaremos el vino y el zumo de limón y lo verteremos en la sartén. Llevaremos la mezcla a ebullición, rascando los restos de pollo que se hayan adherido a la sartén. Le añadiremos luego las pechugas, las dejaremos 5 minutos a fuego lento y luego las colocaremos en una fuente caliente.

Aumentaremos la intensidad del fuego para que el líquido hierva y se reduzca, hasta que queden en la sartén unos 60 ml de salsa. Batiremos la mantequilla y untaremos con ella las pechugas. Las serviremos espolvoreadas con perejil y acompañadas por las finas rodajas de limón.

Pollo con almendras (4 raciones generosas)

A nadie tiene que intimidar la lista de ingredientes que encontrará a continuación; el salteado es un método de preparación de alimentos fácil y rápido. Serviremos el plato sobre una capa de avena o cebada integrales cocidas. Adaptada del libro The Whole Food Bible.

Para el adobo
- 3 cucharadas de tamari con bajo contenido en sodio
- 3 cucharadas de jerez seco
- 3 dientes de ajo picados
- 2 cucharadas de jengibre fresco picado
- 1 cucharada de aceite de oliva virgen extra
- 900 g de pechugas de pollo sin piel ni huesos, cortadas a tiras de 1 cm

En un cuenco mediano de cristal o cerámica mezclaremos los ingredientes del adobo. Le añadiremos el pollo y lo dejaremos a temperatura ambiente entre 15 minutos y 1 hora.

Para el salteado
- 3 cucharadas de aceite de oliva virgen extra
- 375 g de brécol
- 120 g de champiñones, limpios y cortados en rodajas de 0,5 cm de grosor
- 3 brotes de apio en rodajas de 0,5 cm de grosor
- 60 g de vainas de guisante, sin hilos
- 3 chalotes finamente cortados (se utilizará tanto el bulbo como lo verde)
- 120 g de almendras ligeramente tostadas (para tostar las almendras, colocarlas en el horno a 175° C durante 8 o 10 minutos o hasta que estén ligeramente doradas)
- 1 cucharadita de aceite de sésamo tostado (disponible en tiendas de alimentación natural)

Pondremos al fuego un wok o una sartén grande con 1 cucharada de aceite de oliva. Saltearemos el brécol a fuego mediano hasta que se intensifique su color, 3 o 4 minutos. Reservaremos.

Calentaremos de nuevo el wok y le añadiremos 1 cucharada de aceite de oliva. Saltearemos los champiñones, el apio y las vainas unos 2 o 3 minutos. Retiraremos la mezcla del wok y la reservaremos.

Calentaremos de nuevo el wok, añadiéndole la otra cucharada de aceite de oliva. Con la ayuda de una cuchara perforada, sacaremos el pollo del adobo, lo pondremos en el wok y lo saltearemos hasta que la carne quede opaca, unos 5 minutos. Se le añadirá el resto de vegetales, junto con el chalote y las almendras y se removerá la mezcla. Apartar del fuego. Rociar con el aceite de sésamo tostado. Serviremos inmediatamente sobre un fondo de avena o cebada integral.

Pollo asado estilo indio (4 raciones)

Sírvase con una crujiente ensalada y nuestra preparación de arroz preferida, aunque sustituyéndolo por cebada o avena. Adaptada del libro The Whole Food Bible.

- 900 g de pechugas de pollo sin piel ni huesos

Para el adobo
- 250 ml de yogur natural
- 1 cucharadita de cúrcuma
- 1 cucharadita de paprika
- 1/4 de cucharadita de cardamomo
- 1 cucharada de zumo de limón recién exprimido
- 2 cucharadas de zumo de lima recién exprimido
- 2 cucharadas de aceite de oliva virgen extra
- 1 cucharada de jengibre rallado
- 4 dientes grandes de ajo picados
- 1/2 cucharadita de comino molido
- 4 chalotes, incluyendo la parte verde, picados
- 1/4 de cucharadita de sal marina
- Pimienta blanca o pimentón al gusto
- Gajos de limón o lima como adorno

Cortaremos las pechugas en trozos de 2,5 cm y las colocaremos en un cuenco mediano.

En otro cuenco, se mezclará el yogur, la cúrcuma, la paprika, el carda-momo, los zumos de limón y lima, el aceite de oliva, el jengibre, el ajo, el comino, el chalote, la sal y la pimienta. Verteremos el adobo por encima de los trozos de pechuga y lo mezclaremos todo bien con las manos para que el pollo quede empapado. Después, lo dejaremos en la nevera 2 horas.

Pincharemos los pedazos de pollo con brochetas y los cocemos a fuego medio de 5 a 7 minutos, dándoles la vuelta con frecuencia. Rociaremos el pollo con el resto de adobo al girarlo. Lo serviremos con los gajos de limón o lima.

Sopa de lentejas con salchicha de pavo (6 raciones)

Una sopa con suficiente alimento para servir como plato principal. Contiene proteínas y fibras y es rica en antioxidantes. Adaptada del libro The Whole Food Bible.

- 240 g de lentejas
- 2,5 litros de caldo vegetal o agua
- 2 cucharadas de aceite de oliva virgen extra
- 4 dientes de ajo picados
- 1 cebolla grande picada
- 2 brotes de apio picados
- 450 g de salchichas de pavo o pollo
- 2 tomates sin piel ni semillas picados (o una lata de 450 g de tomate picado o en puré)
- 1 cucharadita de cúrcuma
- 1 cucharadita de comino molido
- Hojas de un brote fresco de tomillo o 1/2 cucharadita de tomillo seco
- Una pizca de pimentón
- Sal marina al gusto
- Yogur natural como guarnición
- 60 g de perejil fresco picado, también como guarnición

Se seleccionan y lavan las lentejas (para asegurar que no quede ninguna piedrecita entre la legumbre) y se llevan a ebullición en el caldo o agua en una olla grande. Bajar el fuego y dejarlas 10 minutos. Mientras tanto, calentaremos el aceite de oliva en un recipiente grande. Saltearemos en ella el ajo, la cebolla, el apio y las salchichas 5 minutos a fuego medio. Se le añadirán los tomates y se seguirá 5 minutos más.

Verteremos la mezcla de vegetales y salchichas, así como los aliños a las lentejas. Dejaremos la mezcla entre 20 y 30 minutos a fuego lento o hasta que las lentejas estén tiernas, aunque no excesivamente. Se servirá el plato con una cucharada de yogur natural y perejil picado como adorno.

Pollo o tofu al curri (4 raciones)

Se mezclan aquí, curri, jengibre y ajo en una receta deliciosa y fácil de preparar. La serviremos con avena o cebada integrales al estilo del arroz integral. Adaptada del libro The Whole Food Bible.

- 700 g de pechugas de pollo sin piel ni huesos o de tofu firme cortado en dados
- Zumo de 1 lima
- 3 cucharadas de aceite de oliva
- 3 cebollas pequeñas troceadas
- 2 dientes de ajo picados
- 2 trozos, de unos 3 cm, de jengibre fresco, pelado y picado
- 1-2 cucharadas de polvo de curri al gusto
- 3 tomates grandes cortados y 250 ml de jugo de tomate o bien 1 lata de 450 g sin escurrir

Se rociará el pollo o el tofu con el zumo de lima y se reservará.

Calentaremos el aceite en una sartén grande. Le añadiremos la cebolla, el ajo y el jengibre y lo coceremos a fuego medio, mezclando con frecuencia hasta que la cebolla esté translúcida, unos 5 minutos. No debe dorarse.

Agregaremos el curri en polvo, moveremos bien la mezcla y seguiremos friendo otros 3 minutos, dándole la vuelta de vez en cuando. Verteremos el tomate y el jugo. Una vuelta, se tapa el recipiente y se deja 15 minutos a fuego lento, removiendo alguna vez.

Se quita la tapa y se añade el pollo o el tofu a la sartén. Se mezcla bien y se deja a fuego medio unos 10 o 15 minutos o hasta que el pollo se haya cocido; si la preparación de hace con tofu, bastarán entre 3 y 5 minutos de cocción. Servir de inmediato.

Pimientos rellenos estilo mediterráneo
(3 raciones como plato principal o 6 como guarnición)

Para preparar esta receta, podemos utilizar pimientos rojos o verdes, teniendo en cuenta que los rojos son más dulces. Adaptada del libro The Whole Food Bible.

- 2 cucharadas de aceite de oliva virgen extra
- 1 cebolla grande picada
- 700 g de carne de pavo picada
- 250 g de cebada integral
- 450 ml de agua
- 6 pimientos rojos o verdes medianos
- 60 g de semillas de girasol
- 30 g de queso pecorino romano recién rallado
- 30 g de menta fresca picada
- 30 g de perejil fresco picado
- 75 ml de zumo de limón recién exprimido
- 75 ml de vino blanco seco
- 1/2 cucharadita de canela molida
- Sal marina y pimienta recién molida al gusto

Precalentar el horno a 175° C.

En una cacerola de 2 o 3 litros de capacidad, se calienta el aceite de oliva y se frie la cebolla y la carne de pavo picada a fuego medio unos 10 minutos. Se le añade la cebada y se saltea unos minutos, removiendo constantemente. Se le agregará el agua, se dejará hervir, reduciendo el fuego, y se dejará la mezcla 45 minutos al fuego lento, hasta que haya absorbido el agua. Llevaremos a ebullición una olla llena de agua. Mientras tanto, cortaremos con cuidado los extremos superiores de los pimientos, teniendo en cuenta que hay que utilizarlos más tarde. Les retiraremos las semillas y el corazón para crear una cavidad limpia. Se escaldarán los pimientos 5 minutos en el agua hirviendo. Se sacarán del agua y para colocarlos boca abajo a escurrir sobre papel de cocina.

En una plancha del horno se tostarán las semillas de girasol unos 5 minutos, agitándolas de vez en cuando. Reservar y dejar el horno encendido para los pimientos.

Cuando la cebada esté cocida, la mezclaremos con las semillas de girasol, el queso, las hierbas aromáticas, el zumo de limón, el vino, la canela, la sal y la pimienta en un cuenco grande. Hay que unir bien los ingredientes y salpimentar al gusto. Rellenar con ella los pimientos, colocarles de nuevo los extremos y ponerlos en una fuente para el horno lo suficientemente honda para que puedan mantenerse en posición vertical. Se dejan entre 25 y 30 minutos en el horno o hasta que la mezcla de la cebada se haya calentado bien. Se sirve el plato inmediatamente.

Chile de pavo o tofu con dos tipos de judías (6 raciones)

Si queremos preparar el plato con rapidez, utilizaremos judías de lata. Pueden mezclarse distintas variedades: blancas, pintas, frijoles, etc. Adaptada del libro Whole Food Bible.

- 2 cucharadas de aceite de oliva virgen extra
- 1 cebolla grande picada
- 3 dientes de ajo picados
- 1 pimiento rojo y 1 amarillo (o 2 rojos) picados
- 900 g de carne de pavo recién picada o de tofu firme en dados
- 1 cucharada de comino molido
- 2 cucharadas de chile en polvo
- 300 g de judías pintas o frijoles o bien 1 lata (450 g), escurridas
- 300 g de judías blancas o 1 lata (450 g)
- 1 lata (840 g) de tomate picado, con su líquido
- 1 cucharada de vinagre balsámico
- Salsa tabasco o cayena al gusto
- Aceitunas negras troceadas, chalotes y 1 cucharada de queso parmesano o romano por ración

En una olla de 5 o 6 litros, calentaremos el aceite y saltearemos en él la cebolla, el ajo y los pimientos unos 10 minutos a fuego medio. Le añadiremos el pavo o tofu y lo saltearemos otros cinco minutos. Sazonar con el comino y el chile y dejarlo 5 minutos más en el fuego.

Agregaremos las judías cocidas, el tomate picado y su líquido y el vinagre balsámico.

Taparemos la olla para que siga la cocción otros 15 minutos.

Pondremos tabasco o cayena al gusto y dejaremos la mezcla otros 15 minutos en el fuego. Se servirá muy caliente, adornando el plato con las aceitunas troceadas, el chalote y el queso rallado.

Ensalada de pollo y nueces con judías y alcachofas (4 raciones)

- 900 g de pechugas de pollo sin piel ni hueso, cocidas y cortadas en dados
- 90 g de cebolla roja cortada en juliana
- 3 brotes de apio también en juliana
- 60 g de nueces picadas
- 120 g de corazones de alcachofa partidos
- 10 tomates cherry partidos
- 240 g de hojas de lechuga variada
- 3 cucharadas de perejil fresco picado
- 3 cucharadas de aceite de oliva virgen extra
- 80 ml de zumo de limón recién exprimido
- 90 g de queso pecorino romano recién rallado
- Sal y pimienta al gusto
- 120 g de garbanzos o judías blancas hervidos o en lata

En un gran cuenco de madera para ensalada mezclaremos suavemente el pollo, la cebolla, el apio, las nueces, las alcachofas, los tomates, la lechuga y el perejil. Le añadiremos el aceite de oliva y seguiremos moviendo hasta que todos los ingredientes se hayan empapado.

Se le agrega el zumo de limón y se mueve suavemente antes de añadir el queso rallado, la sal, la pimienta y las legumbres con un movimiento envolvente hasta que el queso quede distribuido de forma equilibrada.

Se adorna con gajos de limón y se sirve.

ACOMPAÑAMIENTOS

Espinacas con ajo y jengibre (4 raciones)

Adaptada del libro The Whole Food Bible.

- 700 g de espinacas
- 2 cucharadas de aceite de oliva virgen extra
- 3 dientes de ajo picados
- 1 cucharada de jengibre recién pelado y picado
- 1/8 cucharadita de pimentón
- 60 ml d agua
- Semillas de sésamo tostadas como guarnición (para tostar las semillas de sésamo se saltean en una sartén a fuego medio hasta que estén ligeramente doradas)

Se lavan bien las espinacas.

Calentaremos el aceite en una sartén grande. Le añadiremos el ajo, el jengibre y el pimentón. Lo dejaremos a fuego medio unos 30 segundos, moviendo constantemente. Le agregaremos las espinacas y removeremos un minuto para mezclar bien el conjunto. Verteremos el agua para seguir friendo y moviendo hasta que se hayan cocido las espinacas.

Se retirarán las espinacas con una cuchara perforada y se colocarán en una fuente, decorándolas con las semillas de sésamo.

Cebada al horno (6 raciones como guarnición)

La cebada es un cereal antiguo y muy saludable. Resiste bien la cocción y presenta una textura firme, fácil de masticar. La cebada al horno es adecuada como guarnición en platos de pescado y ave, y los restos pueden acompañar a una ensalada. Adaptada del libro The Whole Food Bible.

- 60 g de semillas de girasol
- 3 chalotes pelados y picados

- 2 cebolla picada
- 1 puerro limpio y en finas rodajas
- 3 cucharadas de aceite de oliva virgen extra
- 225 g de champiñones en láminas
- 3 brotes de apio picados
- 120 g de cebada
- 1 cucharadita de tomillo seco
- 1 cucharadita de romero seco
- 1 cucharadita de mejorana seca
- 2 cucharadas de tamari con bajo contenido en sal
- 750 ml de caldo vegetal o agua

Se precalentará el horno a 175° C. Tostaremos las semillas de girasol en su interior unos 7 minutos o hasta que se hayan dorado ligeramente; se retiran y se deja el horno encendido a la misma temperatura.

En una sartén grande, saltearemos el chalote, la cebolla y el puerro en el aceite de oliva 5 minutos fuego medio. Le añadiremos los champiñones, el apio, las semillas de girasol, la cebada, las finas hierbas y el tamari y seguiremos friendo 5 minutos más, sin dejar de remover.

Verteremos el caldo o el agua en la mezcla de la cebada. Lo llevaremos a ebullición y pasaremos el conjunto a una fuente para el horno. Dejaremos que se cueza allí, tapado, durante 1 hora y cuarto.

Avena pilaf con aroma de azafrán y perejil (4 raciones)

Adaptada del libro The Whole Food Bible.

- 500 ml de agua o caldo
- 1/8 parte de cucharadita de azafrán aplastado
- 2 cucharas de aceite de oliva virgen extra
- 1 chalote o 1 diente de ajo grande picados
- 1 cebolla mediana troceada
- 120 g de copos de avena integrales (tienen el aspecto del arroz integral y se encuentran en las tiendas de alimentación natural)
- 60 g de perejil fresco
- Las hojas de 2 brotes de romero fresco o 1 cucharadita de romero seco

- 4 cucharadas de queso parmesano o romano (el sabor mejorará si utilizamos queso de importación y lo rallamos en casa)

Pondremos a hervir 125 ml de agua o caldo y le añadiremos el azafrán. Luego, lo reservaremos.

Se calentará el aceite en una cacerola grande. Le añadiremos el chalote y la cebolla y lo saltearemos a fuego medio unos 5 minutos. Verteremos la avena y removeremos para que todo se empape. Se deja a fuego medio unos 5 minutos, removiendo con frecuencia.

Se añade el resto de agua o caldo y luego la mezcla con el azafrán y se lleva a ebullición. Se deja a fuego lento, tapado, unos 45 minutos o hasta que haya absorbido el agua.

Destaparemos la cacerola y, moviendo los copos con un tenedor, agregaremos las finas hierbas. Se servirá enseguida. Se decora cada plato con 1 cucharada de queso parmesano o romano rallado.

Alforfón pilaf (4 raciones)

- 2 cucharadas de aceite de oliva virgen extra
- 1 cebolla picada
- 120 g de trigo sarraceno o alforfón integral crudo
- 1,250 l de caldo de pollo
- 1/4 de cucharadita de orégano
- 1 cucharada de piel de naranja rallada (utilizar naranjas de cultivo ecológico)
- 40 g de pecanas finamente picadas (opcional)
- Sal y pimienta al gusto
- 2 cucharadas de perejil picado
- 30 g de queso pecorino romano recién rallado

Calentaremos el aceite de oliva en una sartén grande y saltearemos en él la cebolla hasta que se vea translúcida. Le añadiremos el alforfón. Mezclaremos bien, luego el caldo de pollo, cubriremos el recipiente y lo dejaremos unos 20 minutos al fuego o hasta que haya absorbido el líquido.

Se le añade el orégano, la piel de naranja rallada, las pecanas y se salpimienta el conjunto. Se remueve bien y se sirve decorando cada plato con perejil y queso.

Fresca y cremosa ensalada de pepino (4 raciones)

Esta refrescante ensalada acompaña de maravilla a un plato picante.
Adaptada de The Whole Food Bible.

- 375 ml de yogur
- 3 pepinos pelados, sin semillas y cortados en pequeños dados
- 1 diente de ajo picado
- 1 cucharada de aceite de oliva virgen extra
- 2 cucharadas de zumo de limón recién exprimido
- 1 pizca de sal marina y pimienta al gusto

Se mezclan todos los ingredientes y se dejan en el frigorífico durante 2 horas.

Apéndice B

GUÍA DE RECURSOS

PRODUCTOS TÓPICOS A BASE DE PÉPTIDOS (SIN NEUROPÉPTIDOS)

No puedo responder personalmente de todos los productos del siguiente listado, pues no los he puesto a prueba. Pero hay que prestar atención y saber que un producto que afirma contener «pentapéptidos» no está elaborado a base de neuropéptidos. Los pentapéptidos no han mostrado la eficacia de los neuropéptidos, substancias mucho más complicadas que hay que sintetizar sobre una base individual. Los citados pentapéptidos cuestan unos euros el kilo, y no pueden ofrecer la eficacia de los neuropéptidos, ¡cuyo precio puede superar los veinte mil euros el kilo!

- Regenerist de Olay

PRODUCTOS TÓPICOS PARA LA PIEL, ANTIENVEJECIMIENTO, ANTIINFLAMATORIOS, CON ÁCIDO ALFA LIPOICO Y DMAE

- N.V. Perricone, M.D. Ltd, www.nvperriconemd.com
- Sephora.com
- Neiman Marcus, www.neimanmarcus.com/store/info/index.jhtml

PRODUCTOS ALIMENTICIOS A BASE DE POLISACÁRIDOS (ANTIINFLAMATORIOS Y ANTIENVEJECIMIENTO)

- N.V. Perricone, M.D. Ltd, www.nvperriconemd.com

EXTRACTOS DE MAITAKE FRACCIÓN D SX

- Maitake Products Inc., www.maitake.com
- www.gnc.com
- www.americannutrition.com
- www.wellfx.com
- www.vitamindiscountwarehouse.com
- www.vitacost.com

SUPLEMENTOS A BASE DE PÉPTIDOS

- N.V. Perricone, M.D. Ltd, www.nvperriconemd.com

ALIMENTOS ARCO IRIS

Açaí (fruto amazónico con alto contenido en antioxidantes)

El açaí contiene más antioxidantes que los arándanos silvestres, la granada o el vino tinto, además de ácidos grasos esenciales omega (grasas saludables), aminoácidos, calcio y fibra.

Puede encontrarse bebida a base de açaí en www.sambazon.com. Sambazon es una marca cuyo nombre procede de un acrónimo: *saving and managing the Brazilian Amazon* («Salvemos y gestionemos la Amazonia brasileña»), que apoya las economías de las poblaciones indígenas a través de la explotación responsable y el desarrollo sostenible de los recursos renovables de las selvas húmedas, en contraposición a la explotación de la selva en sí.

Zumo y concentrado de granada (con altos contenidos en antioxidantes)

• POM Wonderful, en www.pomwonderful.com

Salmón, atún y fletán criados en libertad en Alaska

Vital Choice Sea Food en: www.vitalchoice.com. El samón que no procede de piscifactoría posee un perfil en ácidos grasos claramente superior (menos grasas saturadas y óptima proporción ácidos grasos omega-3 y grasas saturadas). En comparación con los criados artificialmente, mucho más «grasientos». Los productos Vital Choice Sea Food (salmón, atún y fletán) se pescan en alta mar, se congelan allí mismo, se envasan en hielo seco y se envían a precios razonables por medio de FedEx o UPS. En el año 2000, el salmón criado en libertad de Alaska fue el primer producto de pesca certificado como sostenible por el Marine Stewardship Council.

Recetas sabrosas y saludables

The Whole Food Bible, de Christopher Kilham, que puede adquirirse en www.amazon.com y www.innertraditions.com.

Información y educación en el campo de la salud

Sitios web que ofrecen información interesante sobre cuestiones de nutrición, curación natural, adicciones y salud holística:

• www.tuberose.com
• www.doitnow.com

Frutas del bosque ecológicas, verduras, cereales, legumbres, yogur y kéfir ecológicos:

• www.holistika.net/GUIAS/ecotiendas
• www.terra.org
• www.sostenibles.com

- www.veritas.com
- www.ecodespensa.es

Frutos secos, legumbres y especias

- www.ecologiacertificada.com
- www.alimentosecologicos.es

Brotes y germinados

- www.ecologiacertificada.com
- www.diamondorganics.com/vegetables.html
- www.diamondorganics.com/fruit.html

SUPLEMENTOS ALIMENTARIOS

Programa de suplementos para la gestión del peso

El programa de suplementos para la gestión del peso del doctor Perricone puede encontrarse en:

- N.V. Perricone, M.D. Ltd, www.nvperriconemd.com
- Sephora.com
- Neiman Marcus, www.neimanmarcus.com/store/info/index.jhtml

Suplementos antiinflamatorios, antienvejecimiento

Los suplementos alimentarios Total Skin and Body del doctor N. V. Perricone pueden encontrarse en:

- N.V. Perricone, M.D. Ltd, www.nvperriconemd.com
- Sephora.com
- Neiman Marcus, www.neimanmarcus.com/store/info/index.jhtml

Vitaminas, minerales y nutrientes antienvejecimiento

- N.V. Perricone, M.D. Ltd, www.nvperriconemd.com
- Optimum Health International: www.opthealth.com
- Life Extension Foundation: www.lef.org

Cápsulas de aceite de pescado extra

- N.V. Perricone, M.D. Ltd, www.nvperriconemd.com
- Vital Choice Sea Food: www.vitalchoice.com
- Optimum Health International: www.opthealth.com

Suplementos a base de benfotiamina

La benfotiamina es una variante sintética de la vitamina B_1 con unas propiedades antienvejecimiento únicas.

- www.nvperriconemd.com
- www.benfotiamine.net
- www.iherb.com/benfotiamine.html

Antiacné, suplementos antiinflamatorios

El sistema de apoyo nutricional SkinClear doctor Perricone puede encontrarse en:

- N.V. Perricone, M.D. Ltd, www.nvperriconemd.com
- Sephora.com
- Neiman Marcus, www.neimanmarcus.com/store/info/index.jhtml

Suplementos a base de extractos de semillas de uva

Los suplementos de la marca Flavay se elaboran siguiendo las especificaciones del doctor Jacques Masquelier, quien descubrió los PCO y posee su patente intrernacional.

Por consiguiente, los suplementos PCO Flavay siguen las especificaciones de los extractos de semillas de uva ricos en PCO utilizados en la

mayoría de pruebas de laboratorio y ensayos clínicos realizados hasta hoy.
Pueden pedirse consultando: www.healthyalternatives.com/order.html.

Suplementos de antocianina a base de extractos de frutas del bosque

InterHealth USA comercializa OptiBerry, una mezcla de extractos de
arándanos, fresas, bayas de saúco y frambuesas silvestres que contiene elevados niveles de antocianinas activas. Pueden encontrarse productos de
OptiBerry en: www.interhealthusa.com/faqs/optiberry_faqs.aspx#where-
canibuyit

Suplementos de resveratrol (extracto de bistorta del Japón)

Interhealth USA comercializa Protykin, un extracto de bistorta del
Japón (*Polygonum cuspidatum*) estándar 200:1 rico en resveratrol, uno
de los antioxidantes que confieren a la uva y al vino tinto sus excepcionales propiedades anticancerígenas y saludables para el corazón. Pueden encontrarse productos que contengan Protykin en: www.interhealt-
husa.com/faqs/protykin_faqs.aspx#wherecanibuyit.

Bibliografía

Capítulos 1 y 2

Arion VY, Zimma IV, Lopuchin YM. «Contemporary views on the nature and clinical apllication of thymus preparations.» *Russ J Immunol*. Diciembre 1997; 3 (3-4): 157-66.

Balasubramaniam A. «Clinical potentials of neuropeptide Y family of hormones.» *Am J Surg*. Abril 2002; 183 (4): 430-4. Revista.

Berczi I, Chalmers IM, Nagy E, Warrington RJ. «The immune effects of neuropeptides.» *Baillieres Clin Reumathol*. Mayo 1996; 10(2):227-57. Revista.

Bodey B. «Thymic hormones in cancer diagnostics and treatment.» *Expert Opin Biol Ther*. Enero 2001; 1(1): 93-107. Revista.

Datar P, Srivastava S, Coutinho E, Govil G. «Substance P: structure, functions, and therapeutics.» *Curr Top Med Chem*. 2004; 4(1):75-103. Revista.

Friedman MJ. «What might the psychobiology of posttraumatic stress disorder teach us about future approaches to pharmacotherapy?» *J Clin Psychiatry*. 2000; 61 Suppl 7: 44-51. Revista.

Galli I, de Martino M, Azzari C, Bernardini R, Cozza G, de Marco A, Luccarini D, Sebastiani C, Vierucci A. [«Efectos preventivos del timomodulin en infecciones respitaroias recurrentes en la infancia»] *Pediatr Med Chir*. Mayo-junio 1990; 12(3): 229-32. Italiano.

Geenen V., Kecha O, Brilot F, Hansenne I, Renard C, Martens H. «Thymic T-cell tolerance of neuroendocrine functions: physiology and pathophysiology.» *Cell Mol Biol* (Noisy-le-grand). Febrero 2001; 47(1): 179-88. Revista.

Goldstein AL, Badamchian M. «Thymosins: chemistry and biological properties in health and disease.» *Expert Opin Biol Ther*. Abril 2004; 4(4): 559-73.

Goya RG, Console GM, Herenu CB, Brown OA, Rimoldi OJ. «Thymus and aging: potential of gene therapy for restoration of endocrine thymic function in thymus-deficient animal models.» *Gerontology*. Septiembre-octubre 2002; 48(5): 325-8.

Hill AJ, Peikin SR, Ryan CA, Blundell JE, «Oral administration of proteinase inhibitor II from potatoes reduce energy intake in man.» *Phisiol Behav*. Agosto 1990; 48(29): 241-6.

Hyghes J, Kosterlitz HW, Smith TW. «The distribution of methionine-enkephalin and leucine-enkephalin in the brain and peripheral tissues. 1977.» *Br J Pharmacol.* Febrero 1997; 120 (Supl 4): 428-36, discusión 426-7.

Kastin AJ, Zadina JE, Olson RD, Banks WA. «The history of neuropetide research: version 5. A. *Ann NY Acad. Sci.* 22 marzo 1996; 780: 1-18. Revista.

Khavinson VKh. «Peptides and ageing.» *Neuroendocrinol Lett.* 2002; 23 Supl 3: 11-144. Revista.

Komarcevic A.[«El planteamiento moderno del tratamiento de las heridas.»] *Med. Pregl.* Julio-agosto 2000; 53(7-8): 363-8. Revista. Croata.

Kouttab NM. Prada M, Cazzola P. «Thymomodulin: biological properties and clinical applications.» *Med Oncol Tumor Pharmacother.* 1989; 6(1): 5-9. Revista.

Li L, Zhou JH, Xing ST, Chen ZR. [«Efecto de factor tímico D sobre el peróxido lípido. el glutatión y la fluidez de la membrana en el hígado de ratones viejos.»] *Zhongguo Yao Li Xue Bao.* Julio 1993; 14(4): 382-4. Chino.

Maiorano V, Chianese R, Fumarulo R, Constantino E, Contini M, Carnimeo R, Cazzola P. «Thymomodulin increases the depressed production of superoxide anion by alveolar macrophages in patients with chronic bronchitis.» *Int J Tissue React.* 1989; 11(1): 21-5.

Morgan CA 3rd, Wang S, Southwick SM, Rasmusson A, Hazlett G, Hauger RL, Charney DS. «Plasma Neuropeptide-Y concentrations in humans exposed to military survival training.» *Biol Psychiatry.* 15 mayo 2000; 47(10): 902-9.

Pacher P, Kohegyi E, Kecslemen V, Furst S. «Current trends in the development of new antidepressants. *Curr Med Chem.* Febrero 2000; 8(2): 89-100. Revista.

Parker J. Do It Now Foundation. www.doitnow.org.

Rains C, Bryson HM. «Topical capsaicin. A review of its pharmacological properties and therapeutic potential in post-herpetic neuralgia, diabetic neuropathy and osteoarthritis. *Drugs Aging.* Octubre 1995; 7(4): 317-28. Revista.

Schulof RS. «Thymic peptide hormones: basic properties and clinical applications in cancer.» *Crit Rev Oncol Hematol.* 1985; 3(4): 309-76. Revista.

Tada H, Nakashima A, Awaya A, Fujisaki A, Inoue K, Kawamura K. Itoh K, Masuda H, Suzuki T. «Effects of thymic hormone on reactive oxygen species-scavengers and rental function in tracolimus-induced nephrotoxicity.» *Life Sci.* 25 junio 2002; 70(10): 1213-23.

Toyoda M, Nakamura M, Makino T, Hino T, Kagoura M, Morahashi M. «Nerve growth factor and Substance P are useful plasma markers of disease activity in atopic dermatitis.» *Br J Dermatol.* Julio 2002; 147(1): 71-9.

Capítulo 3

«Aquaxan™ HD algal meal use in aquaculture diets: enhancing nutritional performance and pigmentation.» [www.fda.gov/ohrms/dockets/daily/00/jun00/061900/rpt0065_ tab6.pdf]

Atalay M, Gordillo G, Roy S, Rovin B, Bagchi D, Bagchi M, Sen CK. «Anti-angiogenic property of edible berry in a model of hemangioma.» *FEBS Lett.* 5 junio 2003; 544(1-3): 252-7.

Aviram M, Dornfeld L. «Pomegranate juice consumption inhibits serum angiotensin converting enzyme activity and reduces systolic blood pressure.» *Atherosclerosis.* Septiembre 2001; 158(1): 195-8

Aviram M, Dornfeld L, Rosenblat M, Volkova N, Kaplan M, Coleman R, Hayek T, Presser D, Furnham B. «Pomegranate juice consumptions reduces oxidative stress, atherogenic modificatios to LDL, and platelet aggregation: studies in humans and atheroscletotic apolipoprotein E-deficient mice.» *Am J Clin Nutr.* Mayo 2000; 71(5); 1062-76.

Bagchi D, Bagchi M, Stohs S, Ray SD, Sen CK, Preuss HG. «Cellular protection with proanthocyanidins derived from grape seeds.» *Ann NY Acad Sci.* Mayo 2002; 957: 260-70. Revista.

Bianchini F, Vainio H. «Wine and resveratrol: mechanisms of cancer prevention?» *Eur J Cancer Prev.* Octubre 2003; 12(5): 417-25. Revista.

Burros M. «Farmed salmon looking less rosy.» *The New York Times.* 28 mayo 2003.

Cal C, Garban H, Jazirehi A, Yeh C, Mizutani Y, Bonavida B. «Resvestrol and cancer chemoprevention apoptosis, and chemo-immunosensitizing activities.» *Curr Med Chem Anti-Canc Agents.*
Marzo 2003; 3(2): 77-93. Revista.

Cao G, Russell RM, Lischner N, Prior RL. «Serum antioxidant capacity is increased by consumption
of strawberries, spinach, red wine or vitamin C in elderly women.» *J Nutr.* Diciembre 1998;
128(12):2.383-90.

Carson C, Lee S, De Paola C, *et al.* «Antioxidant intake and cataract in the Melbourne Visual Impair-
ment Project.»[resumen] *Am J Epidemiol.* 1994; 139 (Supl 11): A65.

Durak I, Avci A, Kacmaz M, Buyukkovak S, Cimen MY, Elgun S, Ozturk HS. «Comparison of antioxidant potentials of red wine, white wine, grape juice and alcohol.» *Curr Med Res Opin.* 1999;
15(4): 316-20.

Fisher ND, Hughes M, Gerhard-Herman M, Hollenberg NK. «Flavonol-rich cocoa induces nitric-oxide-
dependent vasodilatation in healthy humans.» *J Hypertens.* Diciembre 2003; 21(12): 2.281-6.

Frances FJ. «Pigments and other colorants.» A: *Food Chemistry,* 2ª edición. Fennema OR, ed. New
York, Marcel Dekker, Inc. 1985.

Frieling UM, Schaumberg DA, Kupper TS, *et al.* «A randomized, 12 year primary-prevention trial of
beta carotene supplementation for non melanoma skin cancer in the Physicians' Health Study.»
Arch Dermatol. 2000; 136: 179-84.

Gil MI, Tomas-Barberan FA, Hess-Pierce B, Holcroft DM, Kader AA. «Antioxidant activity of
pomegranate juice and its relationship with phenolic compositios and processing.» *J Agric Food
Chem.* Octubre 2000; 48(10): 4581-9.

Goldberg J, Flowerdew G, Smith E, *et al.* «Factors associated with age-related macular degeneration.
An analysis of data from de first National Health and Nutrition Examination Survey.» *Am J Epidemiol.*1988; 128: 700-10

Hackett AM. «Plant flavonoids in biology and medicine: biochimical pharmacological and structure
activity relationships.» Cody V, Middleton EJ, Harborne JB, eds. New York, Liss 1986, 177-94.

Hennekens CH, Buring JE, Manson JE, *et al.* «Lack of effect of long-term supplementation with beta
carotene on the incidence of malignant neoplasms and cardiovascular disease.» *N. Engl J Med.*
1966; 334: 1.145-9.

Hollenberg NK. «Flavonoids and cardiocasvular health: what is the evidence for chocolate and red
wine?» Simposio American Heart Association Scientific Sessions, Unofficial Satellite.
11 noviembre 2001, Anaheim, California.

Hou DX, Kai K, Li JJ, Lin S, Terahara N, Wakamatsu M, Fujii M, Youg MR, Colburn N. «Anthocyanidins inhibit activator protein 1 activity and cell transformation: structure-acticity relationship and
molecular mechanisms.» *Carcinogenesis.* Enero 2004; 25(1): 29-36. Epub 26 septiembre 2003.

Howell AB, Foxman B. «Cranberry juice and adhesion of antiobiotic-resistant uropathogens. *JAMA.*
19 junio 2002; 287(23):3.082-3.

Ito Y, Gajalakshimi KC, Sasaki R, Suzuki K, Shanta V. «A study on serum carotenoid levels in breast
cancer patients of Indian women in Chennai.» Madras (India). *J Epidemiol.* Noviembre 1999;
9(5): 306-14.

Kavegawa *et al.* Çinhibitory effects of tannins on hyaluronidase avtivations and on the degranulation
from rat mesentery mast cells.» *Chem Pharm Bull.* 1985; 33(11): 3.079-82.

Keck AS, Finley JW,. «Cruciferous vegetables: cancer protective mechanisms of glucosinolate
hydrolysis products and selenium.» *Integr Cancer Ther.* Marzo 2004; 3(1): 5-12.

Kohlmeier L, Weterings KGC, Steck S, Kok FJ. «Tea and cancer prevention: an evaluation of the epi-
demiologic literature.» *Nutr Cancer.* 1997; 27: 1-13.

Krinsky NI, Landrum JT, Bone RA. «Biologic mechanims of the protective role of lutein and zea-
xanthin in the eye.» *Annu Rev Nutr.* 2003; 23: 171-201. Epub 27 febrero 2003. Revista.

Kuttan R *et al.* «Collagen treated with (+) catechin becomes resistant to the action of mammalian
collagenases.» *Experientia.* 1981; 37. Berhauser Verlag, Basilea (Suiza).

La Vecchia C, Tavani A. «Fuit and vegetables, and human cancer.» *Eur J Cance Prev.* Febrero 1998;
7(1): 3-8. Revista.

Lee Im, Cook NR, Manson JE, *et al.* «Beta-carotene supplementation and incidence of cancer and
cardiovascular disease: the Women's Health Study.» *J Natl Cancer Inst.* 1999; 91: 2.102-6.

Lee KW, Kim YJ, Lee HJ, Lee CY. «Cocoa has more phenolic phytochemicals and a higher cyanidins from grape seeds.» *Acta Pharmacol Sin*. Diciembre 2001; 22(12): 1117-20.

Lopez-Velez M, Martinez-Martinez F, Del Valle-Ribes C. «The study of phenolic compounds as natural antioxidants in wine.» *Crit Rev Food Sci Nutr*. 2003; 43(3): 233-14. Revista.

Malik M, Zhao C, Shoene N, Guisti MM, Moyer MP, Manguson BA. «Anthocyanin-rich extract from Aronia meloncarpa E induces a cell cycle block in colon cancer but not normal colonic cells.» *Nutr Cancer*. 2003; 46(2): 186-96.

Mazza G,Miniati E. *Small fruits*. En: «Anthocyanins in fruits, vegetables, and grains.» Boca Raton, FL, CRC Press, 1993, 85-130.

Mc Bride, J. High. «ORAC foods may slow aging.» *USDA Agricultural Research Service Web site*. http://www.ars.usda.gov/is/pr/1999/990208.htm.

Milbury PE, Cao G, Prior RL, Blumberg J. «Bioavailability of elderberry anthocyanins.» *Mech Ageing Dev*. 30 abril 2002; 123(8): 997-1006.

Mittal A, Elmets CA, Katiyar SK. «Dietary feeding of proanthocyanins from grape seeds prevents photocarcinogenesis in SKH-1 hairless mice: relationship to decreased fat and lipid peroxidation.» *Carcinogenesis*. Agosto 2003; 24(8): 1379-88. Epub 5 de junio 2003.

Moyer RA, Hummer KE, Finn CE, Frei B, Wrolstad RE.«Anthocyanidins, phenolics, and antioxidant capacity in diverse small fruits: vaccinium, rubus, and ribes.» *J Agric Food Chem*. 30 enero 2002; 50(3): 519-25.

Nkondjock A, Ghadirian P. «Intake of specific carotenoids and essential fatty acids and breast concert risk in Montreal, Canada.» *Am J Clin Nutr*. Mayo 2004; 79(5): 857-64.

Omenn GS, Goddman GE, Thornquist MD, *et al*. «Effects of a combination of beta carotene and vitamin A on lug cancer and cardiovascular disease.» *N Engl J Med*. 1996; 334: 1150-5.

Rock CL, Saxe GA, Ruffin MT 4th, *et al*. «Carotenoids, vitamin A, and estrogen receptor status in beast cancer.» *Nutr Cancer*. 1996; 25: 281-96.

Schmidt K. «Antioxidant vitamins and beta-carotene: effects on immunocompetence.» *Am J Clin Nutr*. Enero 1991; 53 Supl 1: 383S-385S.

Seddon JM; Ajani UA, Sperduto RD, *et al*. «Dietary carotenoids, vitamins A, C, and E, and avanced age-related macular degeneration.» *Eye Diesease Case-Control Study Group*. 1994; 272: 1413-20.

Shapiro TA, Fahey JW, Wade KL, Stephenson KK, Talalay P. «Chemoprotective glucosinolates and isothiocyanates of broccoli sprouts: metabolism and excretion in humans.» *Cancer Epidemiol Biomarkers Prev*. Mayo 2001; 10(5): 501-8.

Singletary KW, Meline B. «Effect of grape seed proanthocyanidins on colon aberrant crypts and breast tumors in a rat dual-organ tumor model.» *Nutr Cancer*. 2001; 39(2): 252-8.

Slomsky G. *Licopene. Gale encyclopedia of alternative medicine*. 2001.

Steinmetz KA, Potter JD. «Vegetables, fruit, and cancer prevention: a review.» *J Am Diet Assoc*. Octubre de 1996; 96(10): 1027-39. Revista.

Subarnas A, Wagner H. «Analgesic and anti-inflammatory activity of the proanthocyanidin shelle-guean A from Polypodium feei METT. *Phytomedicine*. Octubre 2000; 7(5): 401-5.

Teikari JM, Rautalahti M, Haukka J, *et al*. «Incidence of cataract operations in Finnish male smokers unaffected by alpha tocopherol or beta carotene supplements.» *J Epidemiol Community Health*. 1998; 52: 468-72.

Toniolo P, Van Kappel AL, Akhmedkhanov A, Ferrari P, Kato I, Shore RE, Riboli E. «Serum carotenoids and breast cancer.» *Am J Epidemiol*. 15 junio 2001; 153(12): 1142-7.

Van Doorn HE, van der Kruk GC, van Holst GJ. «Large scale determination of glucosinolates in brussels sprouts samples after degradations of endogenous glucose.» *J. Agric Food Chem*. Marzo 1999; 47(3): 1029-34.

Vinson JA, Teufel K, Wu N. «Red wine, de-alcoholised red wine, and especially grape juice, inhibit atherosclerosis in a hamster model.» *Atherosclerosis*. 2001; 156(1): 67-72.

Wang H, Cao G, Prior RL. «Total antioxidant capacity of fruits.» *Ex Biol Med* (Maywood). Noviembre 2001; 226(10): 891-7. Revista.

Yamagishi M, Natsume M, Osakabe N, Okazaki K, Furukawa F, Nishikawa A, Hirose M. «Chemoprevention of lung carcinogenesis by cacao liquor proanthocyaninins in a male rat multi-organ carcinogenesis model.» *Cancer Lett*. 28 febrero 2003; 191(1): 49-57.

Zhang LX, *et al.* «Carotenoids enhance hap junctional communication and inhibit lipid peroxidation in C3H/10T12 cells: relatioship to their cancer chemopreventive actions.» *Carcinogenesis.* 1991; 12: 2.109-14.

Ziegler RG. «Vegetables, fruits, and carotenoids and the risk of cancer.» Am J Clin Nutr. Junio 1991; 53(Supl 1): 251S-259S. Revista.

Capítulo 4

AAP 2000 red book: report of the committee on infection disease, 25.ª ed. American Academy of Pediatrics, 2000.

Agerholm-Larsen L, Reben A, Haulrik N, Hansen AS, Manders M, Astrup A.«Effect of 8 week intake of probiotic milk products on risk factors for cardiovascular diseases.» *Eur J Clin Nutr.* Abril 2000; 54(4): 288-97.

Ahmed RS, Seth V, Banerjee BD. «Influence of dietary ginger (*Zingiber officinales Rosc*) on antioxidant defense system in rat: comparison with ascorbic acid.» *Indian J Exp Biol.* Junio 2000; 38(6): 604-6

Anderson JW, Deakins DA, Floore TL, Smith BM, Whitis SE. «Dietary fiber and coronary heart disease.» *Crit Rev Food Sci Nutr.* 1990; 29: 95-147.

Anderson JW, Gustafson NJ, Spencer DB, Tietyen J, Bryant CA. «Serum lipid response hypercholesterolemic men to single and divided doses of canned beans.» *Am J Clin Nutr.* 1990; 51: 1.013-9.

Antonio MA, Hawes SE, Hillier SL, «The identification of vaginal Lactobacillus species and the demographic and microbiologic characteristics of women colnized by these species.» *J Infect Dis.* Diciembre 1999; 180(6): 1.950-6.

Bengmark S. «Colinic food: pre-and probiotics.» *Am J Gastroenterol.* Enero 2000; 65Supl 1: S5-S7. Revista

Borchers AT, Keen CL, Gershwin ME. «The influence of yogurt/Lactobacillus on the innateand acquired immune response.» *Clin Rex Allergy Immunol.* Junio 2002; 22(3): 207-30. Revista.

Bressani R, Elías LG. «The nutritional role of polyphenols in beans». A: *Polypenols in cereals and legume.* Hulse JH, ed. Ottawa, Canadá, IDRC-145e, IDRC, 1979.

Brouet I, Ohshima H. «Curcumin an anti-tumor promoter and antiinflammatory agent, inhibits induction of nitric oxide synthase in activated macrophages.» *Biochem Bipphys Res Commun.* 17 enero 1995; 206(2): 533-40.

Caragay AB. «Cancer-preventive foods and ingredients.» *Food Tech.* 1992; 46(4): 68-8.

Cav GH, Sofic E, Prior RL. «Antioxidant capacity of tea and common vegetables.» *J Agr Food Chem.* Noviembre 1996; 44(11): 3.426-31.

Cesarone MR, Incanndela L, DeSanctis MT, Belcaro G, Griffin M, Ippolito E, Acerbi G. «Treatement of edema and increased capillari filtration in venous hypertension with HR (Paroven, Venoruton; 0-(beta-hydroxyethil)-rutosides) a clinical, prospective, placebo-controlled, radimized, dose-ranging trial.» *J Cardiovasc Pharmacol Ther.* Enero 2002; 7 Supl 1: S21-S24.

Chan MM. «Inhibition of tumor necrosis factor by curcumin, phytochemical.» *Biochem Pharmacol.* 26 mayo 1995; 49(11): 1.551-6.

Chauhan DP. «Chemotherapeutic potential of curcumin for colorectal cancer.» *Curr Pharm Des.* 2002; 8(19): 1.695-706. Revista.

Conney AH, Lysz T, Ferraro T, Abidi TF, Manchand PS, Laskin JD, Huang MT. «Inhibitory effect of curcumin and some related dietary compounds on tumor promotion and arachidonic acid metabolism in mouse skin.» *Adv Enzyme Regal.* 1991; 31: 385-96. Revista.

Danielsson G, Jungbeck C, Peterson K, Norgren L. «A radomised controlled trial of micronised purified flavonoid fraction vs. Placebo in patients with chronic venous disease.» *Eur J Vasc Endovasc Surg.* Enero 2002; 23(1): 73-6.

Delzenne N, Cherbut C, Neyrinck A. «Prebiotics: actual and potential effects in inflammatory and malignan colonic diseases.» *Curr Opin Clin Nutr Metab Care.* Septiembre 2003; 6(5): 581-6. Revista.

Deodhar S D, *et al.* «Preliminary studies on anti-rheumatic activity of curcumin.» *Ind J Med Res.* 1980; 71: 632-4.

Dhuley JN. «Anti-oxidant effects of cinnamon (*Cinnamomum verum*) and greater cardamom (*Amomum subulatum*) seeds in rats fed high fat diet.» *Indian J Exp Biol.* Marzo 1999;37(3): 238-42.

Dickerson C. «Neuropeptide regulation of proinflammatory citokine responses.» *J Leukoc Biol.* Mayo 1998; 63(5): 602-5.

Dorei T, Cao YC, Dorai B, Buttyan R, Katz AE. «Therapeutic potential of curcumin in human prostate cancer. Curcumin inhibits proliferation, induce apoptosis, and inhibits angiogenesis of LNCaP prostate cancer cells in vivo.» *Prostete.* 1 junio 2001; 47(4): 293-303.

D'Souza AL, *et al.* «Probiotics in prevention of antibiotic associated diarrhoea: meta-analysis.» *Br Med J.* 8 junio 2002; 324: 1361-

Duenas M, Sun B, Hernandez T, Estrella I, Sapranger MI. «Proanthocuanidin composition in the seed coat of lentils (*Lens culinaris L.*).» *J Agric Food Chem.* 31 diciembre 2003; 51(27): 7999-8004.

Duvoix A, Morceau F, Delhalle S, Schmitz M, Schnekenburger M, Galteau MM, Dicato M, Diederich M. «Introduction of apoptosis by curcumin: mediation by glutathione S-transference P1-1 inhibition.» *Biochem Pharmacol.* 15 octubre 2003; 66(8): 1475-83.

Elmer GW. «Probiotics: "living drugs".» *Am J Health Syst Pharm.* 15 junio 2001; 58(12): 1101-9. Revista.

Fernandes G, Lawrence R, Syb D. «Protective role of n-3 lipids and soy protein in osteoporosis.» *Postglandins Leukot Essent Fatty Acids.* Junio 2003; 68(6): 361-72. Revista.

Fernandez-Orozco R, Zielinski H, Piskula MK. « Contribution of low-molecular-weight antioxidants to the antioxidant capacity or raw ans processed lentil seeds.» *Nahrung.* Octubre 2003; 47(5): 291-9.

Floch MH, Hong-Curtiss J. «Probiotics and functional in gastrointestinal disorders.» *Curr Gastroenterol Rep.* Agosto 2001; 3(4): 343-50.

Food and Drug Administration HHS. *Code of Federal Regulations. Office of the Federal Register National Archives and Records Administration.* 1991. 21 CFR. 131.200 (yogur).

Friederich MJ. «A bit of culture for children: probiotics may improve health and fight disease.» *JAMA.* 20 septiembre 2000; 284(11): 1356-6.

Fuhrman B, Rosenblat M, Hayek T, Coleman R, Aviram M. «Ginger extract consumption reduces plasma cholesterol, inhibits LDL oxidation an attenuates development of atherosclerosis in atherosclerotic, apoliprotein E-Deficient mice.» *J Nutr.* Mayo 2000; 130(5): 1124-31.

Gaon D, Garcia H, Winter L, Rodriguez N, Quintas R, Gonzalez SN, Oliver G. «Effect of Lactobacillus strains and Saccharomyces boulardii on persistent diarrhea in children.» *Medicina* (Buenos Aires). 2003; 63(4): 293-8.

Grand RJ, *et al.* «Lactose intolerance.» UpToDate Electronic Database (Version 9.2).2001.

Han SS, Keun YS, Chun KS, Surh YJ. «Suppression of phorbol ester-induced NF-kappaB activation by capsaicin in cultured human promyelitocytic leukemia cells.» *Arch Pharm Res.* Agosto 2002; 25(4): 475-9.

Han SS, Keum YS, Seo HJ, Surh YJ. Curcumin suppreses activation of NF-kappaB and Ap-1 induced by phorbol ester un cultured human promyelocytic leukemia cells.» *J Biochem Mol Biol.* 31 mayo 2002; 35(3): 337-42.

Herman C, Aldercreutz T, Goldin BR, *et al.* «Soybean p phytoestrogen intake and cancer risk.» *J Nutr.* 1995; 125: 757S-770S.

Ho C-T, Lee CY, Huang MT. «Phenolic compounds in food and their effects on health II: analysis, occurrence, and chemistry.» *American Chemical Society Symposium Series 507*, 402 páginas, 1992. American Chemical Society, Washington DC.

Ihme N, Kiesewetter H, Jung F, Hoffmann KH, Birk A, Muller A, Grutzner KI. «Leg oedema protectios form a buckwheat herb tea in patients with chronic venous insufficiency: a single-centre, randomised, double-bind, placebo-controlled clinical trial.» *Eur J Clin Pharmacol.* 1996; 50(6): 443-7.

Ito K, Nakazato T, Yamato K, Miyakawa Y, Yamada T, Hozumi N, Segawa K, Ikeda Y, Kizaki M.«Inductions of apoptosis in leukemic cells by homovanillic acid derivative, capsaicin, throught oxidative stress: implication of phosphorylation of p53 at Ser-15 residue by reactive oxygen species.» *Cancer Res.* 1 febrero 2004; 64(3): 1071-8.

Janssen PL, Meyboom S, van Staveren WA, *et al.* «Consumption of ginger (*Zingiber officinale Roscoe*) odes not affect ex vivo platelet thromboxane production in humans.» *Eur J Clin Nutr.* 1996; 50: 772-4.

Joe B, Lokesh BR. «Effect of curcumin and capsaicin on arachidonic metabolism and lysosomal enzyme secretion by rat peritoneal macrophages.» *Lipids.* Noviembre 1997; 32(11): 1.173-8.

Kan H, Onda M, Tanaka N, Furkawa K [«Efectos de la fracción polifenol del té verde sobre carcinogénesis colorrectal inducida por 1,2-dimetilhidrazina (DMH)-en la rata»] *Nippon Ika Daigaks Zasshi.* Abril 1996; 63(2): : 106-16. Japonés.

Kaur P, *et al.* «Probiotics: potential phamraceutical applications.» *Eur J Pher Sci.* Febrero 2002; 15: 1-9.

Keating A, Chez RA. «Ginger syrup as an antiemetic in early pregnancy.» *Altern Ther Health Med.* 2002; 8: 89-91.

Kent HL. «Epidemiology of vaginitis.» *Am J Obstet Gynecol.* 1991; 165: 1.168-76.

Kihara N, de la Fuente SG, Fujino K, Takahashi T, Pappas TN, Mantyh CR. «Vanilloid receptor-1 containing primary sensory neurones mediate dextran sulphate sodium induced colitis in rats.» *Gut.* Mayo 2003; 52(5): 713-9.

Kihuchi F, *et al.* «Inhibitors of protaglandin biosynthesis from ginger.» *Chem Pharm Bull.* (Tokio). Febrero 1982; 30(2): 754-7. *Folia Pharmacologica Japonica.* Octubre 1986; 88(4): 263-9.

Kurzer MS, Xu X. «Dietary phytoestrogens.» *Ann Rev Nutr.* 1997; 17: 353-81. Revista.

Lee YB, *et al.* «Antioxidant property in ginger rhizome and its applications to meat products.» *J Food Sci.* 1986; 51(1): 20-3.

Li SQ, Zhang QH. «Advances in the development of functional foods from buckwheat.» *Crit Rev Food Sci Nutr.* Septiembre 2001; 41(6): 451-64. Revista

Lien HC, Sun WM, Chen YA, *et al.* «Effects of ginger on motion sickness and gastric slowwave dysrhythmias induced by circular vection.» *Am J Physiol Gastrointest Liver Physiol.* 2003; 284: G481-G489.

Lim GP, Chu T, Yang F, Beech W, Frautschy SA, Cole GM. «The curry spice curcumin reduces oxidative damage and amyloid pathology in an Alzheimer transgenic mouse.» *J Neurosci.* Noviembre 2001; 21(21): 8.370-7.

Lu P, Lai BS, Liang P, Chen ZT, Shun SK. [«Actividad antioxidante y efectos protectores del aceite de jengibre en daños de ADN in vitro.»] *Zhongguo Zhong Yao Za Zhi.* Septiembre 2003: 28(9): 873-5. Chino.

Majamaa H, Isolauri E. «Probiotics: a novel approach in the management of food allergy.» *J Allergy Clin Immunol.* Febrero 1997; 99(2): 179-85.

Messina M, Messina V. «Increasing use of soy foods an their potential row in cancer prevention.» *J Am Diet Assoc.* 1991; 91: 836-40.

Messin MJ, Persky V, Setchell KD, *et al.* «Soy intake and cancer risk: a review of the in vitro and in vivo data.» *Nutr Cancer.* 1994; 21(2): 113-31.

Miraglia del Giudice M Jr, De Luca MG, Capristo C. «Probiotics and atopic dermatitis. A new strategy in aropic dermatitis.» *Dic Liver Dis.* Septiembre 2002; 34 Supl 2: S68-S71.

Murosaki S, Muroyama K, Yamamoto Y, Yoshikai Y. «Antitumor effect of heat-killed *Lactobacillus plantarum* L-137 through restoration of impaired interleukin-12 production in tumorbearing mice.» *Cancer Immunol Immunother.* Junio 2000; 49(3): 157-64.

Nyirjesy P, *et al.* «Over-the-counter and alternative medicines in the treatment od chronic vaginal symptoms.» *Obstet Gynecol.* 1997; 90: 50-3.

Ohta T, Nakatsugi S, Waranabe K, Kawamori T, Ishikawa F, Morotomi M, Sugie S, Toda T, Sugimura T, Wakabayashi K. «Inhibitory effects of Bifidobacterium-fermented soymilk on 2-amino1-methyl-6-phenylimidazo[4,5-b]pyridine-induced rat mammary carcinogenesis, with a partial contribution of its component isoflavones.» *Carcinogenesis.* Mayo 2000; 21(5): 937-41.

Ostrakhovitch EA, Afanas'ev IB. «Oxidative stress in rheumatoid arthritis leukocytes: suppression by rutin another antioxidants and chelators.» *Biochem Pharmacol.* 15 septiembre 2001; 62(6): 743-6.

Peterson KF, Dufour S, Befroy D, Garcia R, Shulman GI. «Impaired activity in the insulin-resistant offspring og patients with typpe 2 diabetes.» *N Engl J Med.* 12 febrero 2004; 350:664-71.

Phan TT, See P, Lee ST, Chan SY. «Protective effects of curcumin against oxidative damage on skin cells in vitro: its implication for Wound healing.» *J Trauma.* Noviembre 2001; 51(5): 927-31.

Pongrojpaw D, Chiamchanya C. «The efficacy of ginger in prevention of post-operative nausea and vomiting after outpatient gynecological laparoscopy.» *J Med Assoc Thai.* 2003; 86: 244-50.

Potter SM, Bakhit RM, Essex-Sorlie DL, *et al.* «Depression of plasma choleterol in men by comsumption of baked products containing soy protein.» *Am J Clin Nutr.* 1993; 58: 501-6.

Rafter JJ. «Scientifics basis of markers and benefits of functional foods for reductions of disease risk: cancer.» *Br J Nutr.* Noviembre 2002; 88 Supl 2: S219-S224. Revista.

Rao BN. «Bioactive phytochemicals in Indian foods an their potential in health promotion and disease prevention.» *Asia Pac J Clin Nutr.* 2003; 12(1): 9-22. Revista

Rautava S, Isolaruri E. «The development of gut immune responses and gut microbiota: effects of probiotic in preventions and treatment of allergic disease.» *Curr Issues Intest Microbiol.* Marzo 2002; 3(1): 15-22.

Reid G, Howard J, Gan BS. «Can bacterial interference prevent infection?». *Trends Microbiol.* Septiembre 2001; 9(9): 424-8.

Rolfe RD. «The role of probioitc cultures in the control of gastrointestinal health.» *J Nutr.* Febrero 2000; 130(Supl 2S): 396S-402S. Revita.

Saavedra JM, Tschernia A. «Human studies with probiotics and prebiotics: clinical implications.» *Br J Nutr.* Mayo 2002; 87 Supl 2: S241-S246. Revista.

Satoskar RR, Shah SJ, Shenoy SG. «Evaluation of anti-inflammatory property of curcumin (diferuloyl methane) in patients with postoperative inflammation.» *Int J Clin Pharmancol Ther Toxicol.* Diciembre 1986; 24(12): 651-4.

Schultz M, Scholmerick J, Rath HC. «Rationale for probiotic and antibiotic treatment strategies in inflammatory bowel diseases.» *Dig Dis.* 2003; 21(2): 105-28. Revista.

Shah BH, Nawaz Z, Pertani SA, Roomi A, Mahmood H, Saeed SA, Gilani AH. «Inhibitory effect of curcumin, a food spice from turmeric, on platelet-activating factor— and arachidonic acid-mediated platelet aggregation through inhibition of thromboxane formation and Ca2+ signaling.» *Biochem Pharmacol.* 1 octubre 1999; 58(7): 1167-72.

Sharma SC, *et al.* «Lipid peroxide formation in experimental inflammation.» *Biochem Pharmacol.* 1972; 21: 12-10.

Simpson HCR, Lousley S, Geekie M, Simpson RW, Carter RD, Hockaday TDR, Mann JI. «A high carbohydrate leguminous fibre diet improves all aspects of diabetic control.» *Lancet.* 1981; i: 1-5.

Singh S, Natarajan K, Aggarwall BB. «Capsaicin (8-methyl-N-vanillyl.6-nonenamide) is a potent inhibitor of nuclear transcription factor-kappa B activation by diverse agents.» *J Immunol.* 15 noviembre 1996; 157(10): 4412-20.

Sobel JD. «Overview of vaginitis.» UpToDate Electronic Database» (Versión 9.2), 2001.

Soni KB, Kuttan R. «Effect of oral curcumin administration on serum peroxides and cholesterol levels in human volunteers.» *Ind. J Physiol Farmacol.* 1992; (36): 273. 283.

Srimal R, Dhawan B. «Pharmacology of diferuloyl methane (curcumin), a non-steroidal antiinflammatory agent.» *J Pharm Pharmac.* 1973; (25): 447-52.

Srivasta R, Srimal RC. «Modifications of certain inflammation-induced biochemical changes by curcumin.» *Indian Med Res.* 1985; (81): 215-23.

Srivastava KC.«Effects of aqueous extracts of onion, garlic and ginger on platelet aggregation and metabolism of arachidonic acid in the blood vascular system: in vitro study.» *Prostaglandins Leukot Med.* 1984; 13: 227-35.

Srivistava KC, Mustafa T.«Ginger (*Zingiber officinale*) and rheumatic disorders.» *Med Hypotheses.* Mayo 1989; 29(1): 25-8.

Stavric B. «Antimutagens and anticarninogens in foods.» *Food Chem Toxicol.* Enero 1994; 32(1): 79-90. Revista.

Suekawa M, *et al.* [«Estudios farmacológicos sobre el jengibre IV Efecto de (6)-shogaol en cascada araquindónica.»] *Nippon Yakurigaku Zashi.* Octubre 1986; 88(4): 263-9. Japonés.

Susan M, Rao MNA. «Induction of glutathione S-transferase activity by curcumin mice.» *Arznheim Foresh.* 1992; 42: 962.

Tjendraputra E, Tran VH, Liu-Brennan D, Roufogalis BD, Duke CC. «Effect of ginger constituents and synthetic analaogues on cyclooxygenase-2 enzyme in intact cells.» *Bioorg Chem.* Junio 2001; 29(3): 156-63.

Udani J. «Lactobacillus acidphilus to prevent traveler's diarrhea.» *Altern Med Alert*. 1999; 2: 53-5.

Van Kessel K, Assefi N, Marrazzo J, Eckert L. «Common complementary and alternative therapies for yeast vaginitis and bacterial vaginosis: a systematic review.» *Obstet Gynecol Surv*. Mayo 2003; 58(5): 351-8. Revista.

Weisburger JH.«Tea anf health: the underlying mechanisms.» *Proc Soc Exp Biol Med*. Abril 1999; 220(4): 271-5. Revista.

Zeneb MB, *et al*. «Dairy (yogurt) augments fat loss and reduces central adiposity during energy restriction in obede subjects.» *FASEB*. 2003; 17(5): A1.088.

Capítulo 5

Abbey M, Noakes M, Belling GB, Nestel PJ. «Partial replacement of saturated farry acids with almonds or walnuts lowers total plasma cholesterol and low-density-liprotein cholesterol.» *Am J Clin Nutr*. Mayo 1994; 59(5): 995-9.

Ahn SC, Oh WK, Kim BY, Kang BO, Kim MS, Heo GY, Ahn JS. «Inhibitory effects of rosmarinic acid on Lck SH2 domain binding to a sythetic phosphopetide.» *Planta Med*. Julio 2003; 69(7): 642-6.

Akgul A, Kivanc M. «Inhibitory effects of selected Turkish spices and oregane components on some foodborne fungi.» *Int J Food Microbiol*. Mayo 1988; 6(3): 263-8.

Ali BH, Blunden G. «Pharmacological and toxicological properties of *Nigella sativa*.» *Phytother Res*. Abril 2003; 17(4): 299-305. Revista.

Anderson RA, Broadhurst CL, Polansky MM, Schmidt WF, Kahn A, Flanagan VP, Schoene W, Graves DJ. «Isolation and characterization of polyphenol type-A polymers from cinnamon with insulin-like biological activity.» *Diabetes Res Clin Pract*. Diciembre 2003; 62(3): 139-48.

Ao P, Hu S, Zhao A. *Institute of Chinese Material Medica, China Academy of Traditional Chinese Medicine*, Pequín 100700. [«Análisis del aceite esencial y estudio de oligoelementos de las raíces del *Piper nigrum L.*»] *Zhongguo Zhong Yao Za Zhi*. Enero 1998; 23(1): 42-3, 63. Chino.

Areias F, Valentao P, Andrade PB, Ferreres F, Seabra RM. «Flavonoids and phenolic acids of sage: influence ofg some agricultural factors.» *J Agric Food Chem*. Diciembre 2000; 48(12): 6.081-4.

Bagamboula CF, Uyttendaele y M, Debevere J. «Antimicrobial effedt of spices and herbs on *Shigella sonnei* and *Shigella flexneri*.» *J Food Prot*. Abril 2003; 66(4): 668-73.

Ballal RS, Jacobsen DW, Robinson K. «Homocysteine: update on a new risk factor.» *Cleve Clin J Med*. 31 noviembre-diciembre 1997; 64(10): 543-9.

Bode A. «Ginger is an effective inhibitor of HCT116 human colorectal carcinoma in vivo.» Informe presentado en la Conferencia Frontiers in Cancer Prevention Research, Phoenix (Arizona). 26-30 octubre 2003.

Calucci L, Pinzino C, Zandomeneghi M, *et al*. «Effects of gamma-irradiation on the free radical and antioxidant contents in nine aromatic herbs and spices.» *Agric Food Chem*. 12 febrero 2003; 51(4): 927-34.

Chithra V, Leelamma S. «Hypolipidemic effect of coriander seeds (*Coriandrum sativum*): mechanism of action.» *Plant Foods Hum Nutr*. 1997; 51(2): 167-72.

Cosentino S, Tuberoso CI, Pisano B, Satta M, Mascia V, Arzedi E, Palmas F. «In-vitro antimicrobial activity and chemical composition of Sardinian Thymus essential oils.» *Lett Appl Microbiol*. Agosto 1999; 29(2): 130-5.

Delaquis PJ, Stanich K, Girard B, *et al*. «Antimicrobial activity of individual and mixed factions of dill, cilantro, coriander and eucalyptus essential oils.» *Int J Food Microbiol*. 25 marzo 2002; 74(1-2): 101-9.

Devasena T, Menon VP. «Enhancement of circulatory antioxidants by fenugreek during 1-2-dimethylhydrazine-induced rat colon carcinogenesis.» *J Biochem Mol Biol Biophys*. Agosto 2002; 6(4): 289-92.

Dorman HJ, Deans SG. «Antimicrobial agents form plants: antibacterial activity of plant volatile oils.» *J Appl Microbiol*. Febrero 2000; 88(2): 308-16.

Elgayyar M, Draughon FA, Golden DA, Mount JR. «Antimicrobial acticity of essential oils from plants against selected pathogenic and saprophytic microorganisms.» *J Food Prot*. Julio 2001; 64(7): 1.019-24.

Ficker CE, Arnason JT, Vindas PS, *et al.* «Inhibition of human pathogenic fungi by ethnobotanically selected plants extracts.» *Mycoses*. Febrero 2003; 46(1-2): 29-37.

Gagandeep, Dhanalakshmi S, Mendiz E, Rao AR, Kale RK. «Chemopreventive effects of *Cuminum cyminum* in chemically induced forestomach and uterine cervix tumors in murine model systems.» *Nutr Cancer*. 2003; 47(2): 171-80.

Gray AM, Flatt PR. «Insulin-releasing and insulin-like activity of the traditional anti-diabetic plant *Coriandrum sativum* (coriander).» *Br J Nutr*. Marzo 1999; 81(3): 203-9.

Haddad JJ. «Redox regulation of pro-inflammatory cytokines and IkappaB-alpha/NF-kappaB nuclear translocation and activation.» *Biochem Biophys Res Commun*. 7 febrero 2003; 301(2): 625.

Haraguchi H, Saito T, Ishikawa H, Date H, Kataoka S, Tamura Y, Mizutani K. «Entiperoxidative components in *Thymus vulgaris*.» *Planta Med*. Junio 1996; 62(3): 217-21.

Hidaka H, Ishiko T, Furunashi T, *et al.* «Curcumin inhibits interleukin 8 porduction and enhances interleukin 8 receptor expression on the cells surface: impact on human pancreatic carcinoma cell growth by autocrine regulation.» *Cancer*. 15 septiembre 2002; 96(6): 1.206-14.

Houghton P. «Sage, alternatives treatment to Alzheimer's drug.» Informe presentado en la British Pharmaceutical Conference de Harrogate, 15-17 septiembre 2003.

Impari-Radosevich J, Deas S, Polanky MM, *et al.* «Regulation of PTP-1 and insuline receptor kinase by fractions from cinnamon: implications for cinnamon regulation of insuline signaling.» *Horm Res*. Septiembre 1998; 50(3): 177-82.

Jagetia GC, Baliga MS, Venkatesh P, Ulloor JN. «Influence of ginger rhizome (*Zingiber officinale Rosc*) on survival, glutatione and lipid peroxidation in mice after whole-body exposure to gamma radiation.» *Radiat Res*. Noviembre 2003; 160(5): 584-92.

Kang BY, Chung SW, Chung W, *et al.* «Inhibition of inteleukin-12 production in lipopolysaccharide-activated macophage by curcumin.» *Eur J Pharmacol*. Noviembre 1999; 384(2-3): 191-5.

Kaur C, Kapoor CH. «Antioxidant activity and total phenolic content of some Asis vegetables.» *Int Journal Food Sci Tech*. Febrero 2002; 37(2): 153.

Khan A, Safdar M, Ali Kha MM, Khattak KN, Andersom RA. «Cinnamon improves glucose and lipids of people with type 2 diabetes.» *Diabetes Care*. Diciembre 2003; 26(12): 3215-8.

Kikuzaki H, Kawai Y, Nakatani N. «1,1-Diphenyl-2-picrylhydrazyl radical-scavenging active compounds from greater cardamom (*Amomum subulatum Roxb.*).» *J Nutr Sci Vitaminol* (Tokio). Abril 2001; 47(2): 167-71.

Kiuchi F, *et al.* «Inhibition of prostaglandin and leukotriene biosynthesis by gingerols and diarylheptanoids.» *Chem Pharm Bull*. 1992; 40: 387-91.

Lagouri V, Boskou D. «Nutrient antioixidants in oregane.» *Int J Food Sci Nutr*. Noviembre 1996; 47(6): 493-7.

Langmead L, Dawson C, Hawkins C, Banna N, Loo S, Rampton DS. «Antioxidant effects of herbal therapies used by patients with immflamatory bowel disease: an in vitro study.» *Aliment Pharmacol Ther*. Febrero 2002; 16(2): 197-205.

Lim GP, Chu T, Yang F, *et al.* «The curry spice curcumin reduces oxidative damage and amyloid pathology in an Alzheimer transgenic mouse.» *J Neurosci*. 1 noviembre 2001; 21(21): 8.370-7.

Malencic D, Gasic O, Popovic M, Boza P. «Screening for antioxidant properties of *Salvia reflexa* hornem.» *Phytocer Res*. Noviembre 2000; 14(7): 546-8.

Matsingou TC, Petrakis N, Kapsokefalou M, Salifoglou A. «Antioxidant activity of organic extracts from aqueous infusions of sage.» *J Agric Food Chem*. 5 noviembre 2003; 51(23): 6.696-701.

Mujundar AM, Dhuley JN, Deshmukh VK, *et al.* «Anti-inflammatory activity of piperine.» *Jpn Journal Med Sci Biol*. Junio 1990; 43(3): 95-100.

Nair S, Nagar R, Gupta R. «Antioxidant phenolics and flavonoids in common Indian foods.» *J Assoc Physicians*. India. Agosto 1998; 46(8): 708-10.

Natarajan C, Bright JJ. «Peroxisome proliferator-activated receptor-gamma agonists inhibit experimental allergic encephalomyelitis by bloking IL-2 production, IL-12 signaling and Th1 differentiation.» *Genes Immun*. Abril 2002; 3(2): 59-70.

Olszewska M, Glowaki R, Wolbis M, Bald E. «Quantitative determination of flavonoids in the flowers and leaves of *Prunus spinosa L.*» *Acta Pol Pharm*. 30 mayo-junio 2001; 58(3): 199-203.

Orafidiya LO, Oyedele AO, Shittu AO, Elujoba AA. «The formulation of an effective topixal antibacterial product containing *Ocimum gratissimum* leaf essential oil.» *Int J Pharm*. 14 agosto 2001; 224(1-2): 177-83.

Ouattara B, Simard RE, Holley RA, *et al.* «Antibacterial activity of selected fatty acids and essential oils against six metat spoilage organisms.» *Int J Food Microbiol*. 22 julio 1997; 37(2-3): 155-62.

Park SY, Kim DS. «Discovery of natural products from *Curcuma longa* that protect cells from beta-amyloid insult: a drug discovery effort against Alzheimer's disease.» *J Nat Prod*. Septiembre 2002; 65(9): 1.227-31.

Perry EK, Pickering AT, Wang WW, Houghton PJ, Perry NS. «Medicinal plants and Alzheimer's disease: integratin ethnobotanical and contemporary scientific evidence.» *J Altern Complement Med*. Invierno 1998; 4(4): 419-28. Revista.

Perry NS, Houghton PJ, Theobald A, Jenner P, Perry EK. «In-vitro inhibition of human erythrocyte acetylcholinesterase by *Salvia lavandulaefolia* essential oil and constituent terpenes.» *J Pharmacol*. Julio 2000; 52(7): 895-902. Erratum in *J Pharm Pharmacol*. Diciembre 2000; 52(12): 203.

Qin B, Nagasaki M, Ren M, Bajotto G, Oshida Y, Sato Y. «Cinnamon extract (traditional herb) potentiates in vivo insulin-regulated glucose utilization via enhancing insulin signaling in rats.» *Diabetes Res Clin Pract*. Diciembre 2003; 62(3): 139-48.

Rasooli I, Mirmostafa SA. «Bacterial susceptibility to and chemical composition of essential oils from *Thymus kotschyanus* and *Thymus persicus*.» *J Agric Food Chem*. 9 abril 2003; 51(8): 2.200-5.

Shah BH, Nawaz Z, Pertani SA, *et al.* «Inhibitory effect of curcumin, a food spice from turmeric, on platelet-activating factor-and arachidonic acid-mediated platelet aggregation through inhibition of thromboxane formation and Ca2+ signa.» *Biochem Pharmacol,* 1 octubre 1999; 58(7): 1.167-72.

Sing A, Sing SP, Bamezai R. «Modulatory potential of clocimum oil on mouse skin papillomagenesis and the xenobiotic detoxication system.» *Food Chem Toxicol*. Junio 1999; 37(6): 663-70.

Srivastava KC, Mustafa T. «Ginger (*Zingiber officinale*) and rheumatic disorders.» *Med Hypothesis*. 1989; 29: 25-8.

Sunila ES, Kuttan G. «Immunomodulatory and antitumot activity of *Piper longum Linn* and piperine.» *J Ethnopharmacol*. Febrero 2004; 90(2-3): 339-46.

Takacsova M, Pribela A, Faktorova M. «Study of the antioxidative effects of thyme, sage, juniper and oregane.» *Nahrung*. 1995; 39(3): 241-3.

Thiruvukkarasu V, Anuradha CV, Viswanathan P. «Protective effecto of fenugreek (*Trigonella foenum graecum*) seeds in experimental ethanol toxicity.» *Phytother Res*. Agosto 2003; 17(7): 737-43.

Uma Devi P. «Radioprotective anticarcinogenic and antioxidant properties of the Indian holy basil, *Ocimum sanctum* (Tulasi).» *J Exp Biol*. Marzo 2001; 39(3): 185-90.

Valero M, Salmeron MC. «Antibacterial activity of 11 essentials oils against *Bacillus cereus* un tyndallized carrot broth» *Int J Food Microbiol*. 15 agosto; 85(1): 73-81.

Vrinda B, Uma Devi P. «Radiation protection of human lymphocyte chromosomes in vitro by orientin and vicenin.» *Mutat Res*. 15 noviembre 2001; 498(1-2): 39-46.

Wills RB, Scriven FM, Greenfield H. «Nutrient composition of stone fruit (*Prunus* spp.) cultivars: apricot, cherry, nectarine, peach and plum.» *J Sci Food Agric*. Diciembre 1983; 34(12): 1.383-9.

Youdim KA, Deans SG. «Beneficial effects of thyme oil on age-related changes in the phospholipid C20 and C22 polyunsaturated fatty acid composition of various rat tissues.» *Biochem Biophys Acta*. 19 abril 1999; 1.438(1): 140-6.

Youdim KA, Deans SG. «On the antioxidant status and fatty composition of the ageing rat brain.» *Br J Nutr*. Enero 2000; 83(1): 87-93.

Zheng GQ, Kenney PM, Lam LK. «Anethofuran, carvone, and limonene: potential cancer chemopreventive agents from dill weed oil and caraway oil.» *Planta Med*. Agosto 1992; 58(4): 338-41.

Zheng W, Wang SY. «Antioxidant activity and phenolic compoounds in selected herbs.» *J Agric Food Chem*. Noviembre 2001; 49(11): 5.165-70.

Capítulo 6

Blass JP, Sheu K-FR, Cederbaum JM. «Energy metabolism in disorders of the nervous system.» *Rev Neurol* (París). 1988; 144: 543-63.

Borchers AT, Keen CL, Gershwin ME. «Mushrooms, tumors, and immunity; an update.» *Exp Biol Med.* Maywood). Mayo 2004; 229(5): 393-406. Revista.

Davis PK, Johnson GV. «Monoclonal antibody Alz-50 reacts with bovine and human ser albumin.» *J Neurosci Res.* 1994; 39(5): 589-94.

Kidd PM. «The use of mushroom glucans and proteoglycans in cancer treatment.» *Altern Med Rev.* Febrero 2000; 5(1): 4-27. Revista.

Mattson MP. «Mechanism of neuronal degeneration and preventive approaches: Quickening the pace of AD research.» *Neurobiol Aging.* 1994; 15 Supl 2: S121-S125.

Mayell M. «Maitake extracts and their therapeutic potential.» *Altern Med Rev.* Febrero 200; 61(1):1-9.

Preuss U, Mandelhow EM. «Mitotic phosphorylation of tau protein in neuronal cell lines resembles phosphorylation in Alzheimer's disease.» *Eur J Cell Biol.* 1998; 76(3): 176-84.

Talpur N, Echard B, Dadgar A, Aggarwal S, Zhuang C, Bagchi D, Preuss HG. «Effects of maitake mushroom fractions on blood pressure of Zucker fatty rats.» *Res Commun Mol Pathol Pharmacol.* 2002; 112(1-4): 68-82.

Talpur N, Echard BW, Yasmin T, Bagchi D, Preuss HG. «Effects of niacin-bound chromium, maitake mushroom fraction SX and (-)-hydroxycitric acid on the metabolic syndrome in aged diabetic Zucker fatty rats.» *Mol Cell Biochem.* Octubre 2003; 252(1-2): 369-77.

Tasawat N, Tayraukham S. «A study on alpha-PSP towards a better quality of life as a part of symptomatic changes in 767 Asian diabetic patitents:» *Macro Food Tech Co Ltd*, 2002.

Capítulo 7

Ayello EA, Thomas DR, Litchford MA. «Nutritional aspectos of wound healing.» *Home Health Nurse.* Noviembre –diciembre 1999; 17(11): 719-29. Prueba 730. Revista.

Belury MA. «Inhibition of carcinogenesis by conjugates linoleic acid: potential mechanisms of actions.» *J Nutr.* Octubre 2002; 132(10): 2995-8. Revista.

Beyer RE. «An analysis of the role of coenzyme Q in free radical generation and as an antioxidant.» *Biochem Cell Biol.* Junio 1992; 70(6): 390-403. Revista.

Cuzzocrea S, Thiemermann C, Salvemini D. «Potetial therapeutic effect of antioxidant therapy in shock and infflamation.» *Curr Med Chem.* Mayo 2004; 11(9): 1.147-62.

Decker EA, Livisay SA, Zhou S. «A re-evaluation of the antioxidant activity of purified carnosine.» *Biochemistry* (Moscú). Julio 2000; 65(7): 766-70.

Deev LI, Goncharenko EN, Baizhumanov AA, Akhalaia Mia, Antonova SV, Shestakova SV. «Protetive effect of carnosine in hyperthermia.» *Biull EkspBiol Med.* Julio 1997; 124(7): 50-2.

Evans JL, Goldfine ID. «Alpha-lipoic acid: a multifunctional antioxidant that improves insulin sensitivity in patients with type 2 diabetes.» *Diabetes Tchenol Ther.* Otoño 2000; 2(3): 401-23. Revista.

Gaullier JM, Halse J, Hoye K, Kristiansen K, Fagertun H, Vik H, Gudmundsen O. «Conjugates linoleis acid supplementation for 1 y reduces body fat mass in healthy overweight humans.» *An J Clin Nutrr.* 2004; 79(6): 1118-25.

Gutierrez A, Anderstam B, Alvestrand A. «Amino acid concentration in the interstitium of human skeletal muscle: a microdialysis strudy.» *Eur J Clin Invest.* Noviembre 199; 29(11): 947-52.

Han D,Handelman G, Marcocci L, Sen CK; Roy S, Kobuchi H, Tritschler HJ, Flohe L, Packer L. «Lipoic acid increases de novo synthesis of cellular glutathine by improving cystine utilisation.» *Biofectors.* 1997; 6(3): 321-38.

Hipkiss AR, Preston JE, Himsworth DT, Worthington VC, Keown M, Michaelis J, Lawrence J, Mateen A, Allende L, Eagles PA, Abbott NJ. «Plutipotent protective effects of canosine, a naturally occurring dipeptide.» *Ann NY Acad Scik.* 20 noviembre 1998; 854:37-53.

Ikeda S, Toyoshima K, Yamashita K. «Dietary sesame seeds elevate alpha — and gamma-tocotrienol concentrations in skin and adiposde tissue of rats fed the tocotrienol-rich fraction extracte from palm oil.» *J Nutr.* Noviembre 2001; 131(11): 2.892-7.

Kamal-Eldin A, Appelqvist LA. «The chemistry and antioxidant properties of tocopherols and tocotienols.» *Lipids.*-Julio 1996; 31(7): 671-701. Revista.

Komarcevic A. [«Planteamiento moderno del tratamiento de las heridas.»] *Med Pregl.* Julio-agosto 2000; 53(7-8): 363-8. Revista. Croata.

Lee JW, Miyawaki H, Bobst EV, Hester JD, Ashraf M, Bobst AM.«Improved functional recovery of ischemic rat hearts due to singlet oxygen scavengers histidine and carnosine.» *J Mol Cell Cardiol.* Enero 1999; 31(1): 113-21.

Malinda KM, Sidhu GS, Mani H, Banaudha K, Maheshwari RK, Goldstein AL, Kleinman HK. «Thymosin beta4 accelerates wound healing.» *J Invest Dermatol.* Septiembre 199; 113(3): 364-8.

Melhem MF, Craven PA. Liachenko J, DeRubertis FR. «Alpha-lipoic acid attenuates hyperglycemia and prevents glomerular mesangial matrix expansion in diabetes.» *J Am Soc Nephrol.* Enero 2002; 13(1): 108-16.

Meyer M, Schreck R, Baeuerle PH. «H_2O_2 and antioxidants have opposite effects on activation of NF-kappa B and AP-1 in intact cells: AP-1 as secondary antioxidant-responsive factor.» *EMBO J.* Mayo 1993; 12(5): 2.005-15.

Mzhel'skaia TI, Boldyrev AA. «The biological role carnosine in excitable tissues.» *Zh Obshch Biol.* Mayo-junio 1998; 59(3). 263-78.

Naguib Y, Hari SP, Passwater R Jr, Huang D. «Antioxidant activities of natural vitamin E formulations.» *J Nutr Sci Vitaminol* (Tokio) Agosto 2003; 49(4): 217-20.

Obrenovich ME, Monnier VM. «Vitamin B_1 blocks damage caused by hyperglycemia.» *Sci Aging Knowledge Environ.* 12 marzo 2003; 2003(19): PE6.

Packer L, Kraemer K, Rimbach G. «Molecular aspects of lipoic acid in the prevention of diabetes complications.» *Nutrition.* Octubre 2001; 17(10): 888-95. Revista.

Packer L, Witt EH, Tritschler HJ. «Alpha-lipoic acid as a biological antioxidant.» *Free Radic Biol Med.* Agosto 19954; 19(2): 227-50. Revista.

Perricone NV. «Topical 5 % alpha lipoic acid cream in the treatement of cutaneous rhytids.» *Aesthetic Surgery Journal.* Mayo-junio 2000; 20(3): 218-22.

Perricone N, Nagy K, Horvath F, Dajko G, Uray I, Zs.Nagy I. «Alpha lipoic acid (ALA) protects proteins against the hydroxyl free radical-induced alterations: rationale for its geriatric application.» *Arch Gerodontol Geriatr.* Julio-agosto 1999; 29(1): 45-56.

Pobezhimova TP, Voinikov VK. «Biochemical and physiologic aspects of ubiquinone function.» *Membre Cell Biol.* 2000; 13(5): 595-602. Revista.

Podda M, Tritschler HJ, Ulrich H, Packer L. «Alpha-lipoic acid supplementation prevents symptoms of vitamin E deficiency.» *Biochem Biophys Res Commun.* 14 octubre 1994; 204(1): 98-104.

Preedy VR, Patel VB, Reilly ME, Richardson PJ, Falkous G, Mantle D. «Oxidants antioxidants and alcohol: implications for skeletal and cardiac muscle.» *Font Biosci.* 1 agosto 1999; 4: e58-e66.

Quinn PJ; Boldyrev AA, Formazuyk VE. «Carnosine: its properties, functions and potential therapeutic applications.» *Mol Aspects Med.* 1992; 13(5): 379-444.

Reynolds TM. «The future of nutrition and wound healing.» *J Tissue Viability.* Enero 2001; 11(1): 5-13. Revista.

Roberts PR, Zaloga GP. «Cardiovascular effects of carnosine.» *Biochemistry.* (Moscú). Julio 2001; 65(7): 856-61.

Roy S, Sen CK, Tritchler HJ, Packer L. «Modulation of cellular reducing equivalent homeostasis by alpha-lipic acid. Mechanisms and implications for diabetes and ischemic injury.» *Biochem Pharmcol.* 7 febrero 1997; 53(3): 393-9.

Sen CK, Packer L. «Antioxidant and redox regulation og gene transcription.» *FASEB J.* 1996; 10:709-20.

Stracke H, Lindemann A, Federlin K. «A benfotiamine-vitamine B combination in treatment of diabetic polyneuropathy.» *Exp Clin Endocrinol Diabetes.* 1996; 104(4): 311-6.

Suzuki YJ, Aggarwall BB, Packer L. «Alpha-lipoic acid is a potent inhibitor of NF-kappa B activation in human T cells.» *Biochem Biophys Res Commun.* 30 diciembre 1942; 189(3): 1.709-15.

Suzuki YJ, Tsuchiya M, Paker L.«Lipoate prevents glucose induced protein modifications.» *Free Radic Res Commun.* 1992; 17(3): 211-7.
Thiele JJ, Traber MG, Packer L.«Depletion of human stratum corneum vitamin E: and early and sensitive in vivo marker of UV induced photo-oxidation.» *J Invest Dematol* Mayo 1998; 110(5): 756-61.
Traber MG, *et al.* «Diet derived topically applied tocotrienols accumulate in skin and protect the tissue against UV light-induced oxidative stress.» *Asia Pac J Clin Nutr.* 1997; 6: 63-7.
Wahle KW, Heys SD. «Cell signal mechanisms, conjugated linoleic acids (CLAs) and antitumorigenesis.» *Prostaglandins Leukot Essent Fatty Acids.* Agosto-septiembre 2002; 67(2-3): 183-6. Revista.
Williams L. «Assessing patients' nutritional needs in the wound-healing process.» *J Wound Care.* Junio 2002; 11(6): 225-8. Revista.
Yoshida Y, Niki E, Noguchy N. «Comparative study on the action of tocopherols and tocotrienols as antioxidant: chemical and physical effects.» *Chem Phys Lipids.* Marzo 2003; 123(1): 63-75.
Ziegler D, Reljanovic M, Mehnert H, Gries FA. «Alpha-lipoic acid the treatment of diabetic polyneupathy in Germany: current evidence from clinical trials.» *Exp Clin Endocrinol Diabetes.* 1999; 107(7): 421-30. Revista.

CAPÍTULO 8

Arion VY, Zimina IV, Lopuchin YM. «Contemporary views on the nature and clinical application of thymus preparations.» *Russ JImmunol.* Diciembre 1997; 2(3-4):157-66
Balasubramaniam A. «A clinical potentials of neuropeptide Y family of hormones.» *Am J Surg.* Abril 2002; 183(4):430-4. Revista.
Berczi I, Chalmers IM, Nagy E, Warrington RJ. «The immune effects of neuropeptides.» *Baillieres Clin Rheumatol.* Mayo 1996; 10(2):227-57. Revista.
Davis TP, Konings PN. «Peptidases in the CNS: formation of biologically active, receptor-specific peptide fragments.» *Crit Rev Neurobiol.* 1993;7(3-4): 163-74. Revista.
Friedman MJ. «What might the psychobiology of posttraumatic stress disorder teach us about futures approaches to pharmacotherapy?» *J Clin Psychiatry.* 2000;61 Suppl 7: 44-51. Revista.
Fuchs J, Milbradt R. «Antioxidant inhibition of skin inflammation induced by reactive oxidants: evaluation of the redox couple dihydrolipoate/lipoate.» *Skin Pharmacol.* 1994; 7(5): 278-84.
Gambert SR, Garthwaite TL. Pontzer CH, Cook EE, Tristani EE, Duthie EH, Martinson DR, Hagen TC, McCarty DJ. «URNG elevates plasma beta-enddorphin immunoreactivity and ACTH in untrained human subjects.» *Proc Soc Exp Biol Med.* Octubre 1981; 168(1): 1-4.
Gianoulakis C. «Implications of endogenous opioids and dopamine in alcoholism human and basic science studies.» *Alcohol Alcohol Supl.* Marzo 1996; 1:33-42. Revista.
Goldstein AL, Badamchian M. «Thymosins: chemistri and biological properties in health and disease.» *Expert Opin Biol Ther.* Abril 2004; 4 (4): 559-73.
Goya RG, Console GM, Herenu CB, Brown OA, Rimoldi OJ. «Thymus and aging: potential of gene therapy for restoration of endocrine thymic function in thymus-deficient animal models.» *Geortology.* Septiembre-octubre 2002; 48(5): 325-8.
Hagen TM, Liu J, Lykkesfeldt J, Wehr CN, Ingersoll RT, Vinarsky V, Barholomew JC, Ames BN. «Feeding acetyl-L-carnitine and lipoic acid to old rats significantly inproves metabolic function while decreasing oxidative stress.» *Proc Natl Acad Sci USA.* 19 febrero 2002; 99(4): 1870-5. Errores en *Proc Natl Acad Sci Usa.* 14 mayo 2002; 99(10): 7184.
Hill AJ, Peikin SR, Ryan CA, Blundell JE. «Oral administratioon of proteinase inhibitor II from potatoes reduce energy intake in man.» *Physiol Behav.* Agosto 1990: 48(2): 241-6.
Jessop DS, Harbuz MS, Lightman SL. «CRH in chronic inflammatory stress.» *Peptides.* Mayo 201; 22(5): 803-7. Revista.
Kastin AJ, Zadina JE, Olson RD, Banks WA. «The history of neuropetide research: version 5. A.» *Ann NY Acad. Sci.* 22 marzo 1996; 780: 1-18. Revista.
Khavinson VKh. «Peptides and ageing.» *Neuroendocrinol Lett.* 2002; 23 Supl 3: 11-144. Revista.

Kocak G, Aktan F, Canbolat O, Ozogul C, Elbeg S, Yildizoglu-Ari N, Karasu C. «Alpha-lipoic acid treatment ameliorates metabolic parameters, blood pressure, vascular reactivity and morphology of vessels already damaged by streptozotocin-diabetes.» *Diabetes Nutr Metab.* Diciembre 2000; 13(6): 308-18.

Kosterlitz HW, Corbett AD, Paterson SJ. «Opioid receptors and ligands.» *NIDA Res Monogr.* 1989; 95: 159-66. Revista.

Kramer MS, Winokur A. Kelsey J, Preskorn SH, Rotschild AJ, Snavely D, Goshs K, Ball WA, Reines SA, Munjack D, Apter JT, Cunningham L, Kling M, Bari M, Getson A, Lee Y. «Demonstration of the efficacy and safety of a novel Substance P (NK1) receptor antagonist in major depression.» *Neuropsychopharemacology.* Febrero 2004; 29(2): 385-92.

Li L, Zhou JH, Xing ST, Chen ZR. [«Efecto de factor tímico D sobre el peróxido lípido, el glutatión y la fluidez de la membrana en el hígado de ratones viejos.»] *Zhongguo Yao Li Xue Bao.* Julio 1993; 14(4): 382-4. Chino.

Low TL, Goldstein AL. «Thymosins: structure, functions and therapeutic applications.» *Thymus.* 1984; 6(1-2): 27-42. Revista.

Martin-Du-Pan RC, [«Hormonas tímicas. Interacciones neuroendocrinas y uso clínico en deficiencias inmunitarias congénitas y adquiridas.»] *Ann Endocrinol* (París). 1984; 45(6): 355-68. Revista. Francés.

Melhem MF, Craven PA. Liachenko J, DeRubertis FR. «Alpha-lipoic acid attenuates hyperglycemia and prevents glomerular mesangial matrix expansion in diabetes.» *J Am Soc Nephrol.* Enero 2002; 13(1): 108-16.

Meyer M, Schreck R, Baeuerle PH. «H_2O_2 and antioxidants have opposite effects on activation of NF-kappa B and AP-1 in intact cells: AP-1 as secondary antioxidant-responsive factor.» *EMBO J.* Mayo 1993; 12(5): 2005-15.

Midaoui AE, Elimadi A, Wu L, Haddad PS, de Champlain J. «Lipoic acid prevents hypertension, hyperglycemia, and the increase in heart mitochondrial superoxide production.» *Am J Hypertens.* Marzo 2003; 16(3): 173-9.

Morgan CA 3°, Wang S, Southwick SM, Ramusson A, Hazlett G, Hanger RI, Charney DS. «Plasma Nuropeptide-Y concentrations in humans exposed to military survival training.» *Biol Psychiatri.* 15 mayo 2000; 47(1): 902-9.

Pacher P, Kohegyi E, Kecslemen V, Furst S. «Current trends in the development of new antidepressants. *Curr Med Chem.* Febrero 2000; 8(2): 89-100. Revista.

Packer L, Roy S, Sen CK. «A-lipoic acid: a metabolic antioxidant and potential redox modulator of transcription.» *Adv Phasmarcol.* 1996; 38:79-101.

Paez X, Hernandez I, Baptista T. «Avances en el tratamiento molecular de la depresión.» *Rev Neurol.* 1-15 septiembre 2003; 37(5): 459-70. Revista. Español.

Perricone N, Nagy K, Horvath F, Dajko G, Uray I, Zs.Nagy I. «Alpha lipoic acid (ALA) protects proteins against the hydroxyl free radical-induced alterations: rationale for its geriatric application.» *Arch Gerodontol Geriatr.* Julio-agosto 1999; 29(1): 45-56.

Podda M, Rallis M, Traber MG, Packer L, Maibach HI. «Kinetic study of cutaneous and subcutaneous distribution following topical applications of [7-8-14C]rac-alpha-lipoic acid onto hairless mice.» *Biochem Pharmacol.* 23 agosto 1996; 52(4): 627-33.

Podda M, Zollner TM, Grundmann-Kollmann M, Thielle JJ, Packer L, Kaufmann R. «Activity of alpha-lipoic acid in the protection against oxidative stress in skin.» *Curr Probl Dermatol.* 2001; 28: 43-51.

Rasmusson AM, Hauger RI, Morgan CA, Bremner JD, Charney DS, Southwick SM. «Low baseline and yombine-stimulated plasma Neuropetide Y (NPY) levels in combat-related PTSD.» *Biol Psychiatry.* 15 marzo 2000; 47(6): 526-39

Roy S, Sen CK, Tritchler HJ, Packer L. «Modulation of cellular reducing equivalent homeostasis by alpha-lipic acid. Mechanisms and implications for diabetes and ischemic injury.» *Biochem Pharmcol.* 7 febrero 1997; 53(3): 393-9.

Schulof RS. «Thymic peptide hormones: basic properties and clinical applications in cancer.» *Crit Rev Oncol Hematol.* 1985; 3(4): 309-76. Revista.

Silva AP, Cavadas C, Grouzmann E. «Neuropeptide Y and its receptors as potential therapeutic drug targets.» *Clin Chim Acta.* Diciembre 2002; 326(1-2): 3-25. Revista.

Suzuki YJ, Mizuno M, Tritschler HJ, Packer L. «Redox regulation of NF-kappa B DNA binding activity by dihydrolipoate.» *Biochem Mol Biol Int.* Junio 1995; 36(2): 241-6.

Tada H, Nakashima A, Awaya A, Fujisaki A, Inoue K, Kawamura K. Itoh K, Masuda H, Suzuki T. «Effects of thymic hormone on reactive oxygen species-scavengers and rental function in tracolimus-induced nephrotoxicity.» *Life Sci.* 25 junio 2002; 70(10): 1.213-23.

Toyoda M, Nakamura M, Makino T, Hino T, Kagoura M, Morahashi M. «Nerve growth factor and Substance P are useful plasma markers of disease activity in atopic dermatitis.» *Br J Dermatol.* Julio 2002; 147(1): 71-9.

Ziegler D, Reljanovic M, Mehnert H, Gries FA. «Alpha-lipoic acid the treatment of diabetic polyneupathy in Germany: current evidence from clinical trials.» *Exp Clin Endocrinol Diabetes.*1999; 107(7): 421-30. Revista.

ÍNDICE ALFABÉTICO

A

abeja, polen, 76
acetilcolina, 180
acetil-L-carnitina (ALC), 171-172
ácido alfa linoleico, en nueces, 103
ácido alfa lipoico (AAL), 167, 170-171
ácido araquidónico, 192
ácido gamma linoleico (AGL), 176
ácidos grasos esenciales (AGE) *Ver también* Omega-3 AGE, 174-176
ácido linoleico conjugado (ALC), 168-169
activador de proteínas 1 (AP-1), 194
adrenalina, 34
AGE *Ver* ácidos grasos esenciales
agua, consumo, 206
ajo, 75, 83, 131
albahaca, 121, 130-131
albaricoques, 75
alcaparras, 77
alcaravea, 121
alcohol, 39-41
alfa glucano, 155-156
alfalfa, brotes, 60
alforfón, 89-91
algas verdiazules, 88-89
alimentos *Ver* dieta; arco iris de los alimentos; recetas; superalimentos; y alimentos específicos
Allium, familia, 83

aminoácidos, 153-154
anchoas, 207
ansiedad, 29
antiinflamatorios
    alimentos, 67-68
    suplementos, 161-163, 170-178, 273, 276
antioxidantes
    alimentos, 58-59, 97-98, 134, 137
    exposición al sol y, 153-154
    hierbas, 122-123
    suplementos, 161-163
antocianinos, 69
AP-1 (activador de proteínas 1), 193-194
arándanos, 60, 72, 75, 78
arco iris, alimentos *Ver también* alimentos arco iris específicos
    cuadro de, 74-78
    escala CARO, 60
    fitonutrientes en, 74
    más saludables, 31, 60
    recursos, 74, 78
arginina, 90, 102-103
arroz, galletas, 187
arrugas, productos tópicos para la prevención, 181, 195-197, 273
arrugas, suplementos prevención, 97, 162
arsénico, 191
artritis, capsicina para, 97

aspartamo, 44
astaxantina, 62, 64-65
azúcar en sangre (glucosa),
    plantas y especias, 141,
azúcar, 169, 176-177, 194, 202-203
azufre, en cebollas, 84

B
baya del saúco, 78
bayas *Ver también* bayas específicas, 60,
    66, 69, 123, 278
Baynes, John W., 166
bebidas, más saludables, 60
benfotiamina, 164-165
berenjena, 60
betacaroteno, 62-64, 127, 131
betaglucano, 75-78
bioflavonoides, 66-67
Blake, Eubie, 147
boniatos, 75
Botox, 26
brécol, 60, 72, 77
brotes de brécol, 77
brotes, 87, 106-110

C
cacao (cacao en polvo), 70-71
cadmio, 191
café, 35, 39, 150, 191
cafeína, 35, 69
calabaza, 75
calcio, 89, 103, 113, 123, 177-178
campesterol, en frutos secos, 103
canavanina, 108
cáncer de mama, 86
cánceres
    ALC y, 168-169
    Allium, familia y, 83
    capsicina y, 98
    carotenoides y, 61-62
    cebada y, 85-86
    crucíferas, vegetales y, 71
    flavon-3-ol y, 68
    flavonoides y, 83, 91
    frutos secos y, 58-59

    judías y, 93
    limonoides y, 75-78
    timo, extractos y, 36-37
    xantofilos y, 64
cánceres colorrectales, cúrcuma, 138
canela, 125, 141
cangrejo, 75
capsicina, 96-102
carbono, monóxido, 96-100
cardamomo, 125, 141
cardiovascular, salud *Ver* corazón, salud
carne de ave, recetas para, 261
carnosina, 166-167
carotenoides, 61-62
carotenos, 63
carvacrol, 121
cataratas, 62-63, 67
cebada, 85-86
cebollas, 60, 75, 83
cebollinos, 77, 121
celular, comunicación, 23-24
celulares, receptores, 35
cena, recetas para la, 255-272
cereal, plantas, 89-90
cereales, trigo sarraceno, 69
cerezas, 60, 75
cigalas, 75
cilantro, 121, 142
ciruelas, 60, 78
ciruelas pasas, 60, 78
cirugía plástica, 27
cítricos, frutas, 66
clavo de olor, 125
clorela, 88-89
clorofila, 62, 187
cobre, 162, 166, 181-182
coenzima Q10 (CoQ10), 45, 172
col, 60, 77
coles de Bruselas, 60
colesterol
    albahaca y, 206
    Allium, familia y, 83
    brotes y, 86-87
    cebada y, 91
    cilantro y, 142

cúrcuma y, 206
fitoesteroles y, 82
flavon-3-ol y, 68
frutos secos y, 100-106
judías y, 206
limonoides y, 66
licopeno y, 75-78
niños y, 208
trigo sarraceno y, 90
coliflor, 77
comino, 129, 142
conjugado ácido linoleico (ALC), 168
coquitos del Brasil, 104, 106
corazón, salud
albahaca y, 206
carotenoides y, 62
cúrcuma y, 206
frutos secos y, 102
judías y, 206
salmón y, 62, 65
cortisol
alimentos y, 119, 138
café y, 150
COX (ciclooxigenasa)
enzimas, 67
criptoxantina, 62, 64
crucíferas, vegetales, 71
culinarios, consejos, 123-131
cúrcuma, 136, 140
curcumina, 98, 137-139
curris (curri en polvo), 257

D
defectos de nacimiento, judías y, 93-94
depresión, 43-45
desayuno, recetas para, 247
DHEA (deshidroepiandrosterona), 155
diabetes
AAL y, 167-171
canela y, 141
cilantro y, 142
fenogreco y, 143
judías y, 206
dieta *Ver también* Programa Perricone de
28 días

caso de Bret, 54
cuadro arco iris, 74
plantas y especias, 119
fitonutrientes, 74
superalimentos, 160
dioxina, 191
DMAE (dimetilaminoetanol),
en salmón, 65
suplementos, 153-154
tópicos, 273
dolores de cabeza, capsicina para, 96
dopamina, 22, 32, 74

E
efedra, 99
ejercicio aeróbico, 203-205
ejercicio, 203-205
elágico, ácido, en nueces, 104
embarazo, 34
endocrino, sistema, 33-34
endorfinas, 25-26
eneldo, 77, 121, 124, 129
energía, potenciadores, 161
enfermedad de Alzheimer, 28, 43-44, 83,
118, 124, 139
enfermedad inflamatoria del intestino (EII),
98
enzima conversora de la angiotensina
(ECA), trigo sarraceno y, 90
enzimas, 22, 29, 63, 67, 95, 105-107, 179,
193, 194
esclerosis múltiple (EM), curcumina y, 139
escorbuto, 68
especias asiáticas, 133
especias, 117-143
espinaca, 60-77
espirulina, 88-89
espliego, 119
esteroidales, hormonas, 34
estragón, 77
estrés (hormonas del estrés), 33
aliviadores del, 46
estrógeno, 34, 41
etapa 1ª *Ver* dieta, 21
etapa 2ª *Ver* suplementos, 21

etapa 3ª *Ver* tópicos, 21
eugenol, en albahaca, 130
excitotoxicidad, 43

F
fenogreco, 129, 143
fermentados, alimentos, 110-111
fibra
    en cebada, 85-86
    en judías, 92-94
    en trigo sarraceno, 89-91
fítico, ácido, en frutos secos, 103
fitonutrientes, 53, 58
flavon-3-ol, 68
flavonoides, 66
folato, 84, 93, 102
fólico, ácido, 93, 127, 207
fracción cinco, 195
fracción D, 210
fracción SX, 155, 159
frambuesa, 60, 75
fresas, 60, 75
frutas y verduras
    brotes y, 106-110
    cáncer y, 58
    CARO escala, 60
    fitonutrientes, 53, 58
    más saludables, 60
    plantas, pigmentos en, 69
frutos secos, 100-106
frutos secos, mantequillas, 105
fumar, 152

G
gamba, 75
gástrico, alivio, 98
Giardia, orégano para, 122
Ginkgo biloba, 121
glicación, 127, 156, 162
glicación, inhibidores, 166
glicémico, alto contenido, alimentos,
    63
glucorafanina, 73, 108
glutamato monosódico (GMS), 43
glutatión

alimentos y, 83, 124, 137, 142
    suplementos y, 170-171
granada, 72, 75
grasa, metabolizadores, 161
grasos *Ver también* Ácidos grasos
    esenciales, 174-176
grosellas negras, 78
guindillas, 75, 96
guisantes, 110

H
Henriksen, Steve, 22
herida, suplementos, curación, 181
hierba de San Juan, 121
hierba luisa, 121
hinojo, 77, 121
homocisteína, 93, 102, 139
hormona del crecimiento humano (HCH),
    37
hormonas de la muerte, 34-35
hormonas, 33-34
huevos, 61, 89, 92, 108
Hunt, Stephen P., 43
huzhang, 71

I
inflamación
    envejecimiento y, 28
    piel, tópicos y, 21
    probióticos y, 112
    salvia y, 129-130
inmunosenectud (menopausia tímica), 36
insulina (resistencia a la insulina), 156
    alimentos y, 141, 143
International Sprout Growers Association
    (ISGA), 107

J
jengibre, 133-136
judías, 77, 92-93
juventud, hormonas, 35

K
kasha, 90
kéfir, 110-113, 114-116

kiwi, 60, 77
Krebs, ciclo, 170

L

laurel, hoja, 121, 123-124
L-carnitina, 45, 161, 171-172
lechuga, 78
legumbres (judías), 77
lentejas, 92-93
licopeno, 62-63
lignanos, 86, 149, 150, 157
lima, 78
limoneno, 66
limones, 75
limonoides, 66
lino, semillas, 86, 106, 149
L-tirosina, 170
luteína, 62-63
licopeno, 62-63

M

macular, degeneración, 62, 69
magnesio, 89, 103, 123, 177-179
maitake fracción D, 159
maitake fracción SX, 159
Maitake Magic (Preuss), 157
maitake, hongos, 158
maíz, 60, 175
mandarinas, 75
manganeso, 179-180
mangos, 76
manzanas, 76, 78
marisco, 53, 62
melocotones, 76
melones, 76, 78
memoria, 25, 34-35
menopausia tímica (inmunosenectud), 36
menta, 78, 121, 126
mercurio, 191
Metchnikoff, Elie, 111
Meyerowitz, Steve (Sproutman),107
microcistinas, 89
miricetina, 67
moras, 78

N

nabos, 78
naranjas, 60, 76
náusea, jengibre para, 134
neuroendocrino, sistema, 33
neurológicas, enfermedades, cúrcuma para,
neuropéptido Y, 136, 140
neuropéptidos,
    definición, 189
    función del cerebro en, 47-48
    piel y, 196-198
    productos tópicos, 196-198
niacina, 86, 207
niacinamida, 45
nuclear kappa B, factor, 171, 192
nuclear, factores transcripción (FTN 97-
    98,171),
nueces, 102-104
nutricionales, suplementos, 180

Ñ,

ñame, 76

O

obesidad *Ver también* Pérdida de peso
    frutos secos y, 143
    síndrome X y, 117
    yogur y, 113
oleico, ácido, 82
oligoméricas, proantocianidinas (PCO), 70
omega-3 AGE, 174-176
omega-6 AGE, 175
omega-9 AGE, 106
orégano, 121, 122-123, 132
oxígeno, capacidad de absorbencia de
    radicales (CARO), 59

P

papayas, 134
Parker, Jim, 25
pasas, 60
pavo, recetas, 249, 251, 252, 264, 267
péptido, slimento funcional (PEP),
    caso de Ricky, 152-154
    síndrome X, contra, 155-156

péptido, hormonas, 34
péptidos
    definición, 17-20
    productos tópicos, 195
peras, 76, 78
perejil, 78, 121, 127
Perricone programa *Ver* Programa
    Perricone de 28 días, 201-246
pescado *Ver también tipos específicos de
    pescado*
    recetas, 249, 250, 254, 255, 257-260
pescado, aceite, 170, 176, 211-246
peso, pérdida, 113, 114, 202
    capsicina y, 98, 99
    frutos secos y, 104, 105
    suplementos, 167-170
Pilates, método, 205
pimienta negra, 140-141
pimientos morrones, 99
pimientos *Ver* pimientos morrones
pino, corteza, 68-70
plomo, 169, 191
polifenoles, 91, 103, 104, 137
polisacáridos, 31, 50, 88, 115, 143, 147-
    150, 153, 155, 157-159, 175, 190, 199,
    209, 210, 274
pollo, recetas para, 261-263, 265, 268
pomelo, 60, 76
potasio, 89, 93, 103, 207, 209
Preuss, Harry G., 117
probióticos, 110, 111
productos finales de la glicación avanzada
    (AGE), 29, 55, 56, 156, 162
Programa Perricone de 28 días, 201-246
    ejercicio y, 203-205
    consejos importantes para, 206-209
    primera semana, 210-219
    segunda semana, 220-229
    tercera semana, 229-237
    cuarta semana, 238-246
puerros, 84

Q
quercetina, 67-84

R
radicales libres, 58, 59, 62, 66-68, 70, 88,
    89, 91, 97, 120, 127, 130, 131, 151,
    153, 156, 163, 164, 170-175, 179, 182,
    186, 192, 193
receptores, puntos, 24
recetas
    alforfón pilaf, 271
    avena pilaf con aroma de azafrán y
        perejil, 270
    bacalao fresco al horno con salsa de
        tomate y albahaca, 301
    cebada al horno, 269
    cereales con alforfón, 247
    cóctel de gambas, cangrejo o
        bogavante, 252
    chile de pavo o tofu con dos tipos de
        judías, 267
    delicias de fletán con pimientos y
        puerros pochados, 255
    ensalada César con pollo o gambas
        asados, 254
    ensalada de pollo o tofu al jengibre, 251
    ensalada de pollo y nueces con judías y
        alcachofas, 268
    ensalada de salmón, 250
    ensalada griega con pollo, salmón,
        gambas o tofu asados, 254
    espinacas con ajo jengibre, 269
    filete de salmón con costra de
        avellanas sobre base de ensalada
        tibia, 258
    fresca y cremosa ensalada de pepino
    gambas al curri, 256
    hamburguesas de pavo, 251
    hamburguesas de salmón sobre un
        fondo de ensalada, 249
    humus, 248
    pescado de invierno en sabrosa y
        sencilla salsa, 259
    pimientos rellenos estilo mediterráneo,
        266
    pollo al limón, 261
    pollo asado estilo indio, 263
    pollo o tofu al curri, 265

pollo con almendras, 262
rollito de ensalada de pollo, pavo o
tofu, 249
salmón teriyaki, 257
sopa de lentejas con salchicha de pavo,
264
sopa de pavo mediterránea, 252
suculenta sopa de pollo, 253
remolachas (hojas de remolacha), 60, 77
repollo, 78
requesón, 209
resistencia, entrenamiento, 203-205
romero, 121, 128

S
salmón, 65, 76
salvia, 121, 129-130
saponinas, 99, 108
sardinas, 167, 178, 207
Scoville, unidades, 99, 100
Schulick, Paul, 134
selenio, 86, 104
semillas, 89-90, 100-106
serotonina, 22, 32, 164, 203
SPM, estrógeno y, 41
síndrome X, 155
sinusitis, 97, 100, 126
sol, exposición, 153-154
sopas, recetas para, 252-254, 264, 265
sueño, 25, 40, 129, 167, 199
superalimentos, 160
superantioxidantes, 71
suplementos Ver también polisacáridos
suplementos antienvejecimiento, 161
suplementos antiglicación, 161
substancia P, 42-47
SX, fracción, 201-246, 155, 159

T
T, células, 36, 37, 158, 170
té negro, 78
té verde, 78
tímicos, extractos, 33, 37
tímicos, péptidos, 37-41, 153, 162, 163,
180, 181, 195

timo, glándula, 34-38, 195, 203
timol, 122
timosina, beta, 4
tocotrienoles, 86, 174
tofu, recetas, 109, 178, 211, 212, 215-217,
223, 224, 229, 231, 233, 234-236
tomates, 63, 70, 123, 126, 127, 129, 131,
135
tomillo, 78, 121, 126-127
trastorno por estrés postraumático (TPEP),
46, 47
trigo sarraceno, 69
trigo sarraceno, fideos, 90
trigo, plantas, 86-91, 107, 110, 180
trucha arco iris, 76

U
uva (mosto), 70, 78

V
valeriana, 121
verde, té, 68
verdes, alimentos, 77, 78, 86, 87
verduras Ver frutas y verduras específicas
vínculo cerebro-belleza, 42
vino tinto, 76
vitamina A, 63-64
vitamina B_1, 164-165
vitamina B_5, 181-182
vitamina B_6, 131
vitamina C, 172-174
vitamina C, éster, 172-174
vitamina E, 174

X
Xantofilos, 64

Y
yogur, 110-114

Z
zanahorias, 76
zeaxantina, 64
Zemel, Michael, 114
zingibaína, 134